脳を鍛えるには運動しかない！

最新科学でわかった脳細胞の増やし方

SPARK : The Revolutionary New Science of Exercise and the Brain

著◉ジョン J. レイティ with エリック・ヘイガーマン
訳◉野中香方子

ケネス・クーパー、カール・コットマン、フィル・ローラーへ。
この3人の革命家なくして
本書は書かれえなかっただろう。

装幀　戸倉 巌(トサカデザイン)

脳を鍛えるには運動しかない!

目次

※本文中、（ ）は原注、〔 〕は訳註を表す。

人生において成功するために、神は人にふたつの手段を与えた。
教育と運動である。
しかし、前者によって魂を鍛え、後者によって体を鍛えよ、ということではない。
その両方で、魂と体の両方を鍛えよ、というのが神の教えだ。
このふたつの手段によって、人は完璧な存在となる。

——プラトン

序文　結びつける

運動すると気分がすっきりすることはだれでも知っている。けれども、なぜそうなるのかわかっている人はほとんどいない。ストレスが解消されるから、筋肉の緊張がやわらぐから、あるいは、脳内物質のエンドルフィンが増えるから——たいていの人はそんなふうに考えている。でも本当は、運動で爽快な気分になるのは、心臓から血液がさかんに送り出され、脳がベストの状態になるからなのだ。わたしに言わせれば、運動が脳にもたらすそのような効果は、体への効果よりはるかに重要で、魅力的だ。筋力や心肺機能を高めることは、むしろ運動の副次的効果にすぎない。わたしはよく患者に、運動をするのは、脳を育ててよい状態に保つためだと話している。

科学技術に支配され、世界のどこの様子もプラズマ画面ですぐに見られる現代にあって、人間が動くように生まれついていること、つまり動物だということは忘れられがちだ。それはわたしたちが動かなくていい生活を築いてきたからだ。皮肉なことに、生物として当然の活動さえしなくてすむ社会を夢想し、計画し、実現した人間の能力は、運動をつかさどる脳の領域に根ざしている。人類は過去五〇万年にわたって、絶えず変化する環境に適応するために、身体能力を磨き、思考する脳を進化させてきた。ともすればわたしたちは狩猟採集生活をしていた祖先を、もっぱら体力に頼って生きていた野蛮な人間と見なしがちだが、彼らにしても長く生き延びるには、知恵をはたらかせて食物を見つけ、蓄えなければならなかった。人類の脳の回路には、食物と体の活動と学習とのつながりがもともと組み込まれているのだ。

しかし、わたしたちはもはや狩りも採集もしていない。そこに問題がある。動くことの少ない現代の生活は人間本来の性質を壊し、人類という種の存続を根底から脅かしている。証拠はあちこちに見られる。アメリカのおとなの六五パーセントが太りすぎで、国民の一〇パーセントがII型糖尿病を患っている。運動不足と栄養の偏りが原因の破滅的な疾病だが、生活習慣によって十分予防できるはずだ。かつては中高年の病気と言われていたこの疾病が、今では若い人たちにも広まりつつある。わたしたちは自分で自分の首を絞めているようなもので、しかもそれは生活のすべてが特大サイズのアメリカに限った話ではなく、先進国全体の問題となっている。もっと気がかりで、しかも、ほとんどだれも気づいていないのは、動かない生活は脳も殺してしまうということだ。実際に脳は縮んでいくのである。

現代の文化は心と体を別ものののように扱っているが、わたしはそれをふたたび結びつけたいと思っている。長らくわたしは、心と体の結びつきというテーマを夢中になって追究してきた。一九八四年にハーヴァード大学で医療専門家に向けて行った初めて講演のタイトルは『体と精神医学』だった。そのときはおもに体と脳の両方向から攻撃性を治していく新しい薬物療法について話したが、それはマサチューセッツ州立総合病院の研修医《レジデント》だったときにたまたま発見したものだ。複雑な精神疾患を病む患者を担当したのがきっかけだった。以来わたしは、体を治療して心の状態を変える方法をずっと探し求めてきた。今もその取り組みはつづいているが、そろそろメッセージを広く伝えるべきときがきたようだ。この五年だけでも、神経科学の分野では重要な発見が相次ぎ、体と脳と心の生物学的な結びつきを示す、驚くような絵が浮かび上がってきた。

脳を最高の状態に保つには、体を精一杯はたらかせなければならない。本書では、体の活動がわたしたちの考え方や感じ方にとって、なぜ、そしていかに大切なのかを説明していこう。運動すると、脳の学習機能を支える基本要素にどんな指示が出されるのか。運動は、気分や不安や注意力にどんな影響を及ぼすのか。どうやってわたしたちをストレスから守り、脳の老化をいくぶんでも後戻りさせるのか。そして女性に関して、ホルモンの変調がもたらす厄介な症状を運動がどのように阻止するのか。そういったことを科学的に説明していきたい。ランナーズハイのような、あいまいな概念について語るつもりはない。そもそも、ここで語るのは概念ではない。実験室のラットで計測し、人間において確認した具体的な変化なのだ。

運動をすると、セロトニンやノルアドレナリンやドーパミン――思考や感情にかかわる重要な神経伝達物質――が増えることはよく知られている。読者の皆さんも、セロトニンについては耳にされたことがあるだろうし、その不足が抑うつに関係していることもご存じかもしれないが、わたしが会ってきた多くの精神科医でさえ、それ以上のことはあまり知らないようだ。強いストレスを受けると脳の何十億というニューロンの結合が蝕まれることや、うつの状態が長引くと脳の一部が萎縮してしまうこと、しかし運動をすれば神経化学物質〔神経伝達物質のほか、ニューロンの成長や機能調節などさまざまな役割を担っている化学物質の総称〕や成長因子がつぎつぎに放出されてこのプロセスを逆行させ、脳の基礎構造を物理的に強くできること、そういったことをほとんどの人は知らないのだ。実際のところ脳は筋肉と同じで、使えば育つし、使わなければ萎縮してしまう。脳の神経細胞《ニューロン》は、枝先のさん出てきて、脳の機能がその根元から強化される。

「葉」を通じて互いに結びついている。運動をすると、これらの枝が生長し、新しい芽がたくさん出てきて、脳の機能がその根元から強化される。

神経科学者たちは、運動が脳細胞の内部——遺伝子そのもの——に及ぼす影響を研究し始めたところだ。生物の基礎である遺伝子レベルでも、体の活動が心に影響することを示す兆候が見つかっている。また、筋肉を動かすとタンパク質が作り出され、血流に乗って脳にたどり着き、高次の思考メカニズムにおいて重要な役割を果たすことがわかってきた。そうしたタンパク質群にはインスリン様成長因子（ＩＧＦ－１）や血管内皮成長因子（ＶＥＧＦ）などがあり、その発見により、心と体の結びつきを新たな角度から見られるようになった。神経科学者がこうした因子の機能に注目し始めたのはここ数年のことだが、続々と新しい発見がなされ、驚異的な事実が明かされている。脳のミクロの環境でなにが起きているかについては、わからないことの方がはるかに多いが、すでにわかっていることだけでも人々の生活は変えられる。そして、おそらく社会も変えることができるはずだ。

なぜ脳のはたらきを気にかける必要があるのだろう。ひとつには、脳がわたしたちのすべてを取りしきっているからだ。こうしている今も、あなたの脳の前の部分は、あなたが読んでいるものを信号に変換していて、その信号をあなたがどれだけ吸収できるかは、ニューロンのつながりを強くする神経化学物質と成長因子のバランスが正しく保たれているかどうかにかかっている。そして運動は、きわめて重要なこうした物質や因子に、劇的な影響を及ぼすことが立証されている。運動をして脳の準備を整えてから、机に向かってなにか新しいことを覚えようとすると、脳に入ってくる刺激がニューロンの結合を強めていく。そうしてできた脳の回路は、情報が何度も通ることでさらに強くなる。繰り返し人が通るうちに森のなかに道ができていくのと同じだ。そうやってニューロンの道を作ることの大切さは、本書でとり上げるすべての問題にかかわっている。たとえば、不安に立ち向かうには、くせになっているマイナス思考の道を消していくと同時に、それに代わる新たな道を切り開いていかなければならないのだ。これから述べていく体と脳の相互作用を理解すれば、あなたはそのプロセスをうまく利用して問題を解決し、前向きな気持ちになることができるだろう。今朝、三〇分間運動したのなら、心の準備は万全で、落ち着いて椅子に座り、この段落に集中できるだろうし、脳はその内容を覚える態勢が十二分にとれているはずだ。

過去一五年にわたるわたしの著作はすべて、脳について知ってもらうことを目的としていた。自分の脳の仕組みを十分に知っていれば、人生を変えることができる。なにか感情的な問題を抱えていたとしても、それに生物学的根拠があるとわかっていれば、罪悪感を覚えなくてすむし、さらにその生物学的作用をコントロールする方法を知っていれば、無力感にさいなまれなくてすむ。わたしは患者に対し、この点を繰り返し強調している。と言うのも、一般に脳は、象牙の塔（世俗とは無縁の場所）から不可解な命令を出す司令官で、外から触れることはできないと考えられがちだからだ。そんなことはまったくないし、その障壁は運動によって崩せる。

わたしが願うのは、運動が脳のはたらきをどれほど向上させるかを多くの人が知り、それをモチベーションとして積極的に運動を生活に取り入れるようになることだ。もっとも、それを義務だとは思ってほしくない。運動はもちろんするべきなのだが、無理強いするつもりはない（おそらく、そんなことをしても無駄だ。ラットの実験により、強制された運動では自発的な運動ほどの効果が出ないことがわかっている）。運動をしたいと心から思えるようになれば、そのとき、あなたは違う未来へ向かう道を歩み始めている。それは生き残るための道ではなく、成長するための道なのだ。

二〇〇〇年一〇月『ニューヨーク・タイムズ』紙は、デューク大学の研究者が、うつ病の治療には塩酸セルトラリン（SSRIの一種。商品名ゾロフト）より運動の方が効果があることを証明したと報じた。なんとすばらしいニュースだろう！　だが残念ながら、この記事は一四面の健康と運動の欄に小さく掲載されただけだった。もし運動が薬の形で摂取できるのなら、世紀の大発見として一面にでかでかと報じられただろうに。

以下に紹介するニュースもまた、ぽつぽつと現れてはすぐ忘れ去られてしまったものだ。ABCの「ワールドニュース」は、ラットを運動させるとアルツハイマー病の予防効果が認められたと報じた。CNNは、肥満の危機的増加を示す統計結果について手短に報じた。『ニューヨーク・タイムズ』紙は独自の取材により、躁うつ病の子どもの治療に、わずかな効き目しかない上に恐ろしい副作用のある高価な薬が使われている実態を暴いた。だれも気づいていないようだが、一見、なんのつながりもなさそうなこれらの話は、生物学の基本的レベルで結びついている。本書では、まだ一般には知られていない新しい研究の数々について検討しながら、それがどう結びついているかを説明していきたい。

わたしが目指すのは、運動と脳をつなぐ驚きに満ちた科学をわかりやすい言葉で語り、それが人間の生活にどのような形で現れるかを示すことだ。そして、運動が認知能力と心の健康に強い影響力をもっているという認識を確かなものにしたい。運動は、ほとんどの精神の問題にとって最高の治療法なのだ。

わたしはそれを患者や友人たちの姿に見てきたし、彼らの多くが、その体験を本書に記すことを許してくれた。だが、最も見習うべき事例は、診察室の壁を越えたはるか先、シカゴ郊外の学区で見つかった。その学区で展開された画期的な体育プログラムは、今わたしが述べてきた刺激的で新しい研究と深く結びついている。イリノイ州ネーパーヴィルで取り入れられた体育の授業は、一万九〇〇〇人の生徒を、おそらく米国一健康にした。ある高二のクラスでは、太りすぎの生徒は三パーセントしかいない。国の平均は三〇パーセントだ。さらに啞然とさせられるのは、そのプログラムによって、学区の生徒が国内有数の頭のいい生徒へと変身したことだ。一九九九年、ネーパーヴィルの八学年の生徒は、世界の約二三万人の生徒が参加するTIMSS（国際数学・理科教育動向調査）という国際的基準の数学と理科のテストを受けた。当時、それらの大切な教科において、アメリカの生徒は中国、日本、シンガポールの生徒に大きく水をあけられてきたが、ネーパーヴィルの生徒は明らかに例外だった。彼らは数学では世界六位、理科では世界一位という結果を出したのだ。政治家や学識者はアメリカの教育の遅れを嘆き、わが国の生徒は今日の科学技術中心の経済において成功する準備が整っていない、と警鐘を鳴らすが、そんな現状にあって、ネーパーヴィルの快挙は並外れた朗報と言えるだろう。

ネーパーヴィルのプログラムほど希望と勇気を与えてくれる情報に接したのは何十年ぶりだろう。太りすぎで、やる気がなく、成績不振の若者についての悲しいニュースばかり聞かされているときに、この実例は本物の希望を与えてくれた。第一章では、皆さんをネーパーヴィルへとお連れしよう。そこの熱気に触れて、わたしはこの本を書く気になったのだ。

第一章

革命へようこそ

運動と脳に関するケーススタディ

シカゴの西、ゆるやかな丘に立つれんが造りのネーパーヴィル・セントラル高校の地階にある天井の低い部屋には、何台ものランニングマシンとエアロバイクが並べられている。以前はカフェテリアだったが——その座席数は、生徒数からすればあまりに少なかった——、今は、その高校の「エクササイズルーム」となっている。午前七時一〇分。入学間もない新入生の一群が、眠そうな顔で運動器具にもたれかかっている。これから体育の時間が始まるのだ。

　引き締まった体つきの若い体育教師ニール・ダンカンが、その朝の課題を説明する。「よし、ウォーミングアップが終わったら、トラックに出て走るぞ」ダンカンは黒いショルダーバッグを開いた。なかには腕時計式のデジタル心拍計と、胸に装着するトランスミッター〔心拍数を感知するベルト〕がぎっしり詰め込まれている。心拍計は運動選手がトレーニング時に使うようなストップウォッチ機能を兼ねたものだ。「トラックを一周するたびに赤いボタンを押しなさい。そうすればスプリット（一周にかかる時間）がわかる。そうやって、一周、二周、三周と速さを計るんだ。最後の四周まで、しっかり走るんだぞ」彼はそこで言葉を切り、まだ眠そうにしている生徒たちを見まわした。「走り終えたら青いボタンを押す、いいかい？　そうすればストップウォッチは止まる。目標はできるだけ速く走ることだ。もうひとつ大事なことを言い忘れていた。平均心拍数を一八五以上に上げるんだよ」

　新入生たちは一列になってダンカン先生の脇を抜け、大きな音を立てて階段を駆け上がり、重い金属製のドアを押し開けた。運動場に出るとすぐ、いくつかのグループに分かれてトラックを走り始めた。さわやかな一〇月の朝、空にはうろこ雲が浮かんでいる。革命にふさわしい朝だ。

これは昔ながらの体育の授業ではない。一連の教育実験における最新の取り組み、「〇時限体育」である（その名称は、一時限目の前に組み入れられたことによる）。型破りな体育教師のグループが始めたもので、その結果、ネーパーヴィル二〇三学区の生徒一万九〇〇〇人は、全国一健康になり、成績も目覚ましく向上した。「〇時限」の狙いは、授業前に運動することで読解力やほかの成績が上がるかどうかを明らかにすることだ。

なぜ成績向上を期待するかと言うと、近年の研究によって、運動が生物学的変化を引き起こし、脳のニューロンを結びつけることがわかったからだ。脳が学習するには、そうした結びつきが作られなければならない。逆に言えば、脳はそのように新しい結びつきを作れるからこそ、変化に対応できるのだ。神経科学者がこのプロセスについて探究するうちに、運動がなによりの刺激となって、脳は学習の準備をし、意欲をもち、その能力を高めることがわかってきた。とくに有酸素運動は「適応」に劇的な効果を及ぼす。「適応」とは、心身のシステムのバランスを整え、その能力を最大限にしようとする機能であり、自分の可能性を切り開いていこうとする人にとって、欠くことのできないメカニズムだ。

そばかす顔にメガネをかけたダンカン先生は、トラックを走る生徒たちを監督する。

「ぼくのストップウォッチは動いていません」走りすぎながら、ひとりの男子生徒が訴える。

「赤いボタンだぞ。赤いボタンを押して！　最後に押すのが青い方だ」と、先生は叫ぶ。

ミシェルとクリッシーという二人の女子生徒は肩を並べてのろのろ走っていく。

ひもがほどけたままのスケボー用の靴を履いた少年が走り終え、心拍計をもってきた。八分三〇秒と出ている。

つぎに来たのは、だぶだぶの短パン姿の大柄な少年だ。

「心拍計をもってきて、ダグ。何分かかった？」ダンカンが聞く。

「九分です」

「きっかり？」

「はい」

「よくやった」

ミシェルとクリッシーがようやく走り終えたので、ダンカンが時間を聞くと、ミシェルのストップウォッチはまだ動いていた。青いボタンを押し忘れたらしい。だが、クリッシーは押していて、二人の時間は同じと見てよかった。クリッシーは手首を掲げ、ダンカンにストップウォッチを見せた。「一〇分一二秒」、ダンカンはクリップボードに時間を書き込む。「ずいぶんとだらだら走っていたようだな！」などとは言わない。


実際、二人はだらだらしていたわけではなかった。ダンカンがミシェルの記録をダウンロードすると、一〇分間の平均心拍数は一九一で、それは訓練を積んだ運動選手にとっても激しい運動を示す数値だった。ミシェルはこの日、Ａの評価をもらった。

「〇時限」に参加する生徒たちは、読解力が標準以下だったためにリテラシー（読み書き）の授業が必修となった新入生のなかから志願してきた生徒たちで、セントラル高校で体育を選択しているほかの生徒たちよりずっと熱心に取り組んでいる。彼らは最大心拍数〔一般的には大人の場合、二二〇から自分の年齢を引いた値を理論上の最大値と見なす〕の八〇から九〇パーセントのあいだで運動するよう指示されている。「わたしたちがやっているのは、厳しい運動を通して学習の準備をさせようという試みです。要するに、頭をしっかり目覚めさせてから授業に送り込んでいるのです」とダンカンは言う。

生徒たちは、ダンカン先生のモルモットになっていることをどう思っているのだろうか？「いいと思うわ」とミシェル。「早起きしなきゃいけないし、汗をかいて気持ち悪かったりするけど、一日中、以前より目が覚めている感じがするの。去年はいつもイライラしていたのよ」

ミシェルは気分がよくなった上に、読解力もついてきた。それは、「〇時限」に参加している生徒全員に言えることだ。学期の最後に、リテラシーの授業を選択した生徒のリーディング力と理解力をテストしたところ、朝寝坊を優先して普通の体育にしか出なかった生徒たちの成績は一〇・七パーセントの向上にとどまったが、「〇時限」の授業に出た生徒たちは一七パーセントもの伸びを見せた。

学校当局はその成果に深い感銘を受け、「〇時限」を「学習準備のための体育」と名づけ、一時限目のリテラシーの授業の一環としてカリキュラムに組み入れた。今もその実験はつづいている。リテラシーの授業を受ける生徒たちは二つのクラスに分けられ、一方は運動の効果がつづいている二時限目に、もう一方は八時限目に授業を受けた。予想どおり、二時限目に授業を受けたクラスは最高の結果を出した。この方法は、読解力を上げる必要のある新入生以外にも広げられ、生徒指導カウンセラーは、運動の効果を生かすために、生徒全員がそれぞれ一番苦手とする教科を体育の直後に受けることを提案している。

まさに革命的な発想であり、わたしたちは皆、そこから学ぶことができる。

トップクラスの成績

ネーパーヴィル二〇三学区独自の体育への取り組みから生まれた「〇時限」は、国中の注目を集め、体育の授業のモデルタイプとなっているが、これが体育だと言われても、本書を読まれているおとなの皆さんは首をかしげるのではないだろうか。ドッジボールをするわけでもなく、シャワーを浴びなくても平気で、チームメンバーになれるかどうか心配しなくていいのだ。

ネーパーヴィルの体育の真髄は、スポーツではなく、健康《フィットネス》について教えるところにある。根本にある考えは、体育の授業を通じて自分の健康を観察し管理する方法を教えることができれば、その知識は生涯、役立つだろうし、生徒たちにより長くより幸せな人生を送らせることができる、というものだ。実際のところ、教えているのはライフスタイルなのだ。生徒たちは体のはたらきを学ぶとともに、健康な生活習慣を身につけ、その楽しさを学びつつある。ネーパーヴィルの体育教師たちは幅広い選択肢を用意して、どの生徒もそれぞれ楽しめるものを見つけられるようにしている。そうやって、子どもたちがテレビの前に座ることではなく、体を動かすことに夢中になるよう仕向けているのだ。それはとても大切なことだ。統計によると、日常的に運動している子どもは、おとなになってからもその習慣をつづける傾向があるそうだ。

だが、わたしがまず驚いたのは、この健康《フィットネス》を土台とする取り組みの成果が、学校に通っているうちからすでに現れていることだった。この「新しい体育」のカリキュラムが始まってから一七年がたつが、その成果は思いがけない場所、つまり教室で現れている。

学校が生徒ひとりにかける費用——教育関係者はそれが成績を大きく左右すると見ている

——がイリノイ州のほかの優秀な公立校よりかなり低いにもかかわらず、この学区の学業成績が常に州のトップ10に入っているのは、単なる偶然ではない。ネーパーヴィル二〇三学区には、小学校が一四校、中学校が五校、高校が二校ある。比較のために、「〇時限」を始めたセントラル高校を見てみよう。二〇〇五年に、同校が生徒ひとりにかけた費用は八九三九ドルだったのに対し、同じくイリノイ州のエヴァンストン市のニュートライアー高校は一万五四〇三ドルだった。ACT（米大学入学学力テスト）の平均点で見ると、ニュートライアーの生徒の方が二ポイント高かったが（二六・八）、大学進学を希望するしないを問わず全生徒が受ける州の統一テストでは、セントラルの方が成績がよかった。また、二〇〇五年にセントラルを卒業した生徒のACTの総合点は二四・八で、州平均の二〇・一よりかなり高かった。

これらのテストよりはるかに多くを語るのが、TIMSS（国際数学・理科教育動向調査）の結果だ。TIMSSは、数学と理科という二つの大切な教科における生徒の知識レベルを国際比較するために作られたテストで、『ニューヨーク・タイムズ』紙の論説委員で、世界的ベストセラー『フラット化する世界』の著者であるトマス・フリードマンが、米国はシンガポールなどの生徒に「ぼろ負けした」と嘆いたテストだ。米国とアジアの教育ギャップは広がる一方だとフリードマンは指摘する。アジアには、生徒の約半数が最高区分に入っている国もあるというのに、米国の場合、そのレベルに達している生徒は全体のわずか七パーセントしかいない。

TIMSSは、一九九五年以来、四年ごとに実施されている。一九九九年には、三八か国から二三万人の生徒が受験し、米国からは五万九〇〇〇人が参加した。シカゴの比較的恵まれた階級が暮らすノースショア地域のニュートライアーと一八の学校は一グループとしてTIMS

Sを受け（そのため、個々の学校の成績はわからない）、ネーパーヴィル二〇三学区もまとまって参加し、生徒の成績を国際基準に沿って調べた。八年生の約九七パーセントが参加したので、特別優秀な生徒に限ったわけではなかったが、驚くような結果が出た。TIMSSの理科のテストで、ネーパーヴィルは一位になったのだ。わずかの差でシンガポール、そして、ノースショアのグループがつづいた。つまり世界一である。数学では、ネーパーヴィルは六位となり、その上にいるのはシンガポール、韓国、台湾、香港、日本だけだった。

米国の生徒の平均は、理科が一八位、数学が一九位で、ジャージーシティとマイアミの地域はそれぞれ理科と数学で最下位だった。「米国の学区間には非常に大きな開きがあります」と、TIMSSを監督するアイナ・マリスは言う。「ともあれネーパーヴィルのような学区の存在は喜ばしいことです。やればできるということを示しているのですから」

もっとも、ネーパーヴィルの生徒が賢いのは独自の体育プログラムの成果だ、と言い切ることはできないだろう。学力に影響する要素はたくさんある。実を言うと、ネーパーヴィル二〇三学区は人口統計的に見て恵まれた地域なのだ。低所得者層はイリノイ州全体では四〇パーセントにのぼるが、二〇三学区では二・六パーセントしかいない。また、ネーパーヴィルの高校二校は、九七パーセントの卒業率を誇っている。さらに住民の大半は、アルゴンヌ研究所やフェルミ研究所、ルーセント・テクノロジー社といった科学系の職場に勤務しているので、生徒の多くは親が高学歴だと言える。環境的に見ても遺伝的に見ても、ネーパーヴィルは有利な立場にあるのだ。

それでも、ネーパーヴィルに関してとくに目を引くのは二つの要素だ。独自の体育と、試験の好成績。わたしはその相関に好奇心をそそられ、現地を訪ねてなにが起きているのかをこの目で確かめずにはいられなかった。

新しい体育

ネーパーヴィルの革命は、そうした取り組みのつねで、半分は理想主義から、半分は自衛のために始まった。旗手となったのは先見の明ある中学の体育教師フィル・ローラーで、米国の子どもの健康状態が下降しつつあるという新聞記事を読んだのがきっかけだった。一九九〇年のことだ。

「記事には、子どもたちが不健康なのはあまり動かなくなったせいだと書かれていました」とローラーは振り返る。背の高い五十代の男性で、縁なしメガネをかけ、カーキ色のスラックスに白いスニーカーを履いている。「最近では、肥満が急増していることはだれでも知っていますが、一七年前に、新聞にそのような記事が載るのはまれでした。教師仲間と話しあったものです。ぼくたちは毎日子どもたちと接している。彼らの健康によい影響を与えられるんじゃないだろうか。それがぼくたちの仕事なのだから、今のままにしておいていいわけがない」

ローラーはかねてより、自分の職業にはあまり敬意が払われていないと感じていた。加えて、学校はカリキュラムから体育を減らし始めていた。そんな折に目にしたのがその記事だ。彼は、かつて大学野球でピッチャーとして活躍したが、プロにはなれず、スポーツにかかわっていたかったので体育の教師となった。誠実で、セールスの才があり、リーダーの資質も備えている。

ネーパーヴィル二〇三学区のマディソン中学校で体育を教えるかたわら、セントラル高校の野球部のコーチを務め、また、学区の体育コーディネーターもしていたが、そのような立派な地位にあっても、職業を恥ずかしく思うことがあった。彼にとってその記事は、自分の仕事を意義あるものにする機会も与えてくれたのだ。

ローラーとマディソン中学校の同僚は、まず体育の内容をじっくり観察した。そして、なにもしないでいる子どもがとても多いということに気づいた。それはチームスポーツの特徴で、野球では打つ順番を待ち、アメリカンフットボールではセンターがボールをスナップするのを待ち、サッカーではボールが自分の方に飛んでくるのを待つというように、ほとんどの時間、ほとんどの生徒は、ただじっと立っていた。そこでローラーは有酸素運動に重点を移すことにし、カリキュラムに斬新なプランを取り入れた。週に一度、体育の時間に長距離を走ることにしたのだ。それもなんと毎週である。生徒は不満の声を上げ、親は苦情を寄せ、医師たちは注意するようにと言ってきた。

それでもローラーの決意は揺るがなかった。そして、その取り組みを始めて間もなく、能力評価が、走るのが遅い生徒たちのやる気をなくさせることに気づいた。そこで体育科の予算でシュウィン・エアーダイン社のエアロバイクを数台購入し、運動の苦手な生徒に割り増し単位をとらせることにした。生徒たちは空き時間に五マイル分エアロバイクをこげば、評価を上げてもらえることになった。「ですから、A評価を取りたい生徒はだれでも、努力しだいでAを取れるのです」とローラーは説明する。「そんなふうにやっていくうちに、その子にとってベストの力を発揮できるようになります。それができたときには、相対評価がどうであれ、成績は一段階、上がるのです」これが、ローラーが「新しい体育」と呼ぶ取り組みの基本原則となった。すなわち、「生徒は能力よりも努力で評価される」。スポーツの才能がなくても、体育でいい成績を取れるのだ。

しかし、どうすれば四〇人の生徒ひとりひとりがベストを尽くしたかどうかを、いっぺんに評価することができるだろう？　ローラーはその答えを、毎年春に自分が主催している体育会議の会場で見つけた。彼はその会議が新しいアイデアや技術の交換の場になることを願い、教師たちの参加を促すために学校向けのプレゼントの抽選を企画し、その賞品を業者に寄付してもらっていた。毎年、会議の初めには大型のカートを押して会場の通路を進みながら、バットやボールやそのほかのスポーツ用品を集めた。ある年、寄付してもらった品物のなかに、当時、数百ドルもした新型の心拍計を見つけた。ローラーは自分を抑えることができず、革命のためにその心拍計を失敬した。「それが、すごいものだとわかったんです」と彼は屈託なく認める。「よし、これはマディソン中学が当てたってことにしよう！」

さっそくその週、生徒たちが走るときに、体型はスマートでも運動が苦手な六年生の女子にその心拍計をつけさせてみた。その記録をダウンロードしたローラーはわが目を疑った。「彼女の平均心拍数は一八七だったんです！」十一歳ということは、最大心拍数はおおよそ二〇九なので、彼女はほぼ全速力で走っていたことになる。「ゴールした瞬間は、二〇七まで上がっていました」と、ローラーはつづける。「おいおい！　嘘だろう？　思わずそう言っていました。いつもなら、その子のところに行って、もっと真剣に走らなきゃだめだ、と注意していたところです。まさにそのとき、計画全体に劇的な変化が起きたのです。その心拍計がすべての出発点となりました。思い起こせば、教師がほめてやらなかったせいで、どれほど多くの生徒が運動嫌いになってしまったことでしょう。実際のところ、体育の授業であの女の子はだれよりもがんばっていたのです」

ローラーは、速く走れることとベストを尽くしていることは、必ずしもイコールではないということに気づいたのだった。

ローラーがよく例に出す統計値のひとつは、二四歳以上のおとなでチームスポーツを楽しんで健康を保っている人は三パーセントもいないというもので、これは従来の体育の失敗を裏打ちしている。その一方でローラーは、生徒たちを毎日走らせるのは無理だということも知っており、その代わりに「少人数チームのスポーツ」と名づけたプログラムも始めた。たとえば、三人対三人のバスケットボールや四人対四人のサッカーなどで、それだと生徒はたえず動くことになる。「スポーツをしていることに変わりはありません」ローラーは言う。「健康のためを考えた形でやっているだけなのです」正規のバレーコートの大きさといったささいなことにはこだわらず、ネーパーヴィルの体育では、どんな運動をしたとしても、どれだけの時間、目標心拍域に達していたかによって成績がつけられる。

「自分たちがなにをしているのかわからないままプログラムを作り出したのです」とローラーは言う。それでいて「新しい体育」が実現したことは、運動と脳に関する新しい研究によって見つかったすべての原理と一致する。

たいまつを掲げる

革命のリーダーには補佐役が欠かせないものだが、ローラーにとって、ポール・ジェンタルスキはだれよりも頼りになる扇動者《アジテーター》だ。ジェンタルスキはネーパーヴィル・セントラル高校の体育コーディネーターで、かつてはアメリカンフットボールのコーチをしていた。生徒や同僚からミスターZと呼ばれる白髪の男性で、情熱にあふれ、確かな判断力をもち、明晰な言葉で語り、プロフットボールの選手のような堂々たる体軀に威厳を漂わせている。「ずいぶん長く説得して、ようやくスタッフになってもらえました」ローラーは友人であり仲間であるジェンタルスキについてそう語る。「ですが、いったん引き受けてもらえば、あとはすべてまかせておけました。やるべきときには徹底的にやる男ですから」

活動が大きくなるにつれ、ローラーはもっぱら「スポーツではなく健康増進を」というメッセージを外に向かって宣伝する役目を担うようになった。『ニューズウィーク』誌の取材を受けたこともあったし、上院で証言したこともあった。一方、ジェンタルスキは本拠地での仕事を引き受け、セントラル高校の体育プログラムをベースとして、「新しい体育」という機能的なモデルを築いていった。ローラーは二〇〇四年に大腸がんと診断され、教壇から退いたが、今も病気と一進一退の闘いをしながらロビー活動をつづけている。

ローラーもジェンタルスキも、運動と脳については、もはやいっぱしの専門家だ。ローラーが主催する会議で発言者を質問攻めにしたり、スポーツ生理学の研究会に参加したり、神経科学の研究論文を読んだり、わかったことをメールで報告しあったりしながら知識を増やしていった。そして同僚の啓蒙にも積極的に取り組んだ。ジェンタルスキが廊下で英語の教師を引きとめ、脳に関する最新の研究資料を大量に手渡しているのは、とりたてて珍しい光景ではない。体育教師からの宿題というわけだ。

ちょうどそのころ、わたしは本書を書くために運動の学習への効果を説明する具体的な方法を探していて、当然ながらネーパーヴィルの取り組みに注目した。そして、その大規模な実験の成果は、学習だけでなく、より幅広い領域に及ぶだろうし、中高生に限らずおとなにも応用できるはずだ、と考えた。ネーパーヴィルでのケーススタディは、有酸素運動が体だけでなく心も変化させることをはっきりと示していた。さらには、社会を作り直すためのすばらしいひな型を、図らずも教えてくれていた。

そういうわけで、わたしははるばるイリノイまで赴き、ネーパーヴィルのホリデイ・インの前庭でローラーとジェンタルスキと語りあい、体育教師の口から出るとは思いもしていなかった言葉を聞かされたのだった。「わたしたちの授業では、脳細胞を作り出しています」と、ジェンタルスキは言った。「それが育つかどうかは、ほかの教師の腕次第です」

新しいステレオタイプ「賢い運動選手」

ローラーのやり方は、アメリカの公立学校の最近の傾向に逆行するものだった。現在、多くの学校では、二〇〇二年に国が制定した「落ちこぼれを作らないための初等中等教育法」に準じるテストに生徒を合格させようとして、数学や理科や英語の時間を増やし、体育の授業を減らしている。高校で毎日体育の授業があるのは、全体の六パーセントにすぎない。それに加えて、子どもたちは一日平均五・五時間をなんらかの画面——テレビやコンピュータ、あるいは携帯ゲーム機——を見てすごしている。こうして見ると、アメリカの子どもたちが以前に比べて活動的でなくなったのは当然と言えるだろう。

だからこそ、わたしはネーパーヴィルで起きていることに強く励まされた。最初にその学区を訪れたのは、もうすぐ夏休みに入ろうとしているときだったが、マディソン中学校の体育の授業を見ると、とてもそうとは思えなかった。三〇人ほどの生徒が、新たな学年が始まったかのような活気をみなぎらせて駆けまわっていたのだ。クライミングウォールを登るために並んだり、ビデオゲームのディスプレイとつないだ新しいエアロバイクをだれが最初に使うかでもめていたり、ランニングマシンでがむしゃらに走っていたり、パネル上で踊るビデオゲーム「ダンスダンスレボリューション」に熱中したりしていた。全員が心拍計をつけ、そして最も重要なことだが、全員が夢中になっていた。

米国の生徒の約三〇パーセントは太りすぎで（その割合は一九八〇年の六倍に増えている）、さらに三〇パーセントはその予備軍だ。しかしローラーが教える学区では、二〇〇一年、二〇〇二年とも、驚くべきことに新入生の九七パーセントが、米疾病管理予防センター（CDC）による肥満度指数（BMI）ガイドラインが示す健康的な体重だった。二〇〇五年の春、ネーパーヴィル二〇三学区の生徒の健康状態を個別に調査したところ、さらによい結果が出た。その調査はベネディクティン大学のスポーツ生理学者クレイグ・ブルーダーと大学院生のチームによるもので、二〇三学区の六年から高校最終学年までの生徒から二七〇人を無作為に抽出して調べた。「生徒の健康状態について言えば、ネーパーヴィルの学校組織は、国の標準のはるか先をいっています」とブルーダーは言う。かつてアメリカスポーツ医学協会の地区会長を務めた人物だ。「かけ離れていると言っていいでしょう。ここでは、太りすぎの男子生徒は約一三〇人にひとりしかいません。驚異的です。さらに、彼らの体脂肪率は、CDCが身長と体重からはじき出した平均値よりはるかに低く、健康状態を示すほかの測定値も、約九八パーセントの生徒が合格ラインより上でした」

ブルーダーはネーパーヴィルの人口構成をよく知っていたが、それでも感銘を受けた。「数字が高すぎて、それだけでは説明がつかないのです。人口統計上恵まれているとしても、体育プログラムがさらなる効果を及ぼしたとしか思えません。こう言っていいでしょう。体育プログラムの結果だとは断言できないが、生徒たちの健康状態は平均とあまりにかけ離れているので、ネーパーヴィルだからというだけでは説明がつかない」

だが、体育がGPA（学業平均値）に及ぼす効果について、わたしたちはいったいなにを知っているのだろう。この問題に取り組んだ研究者は少ないが、ヴァージニア工科大学の研究では、体育の授業を減らして数学や理科やリーディングの時間を増やしても試験の点数は上がらないことが証明されている。この結果には多くの学校関係者がうなずくはずだ。もっとも、一概に体育の授業と言っても中身はさまざまなので、この分野の研究は、もっぱら健康状態と学業成績との相関に焦点を当ててきた。最もわかりやすい研究は、カリフォルニア州教育局（CDE）によるもので、過去五年にわたるその結果は、健康状態のよい生徒は試験の成績もよいということを一貫して示している。

ＣＤＥの研究によって、一〇〇万人以上の生徒の標準的な学力検査の点数とフィットネスグラムの得点が相関することがわかった。フィットネスグラムとは国が定めた身体能力の評価法で、有酸素運動能力、体脂肪率、腹筋の強さと持久力、体幹の筋力と柔軟度、上半身の強さ、全身の柔軟性の六項目を測定する。生徒はそれぞれの項目で最低基準をクリアすれば、一点獲得できるので、フィットネスグラムの最高点は六点だ。注意したいのは、このテストが、生徒がどれほど健康であるかを測定するものではなく、各項目で最低基準を満たしているかどうかを判定するものだという点だ。つまり、合否判定である。

ＣＤＥの二〇〇一年の調査では、健康な子どもの学力検査の点数は、そうでない子どもの二倍も高かった。一例として、カリフォルニア州の二七万九〇〇〇人の九年生について見てみよう。フィットネスグラムの六項目すべてに合格した生徒は、スタンフォード標準学力テストで数学が六七パーセンタイル（母集団が一〇〇人とすれば下から六七番目）、リーディングが四五パーセンタイルだった。たいしたことないじゃないかとお思いなら、フィットネスグラム六項目のひとつしか合格しなかった生徒の成績をお教えしよう。数学が三五パーセンタイル、リーディングが二一パーセンタイルだ。

ＣＤＥの二〇〇二年の再調査では、社会経済的地位も考慮に入れた。予想された通り、生活水準の高い生徒は学力テストの点数も高かったが、低所得者層だけで見れば、健康な生徒の方がそうでない生徒より成績がよかった。このデータには励まされる。それが意味するのは、親は家計の状況はすぐに変えられなくても、子どもの健康に気を配ってやれば、子どもはよい成績が取れるようになるということだ。つまり、運動によって貧困の連鎖を断ち切ることができるのだ。

そのような結果を出したのはＣＤＥの調査だけではない。二〇〇四年に、運動学から小児科学に至る分野の一三人の著名な研究者が協力して、過去に行われた学齢期の児童に運動が与える影響に関する調査、八五〇件以上について、大がかりな再検討を行った。調査のほとんどは、週に三日から五日、三〇分から四五分の、簡単な運動から激しい運動までの影響を調べていた。項目は、肥満、心肺機能、血圧、憂うつ、不安、自己イメージ、骨密度、学業成績など多岐に及んだ。そうした数々のカテゴリーにおいて説得力のある証拠が見つかったので、研究者らは、児童は一日に一時間（あるいは、それ以上）、適度なものから激しいものまでなんらかの運動をするべきだと勧告した。彼らはとくに学業成績に注目し、ＣＤＥの結論を支持する根拠を見つけている。併せて、運動は記憶力、集中力、学習態度によい影響があることも報告した。体育の授業については具体的に述べていないが、この調査からも、ネーパーヴィルの生徒たちがいかに健康的で勢いのよいスタートを切っているかがわかる。

体にいいことは、脳にもいい

ネーパーヴィルの二〇〇キロほど南にあるイリノイ大学アーバナシャンペーン校では、精神生理学者チャールズ・ヒルマンが、三年生と五年生、二一六人を対象として、ＣＤＥ調査に準じた独自の調査を行い、やはり健康と学業のあいだに相関関係があることを確認した。その際、ヒルマンと論文の共同執筆者ダーラ・カステリは興味深いことを発見した。フィットネスグラムの六つの項目のうち、とくに二つが学業成績に大きく影響するらしいのだ。「わたしたちの回帰方程式〔複数の変数のあいだの相関関係を求める統計学的手法〕では、ＢＭＩと有酸素運動能力が突出していました」と、カステリは言う。「この二つが成績を向上させる最も重要な誘因に違いありません。あまりにはっきりしていたので本当に驚きました」

　ヒルマンはデータの相関を見つけるだけでは終わらなかった。その発見を神経科学的に掘り下げてみることにし、四〇人の生徒——健康な生徒とそうでない生徒を半分ずつ——を選び、注意力、作動記憶《ワーキングメモリ》〔さまざまな活動のために情報を処理するあいだ一時的にその情報を保持する能力。作業記憶とも〕、処理速度を比較した。この認識テストのあいだ、生徒たちに電極を埋め込んだ水泳キャップのようなものをかぶらせ、脳の電気活動を測定した。すると、健康な生徒の脳の方が、脳電図（ＥＥＧ）は活発な動きを見せ、注意力にかかわりのあるニューロンがより多くはたらいていることを示した。「健康な生徒の脳のはたらきは、より調和がとれていました」と、ヒルマンは言う。すなわち、より健康であれば、より注意力にすぐれ、よりよい結果が出せるのだ。

　ヒルマンはまた、被験者たちが間違ったときの脳の反応に印象的な違いを発見した。脳の活動を測定中、彼はフランカーテストと呼ばれるものを行った。それは、大文字のＨかＳが五個並んだものがスクリーン上にいっせいに現れる。問題となるのは真ん中の一文字で、それがＨのときは一方のボタンを押し、Ｓのときはもう一方のボタンを押す。ＨＨＳＨＨというような並びが一秒ごとにつぎつぎ表示されると、間違えやすいが、間違えたらすぐにそうとわかるようになっている。ヒルマンが発見したのは、「間違えたとき、健康な子どもは心を落ち着かせ、つぎは間違えないようにする」ということだ。いったん立ち止まって、結果を見直し、失敗した経験をつぎの選択で生かすようにする能力は、遂行機能《エグゼクティブ・ファンクション》と関連があり、その機能は脳の前頭前野と呼ばれる領域がつかさどっている。失敗から学ぶことは日々の生活でとても重要であり、ヒルマンの研究は、運動――少なくとも、その結果としての健康状態――が、その基本的能力に強く影響しうることを示している。

まったく新しい球技

「わたしは研究者ではありません。体育教師です」ジェンタルスキはそう言いながら、セントラル高校のオフィスを埋める一二名の教師たちにCDEの調査結果のコピーを配った。近隣のサウスサイド・シカゴから来た教師もいれば、オクラホマ州タルサの農村地域からやってきた人もいる。それは、ネーパーヴィル二〇三学区が、「新しい体育」の理念を取り入れた「生活のための体育（PE4Life）」という非営利機関のモデル校になっているからだ。公立学校に毎日の体育を義務づけているのは全米でイリノイ州だけで、「生活のための体育」はその状況を――そして体育の教え方そのものを――変えるよう、議員にはたらきかけている。ジェンタルスキは立ち上がった。「さあ、見学に行きましょう」

ジェンタルスキはUボートの熟練の艦長のように堂々と、教師たちを従えて廊下を進んでいく。最初に足を止めたところでは、助手を務める生徒三人が、トライフィットというコンピュータシステムで二年生の身体検査をしていた。「子どもに心拍や血圧、体脂肪、休憩の目標値をもたせるのは、健康でいたいという気にさせる確実な方法です」とジェンタルスキは説明する。確かに、毎朝体重計に乗るだけで太りすぎの人は体重を落とせることが実証されている。しかしローラーとジェンタルスキが抱く野望は、生徒たちのＢＭＩを改善するといったことをはるかに超えたものだ。

「よくお話しするのは、体育教師としてのわたしの仕事は、子どもたちを健康体にすることではないということです」とジェンタルスキは言う。「わたしの仕事は、健康でいつづけるために知っていなければならないことをすべて、彼らに教えることなのです。エクササイズ自体は楽しいものではありません。それは一種の義務です。それを生徒に理解させることができたら、その利点も教えてやってください。それこそが画期的な変革なのです。とくにわたしたち指導者にとって。わたしたちはなんでも管理したがります。掛け声をかければ、六五人の生徒を白線上に並ばせることもできます。実際、教師たちは長年にわたってそのようにしてきました」

ネーパーヴィル二〇三学区の生徒は、インターネットを始めるより先に心拍計を使い始める。今では、この学区のどの学校の体育館に入っても、最新式のフィットネスクラブにいる気分になる。どの体育館にも、トライフィット評価装置が一台と複数のウェイトマシンがあり、中学校には、生徒の年齢に合わせて特別仕様で作られた運動器具が置いてある。また、クライミングウォールと、ビデオゲームを用いたエアロビクスマシンもある。（ローラーのロビー活動とジェンタルスキの〝威嚇〟が功を奏し、ほとんどの機器が寄付された）

カリキュラムが目標とするのは、健康でいることの意味と実践方法、その大切さを教えることだ。子どもたちは高校に入ると、幅広い選択肢――カヤック、ダンス、ロッククライミングから、バレーボールやバスケットボールのような典型的なチームスポーツまで――から好きなものを選ぶ。そして指導を受けながら自分に合ったフィットネス計画を立てていく。軸となるのは、五年生のときから毎年受けてきたトライフィット評価だ。入学時にそうやって計画を立て、継続的に進歩を記録していき、卒業時には一四ページに及ぶ健康評価記録ができあがる。そこには、血圧やコレステロール値といった健康状態を表す数値とともに、ライフスタイルや家族の病歴も書き込まれていて、なりやすい病気の予測と予防策が提案されている。専門的見地から見ても驚くほど包括的な内容で、一八歳の子どもがおとなの世界に足を踏み出すときに携えていくものとして、完璧な内容となっている。だれもがこのような幸運に恵まれていればと思わずにはいられない。

ネーパーヴィルで健康状態を調査したスポーツ生理学者クレイグ・ブルーダーは、体育の授業で生徒が一八の種目から好きなものを選べることに注目する。「皆が忘れてしまっているのは、生徒がうまくこなせて満足できるものを見つけてやるべきだということ、つまり、無理なく楽しめる運動をさせるということです。たとえば、バスケットボールをしなさいというように、選択の余地を与えず、まるで懲罰か新兵訓練のように押しつけていては、生徒がそれをつづけるはずがありません。ネーパーヴィルでは生徒に選択肢を多く与え、得意なものを選べるようにしています。つまり、生涯つづけられる運動の計画を立てさせているのです」それはおとなが健康維持の方法を考える際にも大切なことだ。

ジェンタルスキは見学者たちを、以前は女子専用の体育館だったところに案内し、セントラルの体育プログラムの自慢の設備を見せた。それは高さ七・三メートル、幅五・八メートルのクライミングウォールとハイ・ロープス・コース(高いところにロープを張った運動設備)で、新設したリーダーシップを教えるクラスで最近使い始めたものだ。ジェンタルスキは、信頼とコミュニケーションの大切さを教えるための訓練の方法を説明する。ウォールクライミングをする生徒は目隠しされ、パートナーの指示を頼りにつぎの手がかりをつかんでいく。クライミングウォールの新しい部分は、心身に障害のある生徒でも楽に登れるよう緩い傾斜になっている。指示が信用できるのかと質問され、ジェンタルスキは、生徒は競争しているのではなく協力してやっているので、怪我をすることはめったにないし、それを学ばせることが最も大切なのだと答えた。

「高校を卒業するまでに子どもたちにできるようになっていてほしいことはなんでしょうか。多くの人はこう答えるはずです。コミュニケーションがうまくとれるようになっていてほしい。何人かと協力しながら仕事ができるようになってほしい。問題を解決できるようになってほしい。リスクを恐れない人になってほしい。それを学ぶことができるのは、どこでしょうか」ジェンタルスキは客人たちを見まわした。「理科の授業でしょうか？　わたしは、そうは思いません」

先駆者についていこう

ネーパーヴィルの生徒のなかでもジェシー・ウォルフラムほど、運動に人を変える力があることを体現している人はいないだろう。彼女は「おたく」を自認し、セントラル高校ではオールAだった。二〇〇三年に卒業すると、フロリダ州デイトナビーチのエンブリー・リドル航空大学に入学し、現在、物理工学を専攻している。双子に生まれた彼女は、幼いころから双子どうしのつながりに頼りがちで、ほかの子どもとかかわろうとせず、ずっと内気だった。「小学校の三年のときに、母からピアノかサッカーのどちらかをしなさいと言われたんです」ジェシーは笑いながら振り返る。「うまくできそうにないサッカーを大勢の女の子と一緒にするって考えたらとても怖くて、好きでもないのにピアノを選びました。それで八年も弾いていたんですよ！」

マディソン中学に入学したとき、当然ながらフィル・ローラーがピアノを選択肢に入れるはずもなく、ジェシーはほかの生徒と同じように体育に参加しなければならなかった。運動はあまり好きではなかったが、それほど大変でもなく、体育の授業がトラウマになるようなことはなかった。彼女は体育を通じて自分の体について学び、それがあとあとまで役立つことになる。

双子の姉妹ベッキーもともにセントラル高校に進んだが、時間割が違っていたので互いをいつも頼るわけにいかず、ジェシーは無理をしてほかの生徒と話すようになった。人付きあいへの不安を克服しようとスピーチの授業を選択したりもしたが、本人が言うには、本当に成長させてくれたのはカヤックの授業だった。ジェシーは、高度なテクニックを必要とするこのスポーツをたちまち好きになった。勉強以外に得意なものを見つけたことは、自分を変えるきっかけになった。

「ほかの人にはできないことができると、皆に注目されます」とジェシーは言う。「カヤックで注目の的となってからは、もう、だれにも気づいてもらえない地味な女の子ではなくなりました。それで前より冒険ができるようになりました。それに、あなたが内気だったとしても、仲間が同じようにシャイだったら、どうしますか？　自分が内気だということを忘れて、説明するしかないでしょう。頭をこっちに向けて、とか、櫂《パドル》はこんなふうに動かすのよって」

　プールも、別の意味で平等をもたらした。「水着に着替えてしまったら、だれが人気のあるグループにいるかなんてわからなくなります。体育の授業は、そんな社会的ポジションの境界をすっかり消してくれました。カヤックを始めるまで、わたしはそういうことにとても悩んでいたんです」

　カヤックの授業を通じて勇気づけられたジェシーは、ジェンタルスキの教えるリーダーシップのコースに入った。最初にジェンタルスキがしたのは、ジェシーとベッキー——そして、ほかの離れたがらない仲よしグループ——を引き離すことだった。リーダーシップコースの生徒たちはロッククライミングを習うことになっているが、ジェシーはこのスポーツにとくに興味をもった。彼女は「冒険クラブ」にも入った。それは、「〇時限」のようなもので、希望する生徒は朝六時半に登校してウォールクライミングやカヤックをするのだ。

　ジェシーとベッキーは、イリノイ州の大学進学適性試験の朝も、まずカヤックをこぎに行った。試験の準備は十分できていたし、運動した方が集中できるとわかっていたからだ。それで大切な試験の直前に冷たいプールのなかで気持ちよくバシャバシャとカヤックをこいでまわった。そんなことをする高校生がどれほどいるだろう。おとなについては言うまでもない。

「試験を受けに行ったとき、わたしたちは体が濡れて冷えていました」とジェシーは振り返る。「でも、教室に入ったら、しっかり目を覚ましているのはわたしたちだけでした。結局、かなりいい結果を出せました」二人とも一六〇〇点満点の一四〇〇点を取った。最高点だった。

エンブリー・リドル航空大学に入ってからも、ジェシーは勉強でも人付きあいでも頑張っている。成績はAかBで、驚くべきことに学生寮の寮生アドバイザーになり、下級生の世話をしたり、相談にのったり、規律を守らせたり、アドバイスしたりしている。もはや地味で目立たない女の子ではない。

大学へ進んでからも運動をつづけるのは大変なことだが、ジェシーは鍛錬から遠ざかることはなかった。一年生のころは、強いストレスを感じるたび、ルームメイトと一緒に寮の階段を走って上り下りした。そのように運動で脳を管理する方法を、彼女はネーパーヴィルで身につけた。それこそがわたしが本書で伝えたいメッセージなのだ。

「最近は、時間がなにかに吸い取られていくような感じです。寮生の世話とか授業とか……」とジェシーは嘆く。「運動する暇がないときは、つくづくその余裕があればと思います。大量の試験を前にして、ストレスでまいりそうなときには自分に言い聞かせるんです。大丈夫、あなたは解決する方法を知っているわよって。自分には頼れるものがあると思うと、ほっとします。それがなかったら、なにかを食べたりしてまぎらわすしかないでしょう。でも、運動が脳のはたらきを活発にしてくれるとわかっているから、とにかく運動しようって思えるんです。もしネーパーヴィルの体育の授業がなかったら、こんなことはわからなかったでしょうね」

フィットネスを超えて

多くの人と同じように、わたしも体育なんかどうでもいいと思いながら育った。いくらか楽しみはしたが、覚えている限り、体育の授業でなにかを学ぶということはなかった。おとなになって、教師や医者を前にして、運動は気分や注意力、自信、社会性にプラスの影響を及ぼしますと講演するようになっても、体育がその手段になるとは思いもしなかった。わたしの経験では、体育は運動《エクササイズ》をするものではなく、むしろ逆に運動する気をなくさせるものだった。内気な子や不器用な子、病弱な子――つまり、運動の効果を最も得られるはずの子どもたち――が押しのけられ、ベンチでほかの子の活躍を眺めているなんて、なんと残酷な皮肉だろう。当時ならジェシー・ウォルフラムのような生徒はのけ者にされ、恥ずかしい思いをしながらすごすしかなかったはずだ。わたしは何年も、多くの患者から体育で屈辱を味わった話を聞かされてきた。

ネーパーヴィルの奇跡が起きたのは、ローラーとジェンタルスキの力によるところが大きい。「以前、体育では懸垂をさせていました」と、ジェンタルスキは後悔するような口調で振り返る。「うちの学区の男子生徒の約六五パーセントは懸垂が一回もできなかったと思います。体育の授業に出て、しくじりなさい、というわけです」

ジェンタルスキは鬼軍曹から体と脳と心の彫刻家へと変身したわけだが、なにより驚かされるのは、彼が根本的なところから体育を変えようとしていることだ。たとえば、彼がセントラル高校で起こした最も革新的な変化のひとつは、スクエアダンスを新入生の必修科目に加えたことだ。それのなにが新しいのかと思うかもしれないが、その目的はダンスの習得よりむしろ社会性を身につけさせるところにあるのだ。生徒たちはパートナーと踊るだけでなく、会話することも求められる。いろいろな意味ですばらしいアイデアだ。最初の数週間は、全員、台本を与えられ、それに沿ってパートナーと会話し、一曲踊り終えるたびにパートナーを替える。授業が進むにつれて生徒たちは台本なしで会話することを指示される。最初は三〇秒、それをだんだん長くしていく。最終試験では、一五分間パートナーとおしゃべりをしたのちにパートナーに関する情報を一〇件、正確に覚えているかどうかを問われる。

内気な生徒のなかには、人と話したり友だちをつくったりする方法を学ぶ機会がなく、自分の殻に閉じこもり、とくに異性を避けようとする子がいる。しかし、ジェンタルスキのスクエアダンスのクラスに出た生徒は、ひとりだけ選び出されたり、社会性を養う特別クラスに追いやられたりせず、怖さを感じなくてすむ設定で会話や交流の仕方を練習できるのだ。この活動は気晴らしになる一方で、生徒の自信も育てる。対話のこつを身につける生徒もいれば、気後れを克服するので精一杯という生徒もいるが、皆がやっていることなので、それほど照れくさくはない。

わたしがネーパーヴィル革命の詳細や、子どもたちが体育の授業で社会性を学んでいることを話すと、同僚たちは驚いて言葉を失う。わたしもそうだったが、圧倒されてしまうのだ。これまで長年にわたって、わたしは自ら「社会脳」と名づけたものの問題をつきとめ、解決しようとしてきたが、ジェンタルスキは人とのかかわりが希薄な現代において、ますます孤独になっていくわたしたちの生活を変える完璧な処方箋を見いだしたのだ。それも、なんと体育の授業で！　環境と機会とやる気を与えることで、人とのかかわりに不安を感じる生徒は、人に近づく方法や、距離の保ち方、いつ相手に話させるかを練習し、プラスの記憶をインプットしていく。運動は社交の潤滑油となり、不安を減らすので、こうした学習を進める上で重要なはたらきをする。生徒の脳は運動によって準備が整い、経験を記録する回路が作られる。その経験は、最初は難しく思えるかもしれないが、クラス全員で一緒にやっているうちにそれほどでもなくなってくる。これは直感的に考えても、自意識過剰で傷つきやすい年ごろの生徒を打ち解けさせるすばらしい方法だ。ジェンタルスキは、生徒全員を運命共同体にしたてて道具を与え、自信をもつように励ましている。ダンスをすることで、すべてがうまくいくのだ。

ネーパーヴィルの保護者の多くが子どもの好きな教科は体育だと語る理由は、こういうところにあるのだろう。保護者のひとり、オルファト・エル＝マラックの娘二人はマディソン中学校とセントラル高校に通った。「あれは単なる体育ではありません。子どもたちの内面でなにかが起きるのです」彼女は言う。「やる気を起こさせるプログラムと言っていいでしょう。娘たちは自分自身を信じています。二人とも強い自信をもっていますが、始めからそうだったわけではありません。二〇三学区の体育プログラムのおかげです」

教えを広める

米国には、公立・私立合わせて幼稚園児から一二年生までの子どもが五二〇〇万人いる。もし、彼らのすべてがネーパーヴィル流の体育の恩恵に浴することができたら、次世代のおとなは、わたしたちより健康で、幸せで、賢くなるだろう。それこそが、「生活のための体育」の究極の目的だ。そのためにローラーは、「スポーツではなく健康《フィットネス》」の理念と方法をほかの教育者たちに教えている。三五〇校の約一〇〇〇人の教育者がその訓練を受け、多くが独自のプログラムを始めている。

ティム・マッコードもそのひとりだ。彼はペンシルヴェニア州タイタスヴィルの学区で体育コーディネーターをしている。タイタスヴィルは、ピッツバーグとエリー湖のあいだに広がる丘陵地帯にある人口六〇〇〇人の工業町で、一八五九年に世界で初めて機械掘りによる油井の掘削に成功して発展したが、石油が枯渇するとともに経済も廃れていった。現在、住民の平均年収は二万五〇〇〇ドル、一六パーセントが貧困線〔最低限度の生活を維持するのに必要な所得水準〕以下で、数年前には、幼稚園児の約七五パーセントが国から給食費の補助を受けていた。要するに、裕福とはとても言えない町である。

一九九九年にネーパーヴィルを視察したマッコードは、帰ってくるなり、ほぼ一晩でタイタスヴィルの体育を変えてしまった。この学区には高校が一校、中学校が一校、小学校が四校、そして早期教育センターがひとつあって、全生徒数は二六〇〇人だ。タイタスヴィルではフィットネスセンターを中学校に設置し、心拍計を購入し、地元の病院の援助でトライフィット評価装置を入手した。時間割の再編までやり、一日の授業時間全体を一〇分長くし、学業の時間を削って毎日の体育の時間を捻出した。「わたしたちは一セントも使っていません」マッコードはそう言って、行政からの提案であることを強調する。「そして、これは『落ちこぼれを作らないための初等中等教育法』と連携しての大きな運動なのです。もっとも、ほかの多くの地域では逆の方向に向かっているようですが」

現在、タイタスヴィルの中学校にはクライミングウォールがあり、そのフィットネスセンターには最新のトレーニング機器が並んでいる。大半は寄付されたものだ。サイバー・トレーザーはスタンド型ゲーム機のような最新機器で、生徒はスクリーン上の点滅する光を追いかける。サイクリング・マシンもあり、子どもたちはビデオ画面上で競走しあったり、ツール・ド・フランスのコースで仮想のランス・アームストロングと競走したりもできる。マッコードはまた、地域社会に手をさしのべ、学校のフィットネスセンターを高齢者施設の入居者に開放した。そして、学校内ではほかの科の教師たちに取り組みへの参加を呼びかけた。その結果、英語の授業では人前で話すときに心拍計を使い、数学の授業ではグラフ化を学ぶ材料として体育のデータを使うようになった。

二〇〇〇年にプログラムがスタートしてから、タイタスヴィルの生徒たちの標準テストの点数は、州の平均以下から、リーディングが州平均の一七パーセント上、数学が一八パーセント上になった。だが、等しく重要なのは、マッコードが気づいた心理社会的な効果で、二〇〇〇年以降、五五〇名の中学生のなかで、殴りあいが一度も起きていないのだ。この学区が自力で成功した話を聞きつけて、州の議員や国の疾病管理予防センターの長までもが視察にやってきた。そうした視察の一団を案内しながら中学校のクライミングウォールの前を通りかかったとき、マッコードはステファニーという少女がその真ん中あたりで動けなくなっているのに気づいた。本ばかり読んでいる少々太めの女の子で、皆が見ている前で失敗しそうだった。しかし、ステファニーが必死にがんばっていることを見て取ったクラスメイトが声援を送り始めた。「行け、ステファニー、ステファニーー！」ステファニーは頂上まで登ることができた。あとでマッコードが話しかけると、ステファニーは泣き出した。マッコードは回想する。「皆が声援を送ってくれているなことが信じられなかったそうです。応援があったから登れたんです、と言っていました」

運動が生徒に大きな影響を与えるという噂は、ほかの政府関係者のあいだにも広まりつつある。アイオワ州のトム・ハーキン上院議員は、つい最近、体育の授業を建て直すことについて公聴会を開いた。スラムのある学校で「生活のための体育」を始めたところ、懲罰の対象となる問題行為が六七パーセントも減少した、というニュースを聞いたからだ。ミズーリ州カンザスシティのウッドランド小学校は、ほとんどの児童が給食費の補助を受けているが、二〇〇五年に体育の教師が体育を週一回の授業から毎日四五分へと増やし、もっぱら有酸素運動をさせるようにした。すると一学年度のあいだに、生徒の健康状態は劇的に改善され、カウンセラーの報告によれば、その年、校内での暴力事件が前年度の二二八件から九五件に減少したそうだ。

スラム街にある学校がこれほど急激な変化を遂げ、タイタスヴィルのような貧困にあえぐ市があのように活気を取り戻すのは驚くべきことだ。マッコードの生徒たちはアメリカンフットボールチームのもとにではなく、ステファニーのような生徒のもとに結集した。彼らの多くは成長後も運動をつづけ、活動的でいつづけるだろう。ゲームボーイではなくカヤックや自転車を選び、そのために知性や感情はより磨かれていくだろう。

革命と言えば若者たちの専売特許だが、ローラーやジェンタルスキやマッコードを見てもわかるように、おとなでも、思いきった方向転換をして、運動が脳に及ぼす影響の大きさを知ることができる。タイタスヴィルがその兆しに気づくことができたのなら、わたしたちにだってできるはずだ。わたしの望みは、今まで見てきた例をお手本にして、最終的には、体と脳をもう一度結びつけることだ。これから見ていくように、両者は一体なのだから。

第二章

学習

脳細胞を育てよう

タイタスヴィルやネーパーヴィルの生徒は、体育で長距離を走るようになってから、より準備が整った状態でほかの授業を受けられるようになった。彼らは以前より感覚が研ぎ澄まされ、集中力が高まり、気分がよくなった。そわそわしたり、緊張したりしなくなった。意欲が増し、元気が湧いてきた。同じことは、人生という教室にいるおとなについても言える。わたしたちが情報を吸収する場所、つまり脳についての研究は、革新的な進歩を遂げつつある。そして近年、運動はたんに心の準備を整えるだけでなく、細胞レベルで学習に直接影響し、新しい情報を記録し分析する脳の機能を高めていることがわかってきた。

ダーウィンは、学習とは絶えず変化する環境に適応するために人間が用いる生存手段だと説いている。脳の微小な世界では、学習とは、情報を伝達するために神経細胞《ニューロン》どうしを新しく結びつけることを意味する。フランス語の単語であれ、サルサのステップであれ、なにかを学ぶと、ニューロンはその情報を暗号化して取り込むために変化し、その情報が記憶となって物理的に脳の一部となる。理論としては一世紀以上前から言われてきたことだが、研究室で立証されたのはつい最近のことだ。現在では、脳は柔軟で——神経科学者の言葉で言えば、可塑性があり——硬い磁器というより粘土のようなものだということがわかっている。脳には適応性があり、バーベル上げで筋肉を作れるのと同じように、情報を取り込むことで脳は鍛えられていく。使えば使うほど、より強く、よりしなやかになるのだ。

脳がどのようにはたらいているか、そして、運動がどのように脳の質を向上させて最高の力を発揮させるかを理解するには、その可塑性について知ることが欠かせない。わたしたちの行動や思考や感情はすべて、脳細胞、つまりニューロンどうしのつながり方によって決まる。さらに、わたしたちの思考や行動や環境がニューロンのつながり方にフィードバックし、それを変えていく。脳の配線は、かつて科学者たちが考えたように固定されているのではなく、絶えずつなぎ直されているのだ。この章では、自分の脳の電気技師になる方法をお教えしよう。

メッセンジャー役の物質たち

すべてはコミュニケーションのなせるわざだ。脳は、さまざまなタイプの無数の細胞からできていて、それらが数百種の異なる化学物質を介して互いにコミュニケーションを取りながら、わたしたちの思考や行動をひとつひとつ決めている。ひとつのニューロンはほかの一〇万個ほどのニューロンから情報を受け取り、それを総合して自身の信号を送り出している。ニューロンの枝と枝の結合部位はシナプスと呼ばれ、最も重要な場所だ。シナプスは接触しているわけではないが、神経科学者はニューロンのつながりができることを「結合」と表現するので、少々まぎらわしい。実際には、電気信号がニューロンの軸索（幹にあたる）を通って分岐した枝の先のシナプスまで行くと、神経伝達物質がそれを化学信号に変えてつぎのニューロンに伝える。信号を受け取る側のニューロンの枝は樹状突起と呼ばれ、そこで神経伝達物質は受容体に受けとめられ——鍵が錠に差し込まれるように——それによって細胞膜のイオンチャネル〔生体膜にある、イオンが通過できる通路〕が開かれ、信号は電気信号の形に戻る。受け取る側のニューロンで電荷が一定の閾値《いきち》を超えると、そのニューロンは自らの軸索に沿って信号を送り、つぎのニューロンとのあいだでこのプロセスを繰り返す。

脳内の信号送信の約八〇パーセントを担うのは二種の神経伝達物質、グルタミン酸とガンマアミノ酪酸(GABA)で、それらは互いにバランスをとりあっている。グルタミン酸はニューロンの活動を活発にして信号の連鎖的反応《カスケード》を始動させ、一方、GABAはその活動を抑えるはたらきをする。グルタミン酸が、それまで結合したことのないニューロンのあいだに信号を送ると、結合が促される。信号の往来が頻繁になればなるほど、ニューロンどうしの連絡しあう力は強くなり、神経科学者が言うところの「結合」が生まれる。ともに発火するニューロンは、ともにつながるのだ。なので、グルタミン酸は学習する上で重要な要素と言える。

グルタミン酸は脳の馬車馬となってはたらいているが、精神医学がそれよりも重視するのは、脳の信号操作とすべての活動を調整している一群の神経伝達物質だ。すなわち、セロトニン、ノルアドレナリン、そしてドーパミンである。それらを作り出すニューロンは、脳におよそ一〇〇〇億個あるニューロンの一パーセントにすぎないが、影響は甚大だ。ニューロンに命じてもっとグルタミン酸を作らせたり、ニューロンがより効率的に情報伝達できるようにしたり、受容体の感度を変えたりする。また、余計な信号がシナプスに伝わらないようにして脳内の「雑音」を小さくしたり、逆にほかの信号を増幅したりもする。グルタミン酸やGABAのように信号を送ることもできるが、その第一の役割は、情報の流れを調節して、神経化学物質全体のバランスを調整することだ。

あとの章で詳しく述べるが、セロトニンは脳の機能を正常に保つはたらきをしているので、よく脳の警察官と呼ばれる。セロトニンは、気分、衝動性、怒り、攻撃性に影響する。フルオキセチン(商品名プロザック)のような選択的セロトニン再取り込み阻害薬を使うのは、うつ病や不安障害、強迫神経症の原因となる脳の暴走をそれが抑えるからだ。

ノルアドレナリンは、気分について理解するために研究された最初の神経伝達物質で、注意や知覚、意欲、覚醒に影響する信号をしばしば増強させる。

ドーパミンは学習、報酬（満足）、注意力、運動に関係する神経伝達物質と見られており、脳の部位によって正反対の役割を果たすこともある。塩酸メチルフェニデート（商品名リタリン）は、ドーパミンを増やして気持ちを落ち着け、注意欠陥・多動性障害（ＡＤＨＤ）を緩和する。

精神の状態を改善するために用いる薬のほとんどは、これら三つの神経伝達物質のひとつか、あるいは複数にはたらきかける。だが、ここではっきりさせておきたいのは、そのシステムは非常に複雑なので、どれかを増減すれば決まった結果が出るわけではないということだ。ひとつの神経伝達物質を操作すると、その影響は連鎖的に広がっていき、人によって現れる効果は違ってくる。

わたしはよく、ランニングをするとプロザックやリタリンを少々服用したような効果があるのは、運動がそれらの薬と同じく神経伝達物質の量を増やすからだ、という話をする。それは要点をかいつまんで説明するためのたとえで、正確に言えば、運動は脳のなかの神経伝達物質と、そのほかの神経化学物質のバランスを保っているのだ。そしてこれから見ていくように、脳内のバランスを保てば人生を変えることができる。

学ぶことは成長すること

神経伝達物質と等しく重要なものとして、別の種類の分子グループがある。この一五年ほどでそれらについて研究が進み、ニューロンの結びつきがどのように作られ、強化されていくかについての理解は劇的に変わった。その分子グループは「因子」と総称されるタンパク質群で、最も有名なものは脳由来神経栄養因子（ＢＤＮＦ）だ。神経伝達物質が信号を伝えるのに対して、ＢＤＮＦのような神経栄養因子は、ニューロンの回路、つまり脳のインフラを構築し、維持している。

一九九〇年代に神経科学者が記憶に関する細胞のメカニズムを解明し始めたとき、ＢＤＮＦが舞台の中心に躍り出た。「それまでＢＤＮＦに関する論文は一〇本少々しかなかったのですが、九〇年に脳内にＢＤＮＦが見つかり、それがニューロンを育てる肥料のような役目を果たしていることがわかると、研究所や製薬会社がいっせいにその議論に加わりました」とイーロ・カストレンは述べる。スウェーデンのカロリンスカ研究所でＢＤＮＦの初期の研究に携わった神経科学者だ。今日、ＢＤＮＦに関する研究文献は五四〇〇件を超える。ＢＤＮＦが、海馬という記憶と学習にかかわる領域に多く存在することがわかると、研究者たちはＢＤＮＦが記憶と学習に不可欠なものなのかどうかを調べ始めた。

なにかを学習するには、長期増強（ＬＴＰ）と呼ばれる動的なメカニズムによってニューロンのつながりを強化することが欠かせない。脳が情報を取り込むよう命じられると、自然にニューロン間の活動が起きる。その活動が繰り返されるほど、ニューロンどうしはより強く連絡しあい、信号は伝達しやすくなり、ニューロン間の結びつきができていく。具体的には、まず軸索に蓄積されているグルタミン酸がシナプスを通じてつぎのニューロンに送られ、受容体の構造を変える。すると、受容部位の電位が上昇し、グルタミン酸を磁石のように引き寄せるようになる。グルタミン酸の信号がさらに送られつづけると、そのニューロンの細胞核のなかにある遺伝子のスイッチが入り、シナプスの材料となる物質がもっと作られるようになる。こうして土台が強化され、新しい情報が記憶として定着していく。

たとえば、あなたがフランス語の単語を覚えるとしよう。初めてその単語を聞くとき、新たな回路を作るために動員されたニューロンは、グルタミン酸の信号を送受する。その単語を二度と練習しなければ、シナプスの連絡しあう力は自然に小さくなり、信号も弱くなる。そして、単語も忘れてしまう。記憶について研究者を驚かせた発見――そして、コロンビア大学の神経科学者エリック・カンデルに二〇〇〇年のノーベル賞をもたらした発見――とは、活動、つまり学習を繰り返すことでシナプスそのものが大きくなり、結合がより強くなることだ。ニューロンは木に似ていて、その樹状の枝に葉の代わりにシナプスがついている。やがて新しい枝が出てシナプスが増え、結合はさらに強くなる。こうした変化は細胞の適応のひとつの形であり、シナプス可塑性と呼ばれる。そのメカニズムにおいて中心的役割を果たすのがＢＤＮＦなのだ。

早い時期に研究者たちは、シャーレに入れたニューロンにＢＤＮＦをふりかければ、ニューロンは新しい枝を伸ばし、学習に必要な成長を遂げることを発見した。そのことからわたしは、ＢＤＮＦを脳にとってミラクルグロ〔化学肥料の商品名〕のようなものだと考えるようになった。

ＢＤＮＦはまた、シナプスの受容体に結びつき、イオンを放出して、受容体部位の電位を上げ、信号を即座に強くする。細胞内では遺伝子を活性化させ、BDNFやセロトニン、そしてシナプスの材料となるタンパク質をもっと作るよう指示を出させる。つまり、交通整理と道路工事の両方の仕事をしているのだ。まとめれば、BDNFは、ニューロンの機能を向上させ、その成長を促し、強化し、細胞の死という自然のプロセスから守っていると言える。そして、本書を通じて明らかにしていくつもりだが、BDNFは、思考と感情と運動を生物学的に結びつける上で欠かせないものなのだ。

最初のひらめき

一九九五年、『脳のはたらきのすべてがわかる本』を書くための調査を進めていたわたしは、『ネイチャー』誌に掲載されたマウスの運動とBDNFに関する一ページの記事を見つけた。本文はおそらく一段分もなかったが、すべてを語っていた。運動は脳の至るところでミラクルグロを増やすというのだ。

「わたしが期待したのは、脳の運動・感覚野——運動皮質、小脳、感覚皮質、ことによると大脳基底核も少しばかり——で大きな変化が起きることでした。それらはすべて運動にかかわるからです」とその研究を企画したカール・コットマンは回想する。彼はカリフォルニア大学アーヴァイン校の脳老化・認知症研究所の所長を務めている。「最初の画像を処理したところ、驚いたことに、海馬に大きな変化が見られたのです。重要なのは、海馬は変性疾患になりやすく、かつ学習に必要な領域だということです。思わずわたしは言いました。これはすべてを変える発見だと」

まったく思いがけないところから届いたニュースだった。わたしは何年も前から、注意欠陥・多動性障害やほかの多くの精神的問題に運動を役立てることを訴えてきたが、その根拠としたのは、自分の患者を診てわかったことや、運動が神経伝達物質に及ぼす影響についての知識だった。だが、コットマンは違った。彼は、学習のプロセスで重要なはたらきをする分子を運動が刺激することをはっきりと証明し、運動と認知機能が生物学的に結びついていることを突きとめたのだ。彼はこの実験によって、神経科学における運動の研究の進むべき道を示したのだった。

コットマンがこの実験を行ったのは、ＢＤＮＦが脳内で発見されて間もないころで、それが運動とかかわっていることを示す前例はなにもなく、彼の仮説はまったく独創的なものだった。当時、彼は、老後も健全な精神状態を維持している人に共通点があるかどうかを長期間にわたって調べる研究を終えたばかりだった。観察期間は四年で、認知機能の低下が最も少なかった人には、三つの要因が認められた。教育、自己効力感〔ある行動や課題を達成できるという信念や自信〕、そして運動である。初めの二つはそれほど意外でもなかったが、最後のひとつはコットマンの興味をそそった。「いったいなにが起きているのだろうと、不思議に思いました」とコットマンは言う。「運動は脳に影響しないはずでしたが、その結果を見る限り、なんらかの形で脳にはたらきかけているように思えてきたのです」

当時、脳の健康なはたらきを支える要素はなにかと問われたら、大半の科学者は神経栄養因子（ＢＤＮＦ）だと答えただろう。それはコットマンが言うように「ブームだった」からで、

BDNFがニューロンの存続を助けていることはだれもが知っていた。少々飛躍ではあったが、運動をBDNFに結びつけることができれば、老化の研究で運動の影響が浮かび上がってきた理由を説明できるのではないか、と彼は考えた。

コットマンは、マウスに運動させて脳内のBDNF量を測定する実験を始めた。大切なのはマウスが自発的に運動することだった。無理矢理ランニングマシンで走らせたら、どんな結果が出ても人為的ストレスによるものだと指摘されかねないからだ。心配はいらない。マウスの好きな回し車を使えばいいのだ。この実験がどれだけ新しかったかというと、そもそも大学が研究用と認めるようなげっ歯類用の装置を見つけることからして難しく、コットマンは審査を通りそうなステンレス製の回し車に一〇〇〇ドルも支払った。「注文書にサインしながら、痛い出費だと思ったのを覚えています。うまくいってくれることを祈りました」と彼は冗談めかして言う。しかも、この研究に参加しようというポスドクはひとりもおらず、多くの大学院生に声をかけてようやく、ひとりの理学療法の専攻院生が興味をもってくれた。

人間と違って、げっ歯類はもともと体を動かすのが好きなようで、コットマンのマウスたちは一晩に数キロメートルも走った。マウスは四グループに分けられた。二晩、四晩、七晩走るグループと、回し車を使わせない対照群である。そしてその脳にBDNFと結合する標識分子《マーカー》を注入してスキャナで調べたところ、走ったマウスの脳では対照群よりBDNFが増えていて、長く走ったマウスほどその量は多かった。BDNFはとくに海馬で急増していた。コットマンは、その結果を見て、信じられない思いだった。「そんなばかな、とわたしは言いました。よしてくれ、なにか間違えたんだ。海馬が明るくなってるぞ、と。あまりに腑に落ちないので、実験をやり直しました。でも結果は同じでした」

その後、ＢＤＮＦと運動の研究がそれぞれ積み重ねられていくうちに、ＢＤＮＦがニューロンの存続だけでなく、その成長（新しい枝が生える）にも重要で、ゆえに学習にとって重要だということが明らかになった。イーロ・カストレンと、コロンビア大学のカンデル教授の研究室に所属するスーザン・パタソンは、マウスに学習させてニューロンのＬＴＰ（長期増強）を促すとＢＤＮＦの量が増えることを確認した。マウスの脳を直接調べたところ、ＢＤＮＦのないマウスはＬＴＰの能力を失うが、ＢＤＮＦを直接脳に注入するとＬＴＰが促進された。また、コットマンの研究室のポスドクだった脳神経外科医フェルナンド・ゴメス＝ピニージャは、ＢＤＮＦの効力を消したマウスは、水面下に隠れた足場を見つけてプールから脱け出るのに時間がかかることを証明した。これもまた、運動が脳の学習を助けることを明確に示している。

「実験での証明はむずかしいのですが、運動の明らかな特徴のひとつは学習効率を向上させることです。これは最も重要なことだと思います」とコットマンは言う。「なぜならそれは、体の健康を保てば学習も仕事も効率よくできることを意味するからです」

実際、二〇〇七年にドイツの研究者グループが人間を対象として行った研究では、運動前より運動後の方が二〇パーセント早く単語を覚えられ、学習効率とＢＤＮＦ値が相関関係にあることが明らかになった。また、遺伝子の変異のためにＢＤＮＦが作れない人は、学習障害である可能性が高い。ミラクルグロがなければ、脳は世界から孤立してしまうのだ。

当時、精神医学の世界では、運動には学習に適した脳内環境を作り出して、人間の精神状態を改善する力がある、という考え方はあまり受け入れられていなかった。だが、コットマンの研究によって、運動が学習のメカニズムを細胞レベルで強化することを証明する道が開かれたのだ。ＢＤＮＦは、情報を取り込み、処理し、結びつけ、記憶し、つながりをもたせるのに必要な道具をシナプスに与える。これは、走りさえすれば天才になれるという意味ではない。「ＢＤＮＦを注入すれば賢くなるというわけではありません」とコットマンは言う。「学習するには、なにかになにかそれなりの方法で反応する必要があります。まずそのなにかがなければならないのです」

そのなにかとは、いったいなんだろう。それが重要だ。

環境要因と脳

ラモン・イ・カハールは、中枢神経系の構造に関して、「有極性の接合部」と彼が名づけた部位を通して情報を伝えるニューロンからなることを提唱し、一九〇六年にノーベル賞を受賞した。以後、科学者たちは学習にはシナプスの変化がかかわっていると想定してきたが、ほとんどの科学者は表向きは賛同しながらも、その学説を信じていなかった。一九四五年になって初めて、カナダのマギル大学の心理学者ドナルド・ヘッブが、その証拠となりそうな現象を偶然、発見した。当時、研究所の規則はルーズだったので、ヘッブは実験用のラットを何匹か家にも ち帰って一時的に子どもたちのペットにしてもいいだろうと考えた。その思いつきが人間とラットの双方に利益をもたらした。研究室にラットを戻したところ、ラットたちはケージに閉じ込められていた仲間に比べ、学習検査ではるかにいい成績を収めた。触られたりおもちゃにされたりという新しい経験が、なんらかの形でラットの学習能力を高めたのだ。ヘッブは、その経験がラットの脳を変えたと解釈した。高く評価されている著書、『行動の機構——神経心理学理論』のなかで、彼はこの現象を「使用がもたらす可塑性」と呼び、学習という刺激を受けてシナプスは自らを配列し直す、という理論を打ち立てた。

ヘッブの研究がなぜ運動に結びつくかというと、少なくとも脳にとって、運動は新しい経験になるからだ。六〇年代にバークレーの心理学者のグループが、「使用がもたらす可塑性」を検証する方法として、「環境富化」と呼ばれる実験モデルを構築した。ラットを家に連れて帰るのではなく、ケージにおもちゃや障害物、回し車を置いたり、食べ物を隠したりするのだ。また、ラットたちをひとつのケージにまとめ、互いとつきあいながら遊べるようにした。

いつも平和で仲よく、というわけにはいかなかったし、最終的にラットたちの脳は解剖されたが、この実験によって、感覚刺激と社会的刺激の多い環境で暮らすと、脳の構造と機能が変わることがわかった。刺激の多い環境に置かれたラットたちは学習作業をうまくこなしただけでなく、空のケージにぽつんと置かれたラットに比べて脳が重くなっていたのだ。ヘッブの可塑性の定義では脳の成長までは含んでいなかった。「脳が実際に変わるなどと言えば異端と見なされていた時代のことです」と、神経科学者のウィリアム・グリーノーは言う。当時、若い大学院生だった彼は、このバークレーでの研究に興味を惹かれ、「とりわけ、経験を重視する具体的な方法」に夢中になった。

グリーノーは環境富化について研究したかったが、このテーマには近づかないよう警告された。「教師からは、そんなものをテーマに選んだら確実にヴェトナム送りだ、と脅されました」とグリーノーは回想する。しかし、その後の研究でもバークレーで確認された結果は何度となく再現され、経験が脳に影響を与えるという考え方は土台を固めていった。一方、ハーヴァード大学では、逆方向からアプローチする実験が行われ、環境を悪化させると脳が萎縮することが証明された。ネコの片目を閉じたまま育てると、視覚皮質が明らかに萎縮したのだ。これらすべての研究によって、脳は筋肉にたとえられるようになり、脳は使うか失うかだという見方が定着した。

　環境富化の実験は、長年離ればなれだった生物学と心理学との距離を縮めると同時に、社会にも目覚ましい影響を及ぼした。バークレーでの研究はヘッド・スタート（障害児を幼児教育機関に入れるための公的基金制度）の設立につながった。気の毒な子どもたちが空のケージに置き去りにされていいはずがないからだ。この分野は軌道に乗り、神経科学者は脳の発達を促すさまざまな方法を探究し始めた。

　グリーノーは無事イリノイ大学の教員に落ち着くと、まもなくこの方面の研究に戻った。そして七〇年代前半には独創的な研究を行い、環境富化によってニューロンに新たな樹状突起が生じることを電子顕微鏡で確認した。その新しい枝は、学習、運動、社会との接触という環境の刺激によって生まれたもので、その結果、シナプスは結びつきを増やした。また、そうした結びつき部分の髄鞘《ずいしょう》〔ニューロンの軸索を覆う絶縁性のリン脂質層〕が厚くなることも確認された。そうなると、より効率的に信号を送れるようになる。すでにご存じの通り、そのような成長にはBDNFが必要だ。そして、このようにシナプスが作り変えられると、神経回路の情報処理能力には多大な影響が及ぶ。すばらしいニュースではないか。つまり、あなたには脳を変える力があるというのだ。

あとはランニングシューズのひもを結ぶだけだ。

可塑性を伸ばす

シナプス可塑性という概念が神経科学分野の常識となると、脳の成長に関するさらに急進的な考え方も信任を得るようになった。二〇世紀の大半を通じて、脳のニューロンの量は生まれつき決まっていて、脳は青年期に完成したあとは変えられないというのが科学的な定説となっていた。シナプスを好きなように配列し直すことはできても、ニューロンは失われる一方だというのだ。実際のところ、その喪失を助長することはできる。中学時代、あなたの生物の先生は未成年の飲酒を防ごうとして、その点を強調したかもしれない。「いいか、忘れるなよ。アルコールは脳の細胞を殺すんだ。そうなったら、二度と元に戻らないんだぞ」

ところがどうだろう。実は元に戻るのだ。それも何千という単位で。もっとも、決定的な証拠が見つかったのは、高度な画像機器を使って脳のなかをのぞきこめるようになってからのことで、一九九八年にある独創的な論文によって公表された。それは思いもよらない分野のものだった。がんの治療では、病巣の広がり具合を調べるために、増殖細胞で発現する色素を体内に注入することがある。生前にその処置を受けたがん患者の脳を調べたところ、海馬全体が色素で染まっていた。それは、体のほかの細胞と同じように、海馬のニューロンが分裂して増殖（すなわち、ニューロン新生）している証拠だった。神経科学における最大級の発見である。

以来、ストックホルムから南カリフォルニア、そしてニュージャージーのプリンストンまで、神経科学者らは新しく生まれたニューロンが実際になにをしているのかを先を競って解明しようとしてきた。パーキンソン病やアルツハイマーといった神経変性疾患の根本的な原因が、ニューロンの死や損傷であることからすると、その研究の影響は多方面に及ぶはずだ。老化とは細胞が死んでいくことだが、脳の少なくとも特定の領域にはその対処策が組み込まれているということを、わたしたちは突然、知らされたのだ。ニューロン新生を促す方法がわかれば、脳の交換部品を作れるかもしれない。

では健康な脳にとってはどんな意味があるだろう。ニューロン新生に関して、初期に見つかった手がかりのひとつは、コガラという鳥は毎年春になると新しい歌を覚え、その時期、海馬でかなりの数の新しいニューロンが生成されるという事実だ。偶然だろうか？　若いニューロンは学習のプロセスでなんらかの役割を担っていると考えられたが、立証は難しかった。シナプスの可塑性のように、「ニューロン新生は確かに、感情面および認知面での環境との相互作用に関係しているはずです」と述べるのは、カリフォルニアのラ・ホーヤにあるソーク研究所の神経学者フレッド・ゲージだ。ゲージは、九八年にスウェーデンのペーテル・エリクソンとともに中枢神経系の研究をした。「ニューロン新生が実際のところなにをしているのかは、非常に興味深い問題です」

ニューロンは白紙状態の幹細胞として生まれ、発達していくが、生き残るにはなにか仕事を見つけなくてはならない。大半はそれができずに死んでいく。生まれたばかりの細胞がネットワークに接続するのにはおよそ二八日かかり、既存のニューロンと同様に、それらにはヘッブが言うところの「使用がもたらす可塑性」があてはまる。すなわち、生まれたばかりのニューロンは、使われなければ死んでいくのだ。ゲージは環境富化モデルに立ち返って、この概念をげっ歯類で検証した。「最初の実験では、ありとあらゆる道具をそろえました」とゲージは説明する。「なんとしてでも証拠を引き出したかったからです。けれども驚いたことに、回し車をひとつ置いただけで、生まれるニューロンの数に大きな変化が現れたのです。でも残念ながら、ただ走るだけでは、ニューロンは対照群のそれと同じペースで死んでいきます。手もちのニューロンが多くなるだけなのです。それらが生き残って回路を作るには、その軸索に信号が流れなければなりません」つまり、ニューロンは運動によって生まれ、環境から刺激を受けて生き残っていくのだ。

ニューロン新生と学習との密接な結びつきを最初に示したのは、ゲージの同僚のヘンリエッタ・ヴァン・プレイグだった。プレイグらは、マウス用のプールに不透明な水を張って四分割し、どこかひとつの水面下ぎりぎりに足場を置いた。マウスは水が嫌いだ。その実験の目的は、マウスが逃げ道となる足場の位置をどれだけ正確に覚えているかを調べることだった。おとなしくさせていたマウスのグループと、回し車で毎晩、四、五キロメートル走らせたマウスのグループを比べたところ、ランナーたちの方が足場の位置を早く思い出した。どちらのグループも泳ぐ速さは同じだったが、運動しているマウスが足場に直行したのに対して、運動していないグループはさんざんもがいた末にようやく足場を見つけ出した。解剖してみると、運動しているマウスの海馬にあった新しい幹細胞は運動していないマウスの二倍にのぼった。この発見をゲージはつぎのようにまとめた。「ニューロンの総数と複雑な作業をこなす（マウスの）能力とのあいだには、意義深い相関関係がある。そしてニューロン新生を阻害されると、マウスは情報を思い出せなくなる」

こうした研究はすべてげっ歯類を対象とするものだが、ネーパーヴィルの生徒たちの話とどう結びついているかはおわかりだろう。まず、体育の授業が学習のために必要な道具（ニューロン）を脳に与えた。その後、授業で受けた刺激は、その新たに生まれたニューロンに仕事を与え、ネットワークにつなげて、信号伝達コミュニティの一員にしたのだ。

また、運動中に生まれたニューロンは、長期増強を誘発しやすいようだ。新しいニューロンは可塑性の天才だ。プリンストン大学の神経科学者エリザベス・グールドは、新しいニューロンは頭に浮かんだ思考をとりあえずつかまえ、前頭前野はそれらの思考を長期の記憶としてつなぎとめるべきかどうかを判断している、と推測する。グールドは、霊長類の脳に新たなニューロンが成長することを初めて明らかにし、人間の脳におけるニューロン新生を調べる道を開いた。

グールドや神経科学分野のほかの研究者たちは、今もニューロン新生と学習との関係を追っていて、運動は彼らにとって重要な研究道具となっている。ところが、不思議なことに、運動に興味を惹かれながらも、運動そのものを研究しようという科学者はそれほどいない。むしろ、彼らがマウスを走らせるのは、二〇〇六年の『海馬』誌に掲載された研究タイトルが物語っているように、運動によってマウスの「ニューロンの大量増加」が認められ、そのプロセスの背後にある一連の暗号を分析できるからだ。それこそ、製薬会社が薬を作るために必要とする情報なのだ。製薬会社は、ニューロンを再生させて記憶を保たせる抗アルツハイマー薬の開発を夢見ている。「（海馬に）なんらかの化学物質があり、それが運動を感知して、さあ、新しい細胞をどんどん作ろう、と言っているのだろう」と述べるのはコロンビア大学の神経学者スコット・スモールだ。現在彼は、新しいＭＲＩ技術を用いて、人間のニューロン新生を追跡している。「もしそれらの分子経路が特定できれば、ニューロン新生を生化学的に促すうまい方法を考え出せるかもしれない」

彼らが運動を瓶詰めの薬にできればいいのだが。

体と心の関係

新しいニューロンが得られたら、そのための肥料が必要になる。ニューロン新生の研究者は当初からＢＤＮＦについてよく理解していた。彼らはミラクルグロなしでは脳は情報を取り込めないことを知っていたし、今では、ＢＤＮＦ（脳由来神経栄養因子）が新たなニューロンを作るための重要な要素であることも心得ている。

ＢＤＮＦはシナプスの近くの貯蔵庫に蓄えられ、血流が盛んになると放出される。その際には体内の多くのホルモンが招集され、そのプロセスを手助けする。ＩＧＦ－１（インスリン様成長因子）、ＶＥＧＦ（血管内皮成長因子）、ＦＧＦ－２（線維芽細胞成長因子）といったホルモンだ。運動すると、これらの成長因子が血液・脳関門（毛細血管が張り巡らされたあいだに細胞がぎっしり詰まって、バクテリアなどが脳内に侵入するのを防いでいる）を通過し、脳内でＢＤＮＦと協力して学習にかかわる分子メカニズムを活性化させることが、ごく最近になって判明した。成長因子は脳内でも作られて幹細胞の分化を促すが、運動中はそのはたらきがより顕著になる。さらに重要なのは、こうした因子が体と脳の直接的なつながりを示していることだ。

IGF－1は活動中の筋肉がさらに多くの燃料を欲するときに放たれるホルモンだ。グルコース（ブドウ糖）は筋肉にとって主要な、そして脳にとっては唯一のエネルギー源であり、IGF－1はインスリンと協力してグルコースを細胞まで運んでいる。だが興味深いのは、脳内ではIGF－1が燃料の管理ではなく、学習に関連するはたらきをしていることだ。あなたが運動しているあいだ、BDNFは脳のIGF－1の摂取量を増やし、そのIGF－1はニューロンを活性化して、信号を送る神経伝達物質であるセロトニンやグルタミン酸をさかんに作らせている。また、IGF－1はBDNF受容体の生成を促し、ニューロンの結びつきを強くして記憶を確実なものにしている。BDNFはとくに長期記憶にとって重要であるらしい。

これは進化の観点から見ると完全に理にかなっている。もとはといえば、わたしたちに学習能力が必要なのは、食物を探し、手に入れ、蓄えるためなのだ。学ぶには燃料が必要であり、燃料源を見つけるには学ぶ必要がある。体から出される様々な因子のおかげで、このプロセスは保たれ、人間は適応し、生き残ってこられたのだ。

新しい細胞に燃料を送るには、新しい血管が必要となる。運動中に筋肉が収縮したときなど、細胞内で酸素が不足すると出番となるのがVEGFで、体でも脳でも毛細血管を作り始める。VEGFがニューロン新生に欠かせないのは、それが血液・脳関門の透過性を変えるからではないかと研究者は考えている。運動をするとVEGFが関門をこじ開けて、ほかの因子が脳に入ってこられるようにしている、というのだ。

体から脳へ送り込まれるもうひとつの重要な因子はFGF－2で、これもIGF－1やVEGFのように運動中に増加し、ニューロン新生には欠かせない。FGF－2は体内では組織の成長を助け、脳ではニューロンの長期増強にとって重要なはたらきをする。

年をとるにつれ、これら三つの成長因子とBDNFの生産量は次第に減り、それにともなってニューロン新生も少なくなっていく。ところが、のちほど見ていくように、高齢でなくても、ストレスにさらされたり、うつ状態が長引いたりすると、これらの因子やニューロン新生は減っていくのだ。わたしはそのニュースにむしろ励まされる。運動によってBDNF、IGF－1、VEGF、FGF－2が増えるのであれば、うつやストレスといった状況はコントロールできるはずだからだ。

つまりは成長するか衰退するか、活動するかしないか、ということだ。元来、わたしたちは体を動かすようにできていて、そうすることで脳も動かしている。学習と記憶の能力は、祖先たちが食料を見つけるときに頼った運動機能とともに進化したので、脳にしてみれば、体が動かないのであれば、学習する必要はまったくないのだ。

こんな運動をしよう

ここまでくれば、運動が三つのレベルで学習を助けていることは十分おわかりいただけたと思う。まず、気持ちがよくなり、頭がすっきりし、注意力が高まり、やる気が出てくる。つぎに、新しい情報を記録する細胞レベルでの基盤としてニューロンどうしの結びつきを準備し、促進する。そして三つ目に、海馬の幹細胞から新しいニューロンが成長するのを促す。では、どんな運動が一番いいのか、それを知りたいとお思いだろう。脳を育てるのに最適な運動のタイプや量がわかっているといいのだが、科学者たちはそうした問題にようやく取り組み始めたところだ。「そのような研究はまだだれもやったことがありません」とウィリアム・グリーノーは言う。「でも五年もすれば、もっとよくわかっているんじゃないでしょうか」

それでも、これまでの研究からいくつか断言できることはある。科学者がひとつ確信しているのは、激しく運動しているあいだは難しいことは覚えられないということだ。それは前頭前野への血流が少なくなり、CEOとしての機能が果たせなくなるからだ。ある実験で、大学生を被験者とし、二〇分間ランニングマシンで走ったりエアロバイクをこいだりして、最大心拍数の七〇から八〇パーセントという激しさで運動させながら、難しい試験を受けさせたところ、結果は惨憺たるものだった（なので、エリプティカルマシン〔楕円運動機構でジョギングに近い運動ができるフィットネスマシン〕を必死になって踏みながらロースクールの入試勉強をしたりしないように）。だが、運動を終えるとまもなく脳に血が戻ってくる。このときこそ、鋭い思考と複雑な分析を要する課題に取り組む絶好のチャンスなのだ。

二〇〇七年の注目すべき実験では、最大心拍数の六〇から七〇パーセントを保って三五分間ランニングマシンで走っただけで、認識の柔軟性が向上することが示された。この研究では、五〇歳から六四歳までの成人四〇人に対し、新聞紙のようなありふれたものについて、どんな使い方ができるか、思いつく限り列挙すること求めた。たとえば新聞は、読むだけでなく、魚を包んだり、鳥かごの下敷きにしたり、食器を包んだりできる。三五分間、被験者の半分は映画を観て、残り半分は運動をしてすごし、その直前直後と、二〇分後にテストを受けた。映画を観ていたグループに変化はなかったが、走っていたグループは一度運動をしただけで、答える速度や認識の柔軟性が向上した。認識の柔軟性は遂行機能《エグゼクティブ・ファンクション》の重要な要素であり、頭を使う仕事で成果を上げるには欠かすことができない。それがあればこそ、考えを臨機応変に変えたり、型にはまらない独創的な思考や解決策をつぎつぎに生み出したりできるのだ。午後に重要なブレーンストーミングの会議が控えているのなら、昼休みに少々走り込んでおくのが賢い選択と言えるだろう。

本章で触れた数多くの研究は、運動の海馬への影響に注目したものだった。それは、記憶をつかさどる海馬が学習には不可欠だからだ。だが、海馬は単独でどこかにぽつんとあって、回路を新しく作ったり消したりしているわけではない。学習には、前頭前野の指令を受けた多くの領域がかかわっている。脳はまず入ってくる刺激に気づき、それを作動記憶に取り込み、感情に従ってその重要性を量り、過去の経験と結びつけ、そうした情報をすべて海馬に伝えなければならない。前頭前野は情報を分析し、配列し、結びつける。その仕事を手伝うのは小脳と大脳基底核で、情報をやりとりするリズムを保ちながら、作業がスムーズに進むようにしている。海馬の可塑性が向上すれば、一連の作業を支える重要な結合が強化されるが、学習することで、脳全体のニューロンの結合が、より密で、より丈夫で、より良好なものになる。こうしたネットワークを築き、記憶や経験の蓄えを豊かにすればするほど、学習は容易になる。すでに知っていることが、より複雑な思考を形成する下地となるからだ。

頭のキレを保つには、有酸素運動をどのくらいすればいいかについて、小規模ながら科学的根拠の確かな研究が日本で行われた。それによると、三〇分のジョギングを週にほんの二、三回、それを一二週間つづけると、遂行機能が向上することが確認された。しかし、足を交互に前に出すだけでなく、もっと難しい動きに挑戦することも大切だ。数年前にグリーノーがラットで調べた実験では、ラットを二グループに分け、一方にはただ走らせ、もう一方には平均台や不安定な障害物、ゴム製のはしごを歩くといった複雑な運動技能を教え込んだ。二週間のトレーニングのあと、曲芸ラットは小脳のＢＤＮＦが三五パーセント増加していたが、走るラットの小脳にはなんの変化も見られなかった。これによって、それまでのニューロン新生の研究からわかっていた以上のことがわかった。有酸素運動と複雑な動きはそれぞれ別の有益な効果を脳にもたらすのだ。ありがたいことに、この二つは互いに補いあっている。「両方を取り入れることが大切だ」とグリーノーは言う。「証拠は完璧ではないけれど、運動の計画を立てるなら、技能の習得と有酸素運動を含めるべきです」

そこでわたしがお勧めするのは、心血管系と脳を同時に酷使するスポーツ（たとえばテニスなど）をするか、あるいは、一〇分ほど有酸素運動でウォーミングアップをしたのちにロッククライミングやバランスの訓練といった酸素消費量が少なく技能を必要とする運動をするというやり方だ。有酸素運動が神経伝達物質を増やし、成長因子を送り込む新しい血管を作り、新しい細胞を生み出す一方で、複雑な動きはネットワークを強く広くして、それらをうまく使えるようにする。動きが複雑であればあるほど、シナプスの結びつきは複雑になる。また、こうしたネットワークは運動を通して作られたものではあっても、ほかの領域に動員され、思考にも使われる。ピアノを習っている子どもが算数を習得しやすいのはそのためだ。前頭前野は、難しい動きをするために必要な知的能力を、ほかの状況にも応用しているらしい。

ヨガのポーズ、バレエのポジション、体操の技、フィギュアスケートの基本、ピラティスの姿勢、空手の型――これらすべての練習には、脳全体のニューロンがかかわっている。そしてたとえば、ダンサーを対象とするいくつかの研究によれば、規則的なリズムに合わせた動きよりも、不規則なリズムに合わせた動きの方が脳の可塑性が向上するという。なぜなら、普段とはまったく違う動きをすることで、脳が学習をしていくからだ。ヘッブのラットが賢くなり、グリーノーのラットのシナプスが増えたのと同じ理屈だ。

歩く以上に複雑な運動技能はすべて、学ばなければ身につかないため、どれも脳を刺激する。初めは少々ぎこちなくて格好悪くても、小脳と大脳基底核と前頭前野をつないでいる回路がスムーズに流れるようになるにつれて、動きは正確になっていく。何度も繰り返すことでニューロンの軸索の周りの髄鞘も厚くなっていき、信号の質や伝達速度が向上し、回路はより効率的になる。空手を例に挙げれば、ある型を習得すると、より複雑な動きにそれを組み入れられるようになり、じきに状況に応じた反応も洗練されてくる。同じことがタンゴのレッスンにも言える。パートナーの動きに合わせなければならないため、注意力や判断力、的確な動きへの要求はますます高まり、状況は飛躍的に複雑になっていく。楽しさと社交的要素が加わると、脳と筋肉の組織全体が活性化する。そうするとつぎの課題に取り組む準備が整う。それが大切なことなのだ。

第三章

ストレス

最大の障害

スーザンはストレスですっかりまいっていた。リフォーム業者にキッチンを乗っ取られてからはや一年以上たち、今では工事の騒音よりも、その合間の静けさに怯えるようになっていた。音がしないということは、理由がなんであれ作業が中断されていて、工事期間がさらに延びることを意味するからだ。いつになったらキッチンを、さらには自分の生活を取り戻せるのか、まるで見通しが立たない。リフォームを経験した人が口をそろえて言うように、それはひどく落ち着かないものだ。一日中、他人が出入りするので思うように動けないし、石膏ボードの埃がそこここに積もり、どこもかしこも散らかりほうだいになっている。しかも業者はここが自分の家であるかのような態度だ。それも、姿を見せれば、の話である。

スーザンは四〇代、活発で社交的な性格だ。学齢期の息子三人の母親で、ＰＴＡ会長を務め、趣味は乗馬、ボランティア活動でも責任ある立場にあり、スケジュールはいつも埋まっていた。ところが突然、朝から晩まで家に縛られる生活が始まったのだ。職人が来るのをずっと待ち、その日になってキャンセルされることもしばしばだった。そんな状況に置かれたらだれでもイライラするだろう。壁や天井がむき出しになった自宅に閉じ込められ、スーザンはどうやってすごせばいいかわからなかった。気持ちを抑えようとワインを飲み始めた。最初は一杯だったが、やがて二杯になり、じきに昼前から白ワインの栓を抜くようになった。「いつもシャルドネです」と彼女は言う。「それしか飲みません」

スーザンの世界は狭くなっていき、それに併せて、あとで説明するように彼女の脳も縮んでいった。彼女がわたしのところへやってきたのは、自分のストレス対処法が依存症になっているのではないかと心配になったからだ。診察室でわたしたちは、ストレスを感じたときにワインに手を伸ばすという習慣をどうすれば断ち切れるだろうと話しあった。家ですぐ始められ、気晴らしになり、ストレスも軽減できる、そういうなにかを見つけてあげたかった。彼女はスポーツジムに行くのは好きではないが、運動は得意な方だ。たまたま縄跳びが好きだという話が出た。それだ！　ストレスを少しでも感じたら縄跳びをしなさい、と助言した。

つぎに来たときスーザンは、家の一階にも二階にも縄を置き、ストレスを解消するのにワインに頼らなくてすむようになったと話した。ほんの少し跳んだだけで、以前より自分をコントロールできているように感じられるのだと言う。気持ちもすっかり安らいでいた。筋肉がそれほど緊張しなくなり、心がざわつくことも減ったそうだ。彼女はその変化をこう表現した。

「脳が再起動したような感じなんです」

ストレスを定義し直す

ストレスという言葉はだれでも知っているが、その意味を本当に知っていると言えるだろうか？　ストレスは、社会的ストレス、肉体的ストレス、代謝性ストレスといった具合に、慢性のものから急性のものまで、その形も大きさもさまざまだ。たいていの人はそれが原因のことなのか、それとも症状のことなのかを区別しないまま、その言葉を使っている。つまり「今仕事で大変なストレスを抱えている」と言う場合のストレスは周りの環境からかかる重圧を指しているが、「ストレスがひどくて、まともに考えられない」と言う場合は、そうした重圧ゆえに湧き上がってくる感情を指している。科学者も、心理的なストレスと、それがもたらす生理反応を必ずしも区別していない。

ストレスという言葉がこのようにさまざまな意味で使われるのは、その感じ方の幅が広いせいでもある。ストレスには気が張っているという程度のものから、人生のごたごたにすっかり打ちのめされているというものまである。ひどくなると、ストレスに圧倒されて心が閉ざされ、普段ならなんでもない問題がとてつもない難問のように思えてくる。その状態が長びくと慢性のストレスになり、精神的な緊張が肉体的な緊張へと変わる。ストレスが体を攻撃し始めると、不安障害やうつ病といった本格的な精神疾患や、高血圧、心臓疾患などが引き起こされ、がんになるおそれもある。慢性のストレスは脳をずたずたにすることさえあるのだ。

これほどまでに曖昧なストレスという概念を、どう理解すればいいのだろう。それには、生物学的な定義を覚えておくといい。突き詰めれば、ストレスは体の均衡を脅かすものだ。体はそれを克服するか、それに適応しなければならない。脳で言えば、ニューロンの活動を引き起こすものはなんでもストレスとなる。ニューロンが発火するにはエネルギーが必要で、燃料を燃やす過程でニューロンは磨耗し、傷ついていく。ストレスという感覚は、基本的には脳細胞が受けているこのストレスが、感情に反響したものなのだ。

椅子から立ち上がることをストレスのもとだとは思わないし、そうしたからといってストレスは感じないだろう。けれども、生物学的に言えば、それも間違いなくストレスなのだ。もちろん、失業しそうなときのストレスとは比べものにならないが、実のところ、どちらの出来事も、体と脳の同じ回路を活性化させる。立ち上がるという動作は、その動きを調和させるためにニューロンの活動を促し、失業への恐れもニューロンの多様な活動を引き起こす。感情はすべて、ニューロンが信号を送りあって生まれるからだ。同じように、フランス語を習うことも、知らない人に会うことも、そして、筋肉を動かす動作の一切も、脳に負担を強いる。すべてある種のストレスと言える。脳にしてみればストレスはすべて同じで、違うのはその程度だけなのだ。

ストレス免疫をつけよう

体と脳のストレスへの反応の仕方にはいくつもの要因が絡んでいて、遺伝的背景や個人的な体験の影響も少なくない。今日では、進化が育んだ人間の生態と、社会環境との差は開くばかりだ。わたしたちはライオンから走って逃げなくてもいいが、今もその本能は抜けていない。そして、そのような「逃げるか戦うか」の反応は、会議室では役に立たない。仕事でストレスがたまったからといって、上司を平手打ちするだろうか。あるいは、きびすを返して逃げるだろうか。ポイントは、どう反応するかだ。ストレスにどう対処するかによって、気持ちが変わるだけでなく、脳がどう変化するかも違ってくる。ひたすら受け身だったり、まったく逃げ道がなかったりすると、ストレスは有害なものになる。大半の精神医学的問題と同じく、慢性のストレスを感じると、脳は同じパターンにはまり込む。その典型が、悲観、恐怖、引きこもりなどだ。しかし、能動的に対処すれば、その状態から脱出できる。本能的な反応を別にすれば、ストレスの作用はある程度コントロールできるものなのだ。スーザンも同意してくれるだろうが、コントロールこそが鍵となる。

運動は、心と体にかかるストレスをたくみにコントロールし、細胞レベルにもはたらきかける。しかし、運動そのものがストレスの一種なのだとしたら、そんなことがあり得るだろうか。実は、運動によって引き起こされた脳の活動は、分子サイズの副産物を生み出し、それがニューロンを傷つけるが、通常は修復メカニズムがはたらいてニューロンはむしろ強くなり、今後の問題に対処できるようになるのだ。ニューロンは筋肉と同じように、いったん壊れて、より丈夫に作り直される。ストレスによって鍛えられ、回復能力を増していくのだ。こうして運動は心身の適応能力を磨き上げていく。

ストレスと回復。それは生態の基本的な枠組《パラダイム》みで、強力でときに驚くほどの成果をもたらす。一九八〇年代に、米国エネルギー省の指揮のもと、継続的被曝が健康にもたらす影響について調査が行われた。研究者はメリーランド州ボルティモアの原子力船造船所ではたらく労働者、二グループを比較した。どちらのグループも似たような仕事をしていたが、大きな違いがひとつあった。一方のグループはごく微量の放射線を発するものを扱っていたが、もう一方はそのようなリスクとは無縁だった。一九八〇年から一九八八年にかけてはたらいていた労働者を追跡調査したところ、驚くべき結果が出た。

被曝によって労働者はより健康になっていたのだ。放射線にさらされていた二万八〇〇〇人の労働者は、そうでない三万二〇〇〇人の労働者と比べて、死亡率が二四パーセント低かった。健康を損ねるとだれもが恐れていたものが、逆の影響を及ぼしていたのだ。放射線は細胞を傷つけるストレスであり、高レベルになると細胞を殺し、がんなどの病気を引き起こす。だがこの労働者たちの場合、被曝した放射線量が少なかったため、細胞は死ぬどころか逆に強くなったのだ。しかし、この研究は「失敗」だった——予測されていた放射線の悪影響を示さなかった——ため、公表されなかった。

おそらく、ストレスはそんなに悪いものではないのだろう。これまで見てきたストレスと回復の仕組みから考えると、ストレスは、免疫系にワクチンがもたらす効果と同じような効果を脳に及ぼしているらしい。少々のストレスを与えると、脳細胞は十二分に回復し、将来の要請に備えてガードを固くする。神経科学者はこの現象をストレス免疫と呼ぶ。

現代生活のストレスをいかに減らすかを説くさまざまなアドバイスが見失っているのは、人間は困難があればこそ努力し、成長し、学ぶという点だ。細胞レベルでもそれは同じで、ストレスは脳の成長に拍車をかける。ストレスがそれほど過酷なものでなく、ニューロンが回復する時間があれば、その結びつきは強くなり、わたしたちの心の機械はよりスムーズに動くようになる。よいか悪いかの問題ではない。ストレスは必要不可欠なものなのだ。

警報システム

生き延びたいという原始的な欲求が引き起こす体のストレス反応は、進化のたまものであり、それがなければわたしたちは今ここにいない。その反応は原因によって軽いものから重いものまでさまざまだ。過剰なストレスは、「闘争・逃走反応」と呼ばれる急激な反応を生じさせる。それは体と脳を動かそうと体内の資源を総動員する複雑な生理反応で、その出来事の記憶は脳に刻まれ——「ライオンはどこにいたんだっけ?」——つぎはそれを避けられるようになる。

体の反応はかなり深刻な脅威でなければ起きないが、脳の基本システムはストレスの大小によらず活性化する。そのシステムが注意力、エネルギー、記憶を管理しているのだ。

余分なものをそぎ落とすと、人間にもともと備わっているストレス反応は、危険に集中する、反応を起こす、将来のためにその経験を記録する、という三つに絞られる。おそらく、この将来のための記録というのが知恵なのだろう。科学者たちは最近になってようやく、ストレスの役割は記憶を形成し呼び起こすことだと気づき、そう説明するようになった。ストレスのそのような役割を探究していけば、ストレスがわたしたちの世界認識になぜ、そしていかに、大きな影響を及ぼしているかが解き明かされていくだろう。

闘争・逃走反応は体内のきわめて強力なホルモンと脳の神経化学物質をいくつもはたらかせる。脳の非常ボタンである扁桃体は、体の自然な均衡を崩しかねない危険信号を感知すると、連鎖反応を作動させる。肉食獣に追われることは確実にこのケースにあてはまるが、獲物を追う場合もそれはあてはまる。扁桃体の仕事は、入ってくる情報の強さを測ることで、その情報には生存にかかわるものもあれば、そうでないものもある。恐怖に限らず、強い感情を引き起こすもの、たとえば、陶酔感や性的興奮なども扁桃体に感受される。宝くじに当たるとか、スーパーモデルと一緒に食事するといったことも扁桃体のスイッチを入れる。そうした出来事がストレスをもたらすとは思えないかもしれないが、思い出してほしいのは、ニューロンは「よい」要求と「悪い」要求を区別しないということだ。そして、進化という点から見れば、幸運に恵まれるのも、デート相手が素敵なのも、生存と関係がある。豊かになり、子どもをもてるからだ。

扁桃体は脳の多様な部位とつながっていて、幅広い情報を受けとる。前頭前野という高次の情報処理中枢から入ってくる情報もあれば、そこを迂回して間接的に入ってくる情報もある。意識下の知覚や記憶でさえストレス反応を引き起こすことがあるのはそのためだ。

警報が出てから一〇ミリ秒以内に、扁桃体はメッセージを発信し、それによって副腎が異なる段階で異なるホルモンを分泌する。まず、ノルアドレナリン（＝ノルエピネフリン）が稲妻のような速さで電気信号を発し、それが交感神経系を伝わって副腎を刺激し、アドレナリン（＝エピネフリン）を血液に送り込む。その結果、心拍数と血圧が上がり、呼吸が速くなる。ストレスにさらされているときに体が興奮状態になるのはそのためだ。同時に、扁桃体から視床下部まで、ノルアドレナリンと副腎皮質刺激ホルモン放出因子（ＣＲＦ）によって運ばれた信号は、視床下部でメッセンジャー（神経伝達物質）に渡され、その先、メッセンジャーは各駅停車の列車となって血液中をゆっくりと流れる。それらは下垂体を刺激して副腎の別の部分を活性化させる。そこでは、ストレス反応にとって二番目に重要なホルモンであるコルチゾールが分泌される。この視床下部（Hypothalamus）から下垂体（Pituitary）を経由して副腎（Adrenal gland）へというリレーはＨＰＡ軸と呼ばれ、一連のストレス反応のメカニズムにおいて重要な役割を担っている。扁桃体は海馬にも信号を送って記憶の形成を促し、また、前頭前野にも別の信号を送って面前の脅威が反応を起こすに値するかどうかを判断させる。

人間がほかの動物と違うのは、目の前に危険が迫っていなくてもストレス反応が起きるところだ。人間は危険を予測し、記憶し、概念化する。この能力がわたしたちの生活を複雑にしている。「心は非常に強力なので、恐ろしい状況に陥っていると想像するだけで、（ストレス）反応が起きる」と、ロックフェラー大学の神経科学者ブルース・マキューアンは著書『ストレスに負けない脳　心と体を癒す仕組みを探る』に書いている。言い換えれば、わたしたちは想像するだけで興奮状態に陥るのだ。

　マキューアンの指摘には、もうひとつ重要な側面がある。それはわたしたちが、その興奮状態から文字通り走り出ることもできるということだ。精神が体に影響を及ぼすように、体も精神に影響を及ぼすことができる。体を動かして精神状態を変えるという概念を受け入れている医者は多くない。まして世間一般で認知されているわけでもない。しかし、これはわたしの研究の基本テーマであり、ストレスととくに関係が深い。結局、闘争・逃走反応の目的が、人間を行動に駆り立てることである以上、体を動かすのはストレスの悪影響を防ぐ自然な手段なのだ。ストレスに対処するために運動するのは、人類が過去数百万年かけて進化する過程で行ってきたことだ。あるレベルで見れば、ただそれだけのことだが、もちろん、そこには探究すべきさまざまなレベルがある。

燃料を燃やす

　闘争・逃走反応のきわめて重要な原理は、資源を将来に備えるのではなく、当座の要求のために投入することだ。今すぐ動け！　理由はあとで、というわけだ。アドレナリンがどっと分泌されると、体の集中力が高まり、心拍数と血圧が上がり、気管支が広がってより多くの酸素を筋肉に送れるようになる。アドレナリンは筋紡錘に結合するので、筋肉の静止張力が上昇し、瞬時に動ける状態になる。皮膚の血管は収縮し、傷つけられても出血しにくくなる。併せてエンドルフィンが分泌され、痛みを感じにくくなる。このシナリオでは、食べたり生殖したりという生物として不可欠の行為もあとまわしにされる。消化系は遮断される。膀胱を収縮する筋肉は、グルコースを無駄づかいしないよう弛緩する。唾液も止まる。

大勢の前でスピーチするというような神経が張り詰めるような体験をしたことがあれば、胸はどきどき、口のなかはからから、という状態は経験ずみだろう。筋肉と脳がこわばり、聴衆を惹きつけることなどとても無理だと思えてくる。あるいは、前頭前野から扁桃体へ送られた信号がばらばらに散らばり、なにも考えられなくなり、フリーズしてしまう。そのような本格的なストレス反応は、専門的には、「凍結・闘争・逃走反応」と呼ばれる。壇上にいるときにはどの反応も役に立たないが、目の前にいるのが飢えたライオンであれ、ざわついた聴衆であれ、体は基本的に同じように反応するのだ。

二種類の神経伝達物質が脳を警戒状態にする。ノルアドレナリンが注意力を呼び覚まし、ドーパミンがそれを研ぎ澄まして鋭くするのだ。

ストレスを察知するとただちにアドレナリンが大量に放出され、筋肉と脳の活動に燃料を供給するためにグリコーゲンと脂肪酸をグルコースに変換し始める。血流中を運ばれるコルチゾールは、アドレナリンより作用が遅いが、その効果は広範囲に及び、ストレス反応の過程でさまざまな役割を果たす。新陳代謝のために「交通整理」をするのもそのひとつだ。コルチゾールはアドレナリンにつづいて肝臓に信号を送り、さらに多くのグルコースを血液中に送り出させる。同時に、ストレスに対処する上でそれほど重要でない組織や器官のインスリン受容体を遮断し、特定の交差点を閉鎖して、闘争・逃走反応にとって大切な部位だけに燃料が流れるようにする。つまり、体のインスリン抵抗性（インスリンに反応しにくい状態）を高めて、脳に十分なグルコースを送ろうというのだ。コルチゾールはまた、「在庫の補充」も始める。つまり、アドレナリンの活動によって少なくなったエネルギーを補給するために、タンパク質をグリコーゲンに変換し、脂肪を蓄え始めるのだ。

　このプロセスがハイペースでつづくと――すなわち慢性ストレスの状態だ――コルチゾールの活動によって余分な燃料が脂肪の形でおなかまわりに蓄えられる。祖先から受け継いだストレス反応の問題のひとつは、それが使わないエネルギーを溜め込もうとすることにある。詳しくはあとで述べよう。

　ストレス反応の最初の段階で、コルチゾールはインスリン様成長因子（ＩＧＦ－１）の分泌も促す。ＩＧＦ－１はニューロンに燃料を供給する上で重要な役割を担っている。脳はグルコースの大量消費者で、重さは体重のおよそ三パーセントしかないのに、全身が使う燃料の二〇パーセントを消費する。だが、脳には燃料を蓄える場所がないので、きちんとはたらきつづけるには、コルチゾールがグルコースを安定供給しなければならないのだ。さらに脳全体が使える燃料の量は一定なので、脳は必要に応じてエネルギー配分を変えられるよう進化してきた。それはつまり、精神のさまざまな活動が拮抗的であることを意味する。ニューロン全部をいっぺんに発火させることはできないので、ある部位が活動していたら、それ以外の部位は犠牲になっているのだ。そして慢性ストレスが引き起こす問題のひとつは、ＨＰＡ軸が警戒をつづけるために燃料を独占するので、思考する部位のエネルギーが奪われてしまうことだ。

知恵

ストレスを強く感じた状況を記憶しておくのは、適応行動のひとつで、進化上明らかに有用だった。人類が今日まで生き延びられたのは、そうした経験の記憶を共有してきたからであり、とくにコルチゾールが果たした役割は大きい。一九六〇年代、神経内分泌学者ブルース・マキューアンは、ラットの脳の海馬にコルチゾール受容体があることを初めて発見した。彼は次いでアカゲザルにもそれを発見した。現代では人間にもそれがあることがわかっている。この発見は、当初科学者を悩ませた。ストレスホルモンであるコルチゾールはペトリ皿に入れた脳細胞にとっては有害だとわかっていたからだ。「記憶を刻むために、コルチゾールは実際のところなにをしているのだろう」とマキューアンは自問した。「わたしたちに言えるのは、記憶が形成されているときに海馬に十分なコルチゾール受容体がないと、学習効果が落ちるということだ。詳しいことはこれから解き明かしていかなければならない」

ストレスと同じように、コルチゾールも単にいいか悪いかというものではなさそうだ。少々なら記憶を回路につなぐのに役立つが、多すぎるとそのじゃまをする。そしてあまりに多いと、ニューロンどうしの結合を蝕み、記憶を破壊してしまう。記憶を刻むとき、海馬は、いつ、どこで、なにを、どのように、というコンテクストを整え、扁桃体は恐怖や興奮という感情を提供する。海馬は前頭前野からの指示を受け、情報と記憶を比べて「心配しなくていい。これは棒で、蛇じゃない」と判断し、HPA軸を直接遮断してストレス反応を抑えることができる。もっとも、それは、興奮しすぎなければ、の話だ。

警報ベルが鳴って数分以内に、脳の主要なストレス因子であるコルチゾール、ＣＲＦ、ノルアドレナリンがニューロンの受容体と結合してグルタミン酸を増やす。グルタミン酸は海馬の信号発信の一切をつかさどる興奮性神経伝達物質なので、その量が増えると、海馬での情報の流れは速くなり、シナプスの活動も活発になってメッセージの送信はますます容易になり、結果的にグルタミン酸の消費量が減る。このストレス反応は、記憶の基本メカニズムである長期増強（ＬＴＰ）を促す。

短期記憶はこのように海馬のニューロンが興奮した結果として、刻まれるものらしい。コルチゾールはピーク時には、ニューロン内の遺伝子を刺激し、ニューロンの材料となるタンパク質を増産させる。その結果、樹状突起も受容体も多くなり、シナプスは太くなる。ここから面白いことが始まる。その強くなったニューロンが生存にかかわる記憶を強化し、その回路内のニューロンをほかの要求から遮断するのだ。本来、一個のニューロンは、いくつもの記憶の一部になることができるが、脳がストレスを感じているときに入ってきた情報は、記憶になろうとしても、ニューロンの大半が遮断されているので自分用の回路にニューロンを取り込みにくい。その状況で記憶となって残るには、高いハードルを越えなければならないのだ。

これで、ストレスに反応しているときに、ストレスと関係のない情報が記憶されない理由が説明できそうだ。また、慢性ストレスのせいでコルチゾールが多い状態がつづいていると、新しい情報が頭に残らないことや、うつ病の人がものを覚えにくいことも説明がつく。彼らはやる気がないのではない。海馬のニューロンがそのグルタミン酸機構をフル回転させ、それほど重要でない刺激を遮断してしまうのだ。ストレスに取りつかれているのである。

人間を対象とする研究では、コルチゾールが多すぎると既存の記憶へのアクセスも阻まれることがわかった。火事になったときに非常口の場所を度忘れするのはそのためだ。ストレスが多すぎると、人間はストレスと関係のない記憶を形成できなくなり、また、すでにもっている記憶も取り出せなくなるのだ。今度、火災予防訓練に参加させられたときには、神経学的に見れば、そのような訓練は脳の回路を鍛え、避難経路を記憶に焼きつけるためにやっているのだということを念頭に置いて臨もう。ストレスがかかりすぎると、のちに説明するように、ペトリ皿効果が現れる。コルチゾールがニューロンを蝕み始めるのだ。

本能と戦う

ストレス反応はよくできた適応行動だが、今日の世界では、それでストレスが解消されるわけではなく、たまったエネルギーのはけ口もない。闘争・逃走反応がもたらす身体的要求は、意図的に発散させなければならない。

人間の体はコンスタントに運動するようにできているが、ではどのくらい運動すればいいのだろう？　二〇〇二年の『応用生理学ジャーナル』誌に掲載された論文は、まさにこの点を追究していた。人間の祖先の身体活動のパターンを調べたのだ。研究者はそれを「旧石器時代のリズム」と名づけている。二〇〇万年前にホモ属が登場して以来、一万年前に農耕が始まるまで、人類は皆、狩猟採集に頼った生活で、食料を探すあいだは体を酷使し、その後数日は体を休めるというサイクルを繰り返していた。ご馳走を食べるか、飢えるかのどちらかだったのだ。

わたしたちの祖先の「運動量」を計算し、それを現代の数値と比べてみると、問題がどこにあるかは一目瞭然だ。体重を基準とするエネルギー消費量で見ると、現代人の運動量は石器時代の祖先に比べて三八パーセントも少ないのだ。それなのにカロリー摂取量は大幅に増えていると言っていい。さらにショックなのは、国が定める最も厳しい運動の基準にそって、毎日三〇分、体を動かしたとしても、遺伝子に刷り込まれたエネルギー消費量の半分も消費できないことだ。旧石器時代の人間は、ただ食べるためだけに、通常、一日に八キロから一六キロも歩かなければならなかった。

現代では、そこまでエネルギーを消費しなくても食べ物は見つかるし、つぎはどうやって食料を手に入れようかと頭を悩ます必要もない。このような状況になってまだ数世紀しか経っていないが、人間の生態が進化するには気の遠くなるような年月が経っている。つまり、現代のライフスタイルとわたしたちの遺伝子は釣りあっていないのだ。加えて人間の遺伝子はもともと倹約家なので、わたしたちは机に向かいながらカロリーを溜め込むはめになる。

ストレスという点から見れば、現代の大いなる矛盾は、苦難が減り、情報だけが増えた、あるいは増えすぎたことかもしれない。さまざまなデジタル媒体によって、二四時間途切れることなく悲惨なニュースやうるさい要求が目の前に映し出されるので、扁桃体は休みなく活動する。ストレスが弱気や消耗や絶望をさらにその上に積み重ねていくが、これまでもその調子でやってこられたのだから、これからも大丈夫だとわたしたちは考える。ある程度まではたぶんそうなのだろう。そして、リラックスして一息入れたくなり、酒を片手にテレビの前に座ったり、どこかの海辺で寝そべったりする。過去二〇年で肥満が倍増したのも当然だ。現代のライフスタイルはストレスだらけ、そして動かない人だらけなのだ。
おそらくあなたも、コルチゾールを遮断してウエストを細くする薬の広告は目にしたことがあるだろう。おなかにしてみれば、つぎに食べ物がなくなったときに備えてエネルギーを蓄えるという任務を果たしているだけなのだが。慢性的にストレスを感じると、その蓄えが贅肉としておなかまわりについてしまう。格好も悪くなるが、健康にも悪い。溜まった脂肪はやすやすと心臓の血管に入り込み、それを詰まらせるからだ。ストレスで死ぬなんてあり得ないと思っている人には、ストレスと心臓発作のあいだには明らかにつながりがあることをここで指摘しておきたい。

なにかで大きなストレスを感じると、脂肪を蓄積するために、元気が出そうなものを食べたくなる。こんなときの体はグルコースを欲していて、たとえば箱のなかでおいしそうに光っているドーナツについ手が伸びる。そのような単純糖質〔グルコース、果糖、砂糖など〕と脂肪は、簡単に燃料に変化するからだ。さらに現代社会では、友だちは少なく、支えてくれる人もあまりいない。もはや部族も存在しない。だが、孤独でいるのは脳にとってよくない。

ラットに生理的ストレス反応を引き起こすためによく用いられる方法は、グループから引き離すというものだ。ただ隔離するだけでストレスホルモンは活性化する。同じことは人間にも言える。締め出されたり孤立したりするとストレスが溜まる。孤独は生存を脅かすからだ。体をあまり動かさない人は、当然ながら外に出て人と触れあう機会も少ない。日々の生活に運動を加えると、人は社交的になるという研究結果もある。自信がつくとともに、運動は人と会うきっかけにもなるのだ。運動によって元気とやる気が出てくると、社会的なつながりを作り、維持できるようになる。

休みたいと思うのは少しも悪いことではない。問題は、その休みをどのようにすごすかだ。元気が出そうで手軽な脂肪や糖分、たっぷりな食事、頭をぼんやりさせるアルコール、ましてやドラッグなど、依存症になるものに頼るのはよくない。運動をする、もしくは、ただ人と交わるだけでも、進化的に見て正しい方法でストレスを軽減していることになる。

スーザンの例のように、運動は単になにかの代わり、という場合もある。彼女はいつも真面目に縄跳びをしているわけではないが、落ち込んだときには、運動をすればどんな気分になるかを思い出すようにしている。「運動が習慣になってからは、ワインを飲んだりなにか食べたりしなくても、幸せな気分、爽快な気分を感じられるようになりました。運動は欲しいもの、渇望しているものの代わりになるんです。つまり、脳の欲求を満たしてくれるということ。それに、目先のことに囚われず、その先を見られるようになりました」

ストレスはあなたを殺すだけではない

よく知られているように、筋肉を増強するにはいったんそれを壊してから休ませる必要がある。同じことがニューロンについても言える。ニューロンにはもともと修復・回復のメカニズムが備わっていて、それは軽度のストレスで作用する。運動のすごいところは、筋肉の回復プロセスだけでなく、ニューロンの回復プロセスのスイッチも入れるところだ。つまり、運動すれば、心身ともに強く柔軟になり、難問をうまく処理し、決断力が高まり、うまく周囲に適応できるようになるのだ。

定期的に有酸素運動をすると体のコンディションが安定するので、ストレスを受けても、急激に心拍数が上がったり、ストレスホルモンが過剰に出たりしなくなる。少々のストレスには反応しないようになるのだ。脳では、運動によって適度なストレスがかかると、遺伝子が活性化してタンパク質が生成され、ニューロンを損傷や変性から守るとともに、その構造を強化する。さらに運動はニューロンのストレス耐性の閾値も上げる。

この細胞の「ストレス回復」作用には酸化、代謝、興奮の三つの側面がある。ニューロンが作動すると、代謝メカニズムのスイッチが入る。かまどに種火が入るようなもミトコンドリアがそれをアデノシン三燐酸（ATP／細胞にとって主要な燃料）に変える。その過程では、ほかのエネルギー変換プロセスと同じく、廃棄物（フリーラジカル）が生じる。その廃棄物がもたらすストレスを「酸化ストレス」と呼ぶ。通常、細胞は酵素も生成し、それがフリーラジカルのような廃棄物を掃除する。フリーラジカルは細胞組織を破壊する悪質な電子をもつ分子で、酵素は、その電子の力を消そうと懸命に掃除しつづける。こうした保護的な酵素は、人間が生まれながらもっている酸化防止剤なのだ。

「代謝性ストレス」は、グルコースが細胞に入り込めなかったり、周辺に十分なグルコースがなかったりして、細胞がうまくATPを作り出せないときに起きる。

「興奮毒性ストレス」は、グルタミン酸の活動が活発すぎて、増加した情報の流れを支えるエネルギーをATPがまかないきれないときに起きる。この状態が長引くと、とんでもないことになる。ニューロンが死の行軍を始めるのだ。ダメージを修復するための食糧も資源もないまま、ひたすらはたらかされ、樹状突起は縮み、最終的にニューロンは死に至る。これが神経変性で、アルツハイマー病、パーキンソン病などの疾病、さらには老化そのものの底流となるメカニズムだ。こうした疾病を詳しく研究した結果、体に本来備わっている、細胞ストレスへの対応策が見つかった。

米国国立老化研究所の神経科学部門の長であるマーク・マットソンが、研究室のラットに与える餌をたいそうけちっている理由もそこにある。マットソンは、食餌制限によってマウスやラットに軽度の細胞ストレス——グルコースが足りず、十分なATPを生成できない状態——を起こさせ、観察をつづけた。すると、通常のカロリーの三分の一しか与えられなかったマウスとラットは、平均より最高で四〇パーセント長生きした。彼の研究によって、有酸素運動も含め、いろいろなストレスのさなかに放出される保護分子が特定できた。

連鎖的に放出される修復分子のなかでもきわめて強力なのは、脳由来神経栄養因子（BDNF）、インスリン様成長因子（IGF-1）、線維芽細胞成長因子（FGF-2）、血管内皮成長因子（VEGF）などの成長因子だ。これらについては第二章で説明した。とくにBDNFは、エネルギー代謝とシナプス可塑性の両方で役割を担っているので、ストレスを研究する者にとって興味深い因子だ。BDNFはグルタミン酸によって間接的に活性化され、細胞のなかで抗酸化剤と保護タンパク質の生成量を増やす。また、先に触れたように、LTP（長期増強）を促進して新しいニューロンを成長させ、脳をストレスに対して強くする。脳のストレス耐性を強める手段として運動が望ましいのは、それがほかのどんな刺激よりはるかに多く成長因子を増やすからだ。ＦＧＦ－２とＶＥＧＦは、脳内で生成されるだけでなく、筋肉の収縮によっても生成され、血流によって脳に運ばれ、さらにニューロンを支援する。このプロセスは、体がどのように心に影響を及ぼすかをよく示している。

成長因子は、ストレスと代謝と記憶の重要なつながりを明らかにする。「人間の脳が複雑になったのは、おもに限られた資源を巡って競いあうためです」とマットソンは言う。「生物は進化の過程を通じて、どうやって食糧を見つけるかを巡って、頭を使って競争しなければならなかったのです」

マットソンの最新の研究は、一般に体にいいと思われている食べ物に対するわたしたちの見方を変えることになるだろう。現代では、食品や製品の抗酸化作用や抗がん性を宣伝する一大産業が形成されている。抗酸化作用が高いブロッコリーをたくさん食べれば、健康で長生きできますよ、と企業はしきりに宣伝する。確かに長生きできるかもしれないが、その理由は企業側が唱えているものとは違う。

実のところ、そうした食品が体にいいのは、抗酸化成分だけでなく有害成分も含んでいるからなのだ。マットソンはこう説明する。「野菜や果物といった植物に含まれる体にいい化学物質の多くは、昆虫などに食べられないようにするための毒として進化してきたものなのです。こうした植物を食べると、わたしたちの細胞には適度なストレス反応が引き起こされます。たとえばブロッコリーにはスルフォラファンという物質が含まれていて、それは明らかに細胞のストレス反応を活性化させ、抗酸化酵素の量を増加させせます。確かにブロッコリーは抗酸化物質を含有していますが、食事で摂取する程度の量では、抗酸化効果は期待できません」

原子力船造船所の労働者の例と同じように、少量の有害物質は適度なストレス反応を導き、細胞を元気にする。食餌制限や運動で細胞が強くなるのと同じ理屈だ。マットソンが専門誌に寄せた論文の題がすべてを語っている。「神経を保護する信号と老いる脳――少なく食べて、多く走ろう」

細胞の回復力は、今挙げた廃棄物を処理する酵素、神経保護因子、そしてプログラムされた細胞の死（アポトーシス）を阻止するタンパク質によってもたらされる。わたしはそのような要素を、つぎのストレスをやっつけるために臨戦態勢を整えている軍隊のようなものだと考えている。この軍隊を鍛える最善の方法は、自分に軽くストレスをかけることだ。脳を使って勉強し、カロリーを抑え、運動し、そしてマットソンとあなたのお母さんが言うように、「お野菜を食べなさい」。こうした行動はどれも細胞に挑み、ちょうどいいストレスになる廃棄物を出す。逆説的だが、適応して成長するという人間のすばらしい能力は、ストレスがなければ発揮されない。そう、ちょっとばかり悪いものをがまんしないと、よいものは得られないのだ。

もうたくさん！

脳のなかで起きるどんな出来事もそうであるように、ストレス反応は、これまでに述べたあらゆる要因（と、述べなかったいくつもの要因）のデリケートなバランスによって決まる。軽いストレスでも四六時中感じていると、コルチゾールが休みなく流れて遺伝子を目覚めさせ、その結果、シナプスの結合は切断され、樹状突起は萎縮し、細胞は死ぬ。ついには海馬もしなびてしまう。まるでレーズンのように。

体がストレスホルモンの流れを遮断できない状況はいくつもあるが、いちばんわかりやすいのは、休みなくストレスに襲われるケースだ。まったく休めないと、回復のプロセスが始まらず、扁桃体が信号を出しつづけ、コルチゾールの量が健康なレベルを超える。ときには闘争・逃走反応のスイッチがずっとONになったままのこともある。疫学的調査によると、遺伝の影響もあるらしい。無作為に選んだ集団を、人前で話すというストレスの多い状況に置くと、親が緊張症である人はスピーチを終えて二四時間経ってもまだコルチゾールの値が上昇したままだった。また、環境の影響もあるようだ。妊娠中に繰り返しストレスにさらされた母親から生まれたラットは、成長後も、そうでないラットに比べてストレス耐性の閾値が低い。心的ストレスにも身体的ストレスにも、簡単にやられてしまうのだ。

自尊心が低い人もストレス耐性の閾値が低い。もっとも、自尊心が低いからストレスに弱いのか、ストレスに弱いから自尊心が低いのかははっきりしない。また、育った環境や遺伝に関係なく、フラストレーションのはけ口がない、自分の人生をコントロールできない、社会のサポートがないといった状況に置かれると、慢性ストレスの悪影響が現れる。基本的には、希望がなければ、脳はストレス反応を抑制できない。

ストレス耐性の閾値は人によって異なり、また、環境要因、遺伝的要因、行動的要因、もしくはそれらを含む複合的要因によって変わってくる。脳で起きる化学作用によって、人間のストレス耐性の閾値はつねに変化するのだ。老化によって自然にその閾値は下がっていくが、有酸素運動をすればかなり復元できる。蓄積されていたストレスが、運動することでなぜ解消に向かうのかは研究者もはっきりとわからないが、運動には確かに効果があることが実際に確認されている。

ストレスの有害作用

ストレスは生き延びるために大切な記憶を脳に刻むが、多すぎると記憶を脳に刻み込む構造そのものを破壊してしまう。その一因となるのがコルチゾールの増加だ。ストレスがかかると、コルチゾールは海馬のグルタミン酸の輸送量を増やし、BDNF、セロトニン、IGF－1などの流れを増やしてLTPを促すが、その一方で、一群の遺伝子を活性化させ、この記憶の回路に送られるべきほかの情報を遮断させる。重要なひとつの記憶を刻むために、ほかのそれほど重要でない記憶を排除するのだ。そうなるとこの記憶のシステムは柔軟性が失われ、融通がきかなくなる。

多すぎるグルタミン酸も海馬を傷つける。この神経伝達物質は、電子を奪うカルシウムイオンをニューロンに送り込み、フリーラジカルを生成する。十分な抗酸化剤が警戒態勢を敷いていないと、フリーラジカルは細胞の壁に穴を開け、細胞は破裂して死んでしまう。

樹状突起でも問題が発生する。バランスの崩れた慢性ストレスのスープのなかであまりに長くぐつぐつ炊かれると、その樹枝状の突起は細胞を死なせまいとして、マキューアンによれば、「まるでカメが頭を引っ込めるように」縮む。そして成長因子とセロトニンが流れていないため、ニューロン新生がスムーズに進まなくなる。毎日、幹細胞が誕生しても、それが新しいニューロンにならないので、脳としては信号の回路を作りかえる材料がなく、有害なサイクルを断つことができない。

ミシガン大学のモニカ・スタークマンはクッシング症候群の研究をしている。クッシング症候群とは内分泌の機能が壊れ、コルチゾールが慢性的に過剰になる病気だ。コルチゾール過剰症という科学的な別称がその症状をよく示している。この病気の症状は、慢性ストレスがもたらす状態と気味が悪いほどよく似ている。おなかまわりの贅肉が増える。筋肉組織が分解されて不要なグルコースと脂肪が生成される。インシュリン抵抗性となり、糖尿病になりやすい。パニック発作、不安、うつ、心臓疾患にかかるリスクも高くなる。スタークマンが示した多くの相関のなかには、コルチゾールの増加に比例して海馬が収縮し、記憶が失われることも含まれる。

慢性ストレスが海馬をいじめて──樹状突起を縮め、ニューロンを殺し、ニューロン新生を妨げて──いるあいだ、扁桃体の方もやりたい放題だ。過剰なストレスによって増えた扁桃体内部のニューロンの結合は、ひっきりなしに発火して、コルチゾールを欲しがる。コルチゾールはすでに十分すぎるほどあるのだが。そして、このまずい状況がさらなる悪循環を招く。扁桃体は、内部のニューロンの発火が活発になればなるほど強くなり、ついには海馬との協力体制において支配権を握るようになり、記憶の内容──そして、現実とのつながり──を抑え込み、見さかいなしに恐怖という焼印を押し始めるのだ。ストレスがあたりまえとなり、その感覚が漠然とした恐れとなり、やがて不安へと変化する。そうなると、見るもの聞くものすべてがストレスに感じられ、さらなる不安へとつながる。「人間という生き物は、認知能力が蝕まれていても、不安だけは強くなる」とマキューアンは言う。

慢性的なストレスに苦しめられていると、置かれている状況を記憶と比べられなくなり、縄跳びをすればたちまちストレスから解放されることも、話を聞いてくれる友だちがいることも、これで世界が終わるわけではないということも思い出せなくなる。前向きで現実的な考え方を受け入れにくくなり、ついには不安障害やうつ病へと向かい始める。

慢性ストレスは不安障害やうつ病の唯一の原因ではないし、必ずどちらかを導くわけでもない。しかし、生理学的にも心理学的にも、慢性ストレスが人間の大半の苦しみの根源になっているのは明らかだ。これについてはあとの章で詳しく述べたい。

とは言え、慢性ストレスが、わたしたちの抱える多くの問題の背景になっていることは、ある意味で歓迎すべきニュースだ。それはつまり、そうしたストレスへの対応次第で、心と体に与える影響を大きく変えられることを意味するからだ。人間の進化の大半は狩猟採集時代に起きたもので、今さら逆行することはできないが、その知識を生かしてできることはある。マキューアンが『ストレスに負けない脳』に書いている通り、「人間を保護するためのシステムが逆に脅威になるという事態は、普通は起こらないし、避けられないわけでもない」。

ストレスを燃やし尽くす

脳の機能は情報をひとつのシナプスから別のシナプスへと伝えることであり、それにはエネルギーが必要とされることはすでにおわかりいただけただろう。そして、運動は代謝に影響するため、シナプスの機能、ひいては思考や感情に影響を与える強力な手段となることもご理解いただけたと思う。運動は全身を流れる血液とグルコースの量を増やす。いずれも細胞にとってなくてはならないものだ。より多くなった血流はより多くの酸素を運び、細胞はその酸素を使ってグルコースをＡＴＰ（アデノシン三燐酸）に変換し、栄養源にする。運動中、脳のなかで血液の流れが前頭葉から大脳辺縁系へとシフトする。そこにはこれまでに何度も登場した扁桃体と海馬がある。おそらくそこに優先的に血液が送られるせいで、研究によってわかったように、激しい運動をしているあいだは高度な認知機能がはたらきにくいのだろう。

運動後に起きる変化によって脳は最高のはたらきをするようになる。闘争・逃走反応が起きる閾値が上がるだけでなく、先に述べたニューロンの回復プロセスが促されるからだ。運動によって細胞内のエネルギー生産はより効率的になり、有害な酸化ストレスを増やすことなく、ニューロンが必要とする燃料を供給できるようになる。廃棄物（フリーラジカル）も生じるが、それを処理する酵素も作られる。もちろん、ＤＮＡの残骸や細胞の分裂や老化による副産物を片づける清掃サービスもある。この酵素と清掃サービスは、がんと神経変性の発生を防ぐと考えられている。また、運動はストレス反応を誘発するが、それほど極端でなければ、システムがコルチゾールであふれかえることはない。

運動することでエネルギー利用の効率が上がるのは、ひとつにはインスリン受容体の生産が促されるからだ。体内の受容体数が多いと、血糖はよりうまく利用され、細胞は強くなる。受容体がそこにあるということは、その効率のよい新たなシステムが定着したことを意味する。定期的に運動し、インスリン受容体の数を増やしておくと、血糖値が下がったり、血流が不十分だったりしても、細胞は血液から無理矢理にでも十分なグルコースを取り出して活動をつづけることができる。また、運動するとIGF－1（インスリン様成長因子）が増えて、インスリンがグルコースの量をコントロールするのを助ける。

脳では、IGF－1は細胞にエネルギーを送り込む作業より、グルコースの量を調節する作業に深くかかわっている。うれしいことに、IGF－1は海馬のなかでLTPを促進して、ニューロンの可塑性を高め、ニューロン新生を促している。運動はそういう形でもわたしたちのニューロンの結びつきを強めている。また運動は、FGF－2とVEGFも生成する。この二つは脳のなかに毛細血管を新しく作り、その血管網を拡大する。幹線道路が広くなり、数も増えれば、血液はよりスムーズに流れるようになる。

同時に、有酸素運動はBDNFの分泌量を増やす。これらの因子が協力しあって脳の活動を活発にし、慢性ストレスの有害な影響に負けないようにしている。それらはまた、細胞の修復プロセスを開始するだけでなく、コルチゾールが増えすぎないよう監視し、必要に応じて神経伝達物質セロトニン、ノルアドレナリン、ドーパミンを増やす。

力学的なレベルでいえば、運動は筋紡錘（筋肉のなかにある張力センサー）の静止張力を緩めることで脳にフィードバックされるストレスを撃退する。体が緊張していなければ、脳は自分もリラックスしてもいいだろうと判断するわけだ。長期的に規則正しく運動すれば、心血管系の効率がよくなり、血圧が下がる。心臓専門医は近年、心臓の筋肉で生成される心房性ナトリウム利尿ペプチド（ANP）というホルモンが、HPA軸にブレーキをかけ、脳の騒音を鎮めて体のストレス反応を直接抑えることを発見した。ANPの興味深い点は、運動によって心拍数が上昇するにつれ量が増えることで、おそらくANPも運動によって心と体のストレス反応が緩和される一因となっているのだろう。

運動は自発的にすることなので、そのストレスは予測できるし、コントロールできる。その点が心理上、重要な意味をもっている。自分を支配しているという感覚と自信が得られるからだ。アルコールなどの副作用のある対処法に頼らなくても、ストレスをコントロールできるとわかっていれば、気持ちの切り替えがうまくなる。まず学ぶべきなのは、自分の対応力を信じることだ。それはわたしの患者のスーザンにとっても非常に重要なことだ。彼女は縄跳びをして、ストレスと脳の暴走を抑えている。「自分の脳がなにを求めているのかがわかったこと、それがいちばんの勝因だと思っています。現状から脱け出したくて始めたのだけれど、気持ちが落ち着いてからは、もっと気楽に取り組めるようになりました。今では縄跳びをしないではいられないんです」

スーザンが悟ったことを、読者の皆さんにもぜひ理解していただきたい。微小細胞レベルから心理レベルまで、運動は慢性ストレスの悪影響を退けるだけではない。悪影響を逆転させることもできるのだ。複数の研究により、慢性のストレスにさらされているラットを運動させると、縮んでいた海馬が元の大きさに回復することがわかっている。運動が人間の思考や感情を変化させる仕組みは、ドーナツや薬やワインよりよほど効果的だ。泳いだあと、もしくは早歩きしただけでも、ストレスが減ったように感じるなら、それは本当にストレスが減ったからなのだ。

心を守るものが体も守る

ロバートはストレスで弱りきっていた。一九六九年のことだ。医学部の実習期間を終えた彼は、ボストンの海軍基地に赴任し、ヴェトナムから送られてくる戦争神経症の兵士のカウンセリングにあたっていたが、最近その仕事を辞めた。仕事自体は順調で、若い精神分析医として、とても優秀だった。原因は個人的なことだった。実父と義父が立てつづけに亡くなり、一〇代で母を亡くしたときに押し殺していたあらゆる感情がいっぺんに湧き上がり、大きなハンマーのように彼を打ちのめしたのだ。

体もぼろぼろになっていた。奇妙な窒息の発作に襲われ、呼吸困難に陥るようになった。しかも最近、一年に及ぶウィルス性髄膜脳炎との闘いを終えたばかりなのだ。それは髄膜と脳がひどい炎症を起こし、生命も脅かす病気である。呼吸の発作のせいでふたたび入院することになった彼は、自分では喉頭がんだと思っていた。当時三三歳だった彼が、将来、アメリカ精神分析学会の会長になり、ハーヴァード大学の教授になり、大リーグの新人選手のキャリア開発プログラムのコンサルタントになろうとは、だれひとり想像できなかった。それどころか、彼、つまりロバート・パイルズは、その先一年を生き延びる見込みもなかったのだ。

レントゲンで見ると、肺には雪玉のようなものが散らばっていた。散在性のサルコイドーシスだった。がんに似たリンパ系の病気で、ほかの器官に転移し、やがて死を招く。「おそらく、そうした病気に襲われたのは、ものすごいストレスと憂うつな気分に押しつぶされそうになっていたからでしょう」とパイルズは語る。「免疫系がだめになったから、二つつづけて大病を患ったのです」

慢性ストレスが脳に与える影響をこれまで述べてきたが、体に与える影響も等しく強力だ。慢性ストレスは、死に至る極めて恐ろしい病気のいくつかと直結している。血圧が何度も急上昇して血管を傷つけると、その部分にプラークが蓄積し、アテローム性動脈硬化になるおそれがある。また、前述したように、ストレス反応をそのままにするとおなかまわりに脂肪がつく。この部分の脂肪は、ほかの部分についた脂肪より危険だということがわかっている。また、慢性ストレスによる過剰なコルチゾールは、ＩＧＦ－１のレベルを下げ、一方血液中のグルコースのレベルは変わらないので、代謝のバランスが崩れ、糖尿病になりやすい。より一般的には、コルチゾールが絶え間なく流れていると、免疫系に重圧がかかり、あらゆる病気に対して体が無防備になる。その結果も致命的となり得る。

パイルズは絶望していた。当時、散在性サルコイドーシスの治療法はなく、まして快癒などとうてい望めなかった。七〇年代の幕開けを目前にして、家族をもち、キャリアをスタートさせたばかりのハーヴァード出身の若き医者が、一転して死刑宣告を受けたのだ。「どうすればいいかわかりませんでした」と彼は振り返る。「ますますパニックに陥り、ストレスを感じました。そこでなにを始めたかというと、走ることです」

学生時代はスポーツでもかなり活躍したが、その面影は皆無だった。そのときの彼は一八二センチの体に八五キロの体重を溜め込んでいた。「大学を出てからは、ほかの人と同じで、運動をまったくしなくなりました」と彼は語る。「最初は四〇〇メートルから八〇〇メートル走るのがせいぜいでしたが、自分に言い聞かせました。それだけの距離が走れるなら、少なくとも今日は死なないだろうと。一キロ半ほど走れるようになると、つぎは五キロ、さらに一〇キロ、一五キロと距離が延びていきました。ある時点でひどく苦しくなるのですが、それをすぎると、頭のなかでカチッとスイッチが切り替わったようになり、その後は長く走れるようになるんです」

パイルズは走りつづけた。生きるためでなく正気を保つために。散在性サルコイドーシス患者にできるのは、約三か月ごとにレントゲンを撮影して、雪玉を数えることぐらいだった。パイルズの場合、病気はなかなか頑固だった。それでも一か月、二か月、と日がすぎ、数年後には、マラソン並みの距離を走るようになり、肺のレントゲン写真もきれいになり始めた。五年後、雪玉はすっかり消えていた。

病気ならとにかく休めと医者が言っていた時代の話だ。ケネス・クーパー博士が「有酸素《エアロビクス》」という用語をつくったばかりで、有酸素運動が健康に及ぼす効果はまだ認められていなかった。パイルズは医師としての訓練を受けていたが、ストレスのせいでうつになるとは思っていなかったし、それは彼を診ていた精神分析医も同じだった。「ランニングのおかげで、自分をコントロールしているという感覚がもてたのでしょう。自分にはまだできることがあった、そう思えたのです」とパイルズは語る。「うつと病気に関していちばん辛かったのは、自分がまったく無力で、なにもできないことでした。当時は病気と闘う方法さえなかったのですから」

パイルズを担当した医師は彼の事例を医学雑誌に投稿し、回復したのは奇跡だと述べた。そうではなく、治ったのはランニングのせいかもしれない、とパイルズが言ったところ、医師は「鼻で笑ってまるでとりあわなかった」そうだ。

予想もしていなかったことだが、パイルズの人生のなかでランニングは中心的な位置を占めるようになった。タバコをやめ、体が重く感じるからと、肉を食べなくなった。個人的な関心を職業に結びつけてスポーツ精神科医となり、怪我をして体を動かせず、うつになった選手を診るようになった。パイルズ自身も何度か故障を経験したが、脚を骨折して出場を断念したときを除けば、毎年二回マラソン大会に出ている。これまでに参加した回数は四七回にのぼる。

「当時の医者は、運動がなにか役に立つなんて、考えてもいませんでした」とパイルズは語る。「今も正当に評価されているとはとうてい言えません。とくに精神科では。知識第一で育ってきた人にとって、運動は嫌悪の対象でさえあるようです」

パイルズは、その原因のひとつはフロイトの精神分析にあると見ている。その原則は、自分の感情を話す代わりに体を動かすことを「行動化〔思考を行動で置き換えること〕」と見なす。精神分析医が長椅子を使うのもそれが理由だ。患者を動かないようにして、感情がおのずと言葉となって表れるよう仕向けるのだ。この観点からすると、運動は「行動による感情表現」の最たるものだ。フロイト派に言わせれば、自分の感情に言葉ではなく体で対応していては、問題に対処することにはならないのだ。

パイルズの場合はまったく逆で、体で対応したから問題を解決できた。彼は今、七二歳になった。行動による対処法は、人生もキャリアも劇的に変化させた。「運動がわたしの人生を救ってくれました」と彼は話す。「ランニングによってわたしは心と体をひとつに戻すことができました。本来、人間は心身一体であるべきなのです」

こんな運動をしよう

多くの人にとって職場はストレスのおもな原因になっていて、そういう意味で職場は運動のメリットを活かしやすい場所だ。オフィス内に専用ジムを設けたり、社員にスポーツクラブへの入会を促したりする企業が増えていて、医療保険会社のなかには顧客のスポーツクラブの会費を負担しようというところも出てきている。企業がこれほど気前がいいのは、数々の研究によって運動が従業員のストレスを減らし、生産性を上げることが示されているからだ。イギリスのリーズ・メトロポリタン大学の二〇〇四年の研究では、会社のジムを利用している従業員は生産性が高く、仕事をよりうまく処理できると感じていることが明らかになった。被験者となった二一〇名の大半は、昼休みに四五分から一時間のエアロビクスのクラスに参加し、残りの人は三〇分から一時間、ウェイトトレーニングをしたりヨガをしたりした。一日の仕事が終わるとそれぞれ質問票が渡され、同僚と協力しあえたか、時間管理ができたか、締め切りが守れたかについて、自己評価した。回答者の六五パーセントが、運動した日には三項目すべてにおいて、いつもよりよくできたと答えた。全体的に見て、彼らは運動をすると仕事に対して前向きになり、ストレスが減った。それに、昼休みにエネルギーを消費したにもかかわらず、午後になってもそれほど疲労を感じなかった。

ほかの研究でも、定期的に運動をしている従業員は病欠が少ないという結果が出た。ノーザン・ガス社では、会社が提供する運動プログラムに参加している社員は、病気で休む日数がそうでない社員より八〇パーセントも少なかった。ゼネラルエレクトリック社の飛行機部門が一定期間にわたって調査したところ、同社のフィットネスセンターのメンバーになった従業員の医療費請求額は二七パーセント下がった。ちなみに非メンバーの請求額は一七パーセント増加した。一九九〇年代後半にコカ・コーラ社が公表した報告書によると、同社のフィットネス・プログラムに参加している従業員の保険請求額は、参加していない従業員に比べて平均で五〇〇ドル少なかった。

もっと一般的な研究も、運動はストレスがもたらす深刻な病気も撃退するという説を裏づけている。ストレスと運動不足という現代社会の二大特徴が、関節炎、慢性疲労症候群、結合組織炎、そのほかの自己免疫疾患に深く関与している。ストレスを軽減すれば、それも運動によって軽減すれば、こうした病気からの回復を後押しできる。免疫系が弱って病気になったのなら、ロバート・パイルズの例でも明らかなように、運動によって免疫機能を大幅に改善できる。

近年では、医者はがん患者に運動を勧めるようになった。免疫反応を高める上でも、ストレスやうつをはねのける上でも有効だからだ。運動ががんを治すとは決して言わないが、研究によると運動の有無は、ある種のがんの要因になっているらしい。三五件の研究のうち二三件が、運動不足の女性の方が乳がんのリスクが高いことを示している。また、体をよく動かす人は結腸がんにかかる確率が五〇パーセント低い。さらに、六五歳以上で運動をしている男性は、通常は死に至る進行性前立腺がんにかかる確率が七〇パーセント低い。

現代人はかつての人類よりずっと生き延びやすくなったのに、むしろより強いストレスを感じがちだという進化のパラドックスにすべては帰着する。祖先と比べてほとんど体を動かしていないことが、その矛盾をますます深刻なものにする。ストレスが多ければ多いほど、脳をスムーズに活動させるには体を動かす必要があるということを、ぜひ覚えておいてほしい。

第四章

不安

パニックを避ける

最初の質問はごく事務的なものだった。弁護士はわたしの経歴、これまでに書いた本の内容、専門について尋ねた。法廷はどんよりと重い空気に包まれ、展開中の緊迫したドラマとは対照的だ。お定まりの慰謝料の条件も、子どもたちの親権も、わたしの患者である被告にとって不利な方向に向かっていた。ここでは仮にエイミーと呼ぼう。彼女は夫から離婚訴訟を起こされている。わたしはエイミーの弁護団の要請で証人台に立ち、彼女の精神状態について証言し、今は原告である夫の弁護士から反対尋問を受けているところだ。

エイミーは知的で魅力ある女性だが、内気でささいなことも気に病みやすい。いつも、なにに対しても、心配ばかりしている。仕事で忙しく飛びまわっている夫は、次第に彼女の夫でいることに嫌気がさしてきた。夫は絶えず彼女を非難するようになり、ときには激しく罵った。エイミーは最悪の事態を恐れ始めた。子ども時代の再現、つまり家庭崩壊である。それだけはなんとしてでも避けたいと思っていたが、結局、離婚は不可避となった。彼女はどうすればその苦痛を乗り越えられるかがわからず、パニックに陥った。あげくに自殺未遂を起こし、五〇〇〇キロメートル離れた土地へ逃げた。そんな軽率な行動をとったせいで、今、法廷が彼女に向ける目は冷たかった。親権は全面的に父親に委ねられ、エイミーは週二回の面会以外、子どもに会うことを禁じられた。その上、精神的に不安定になる恐れがあるとして、面会時には法廷が指名した監視者がつくことになった。

夫側の女性弁護士がエイミーの治療について攻撃してきた。

「被告はなにか投薬治療を受けていますか」こちらの答えはわかっているはずだ。

「いえ、現時点では受けていません」とわたしは答えた。

「被告に薬を処方したことはありますか」

「はい、プロザックを」

「抗うつ剤ですね」

「はい。それに全般性不安障害にも、とても効果があります」

「あなたの患者は全般性不安障害なのですね」

「はい」

「わかりました。それなのに今はプロザックを服用していない。服用をやめるよう指示したのですか」

「いいえ。彼女がやめていいかどうか聞いてきたので、やめてもかまわないと言いました」話が向かう先は見えている。エイミーを治るつもりのない患者に仕立てようというのだ。法廷では、治療とは薬を飲むことを意味する。それをしない彼女に病気を治す気があるとは思えない。自分の面倒も見られない女性に子どもの面倒を見られるはずがない、という論理である。

「けれども、彼女は運動をつづけています」とわたしは言い足した。「それも、とてもよくやっています」

「運動ですか？　治療効果が認められているわけではないでしょう？」

「そんなことはありません。運動はプロザックやほかの抗うつ剤や抗不安剤と同じようによく効きます」

「それはあなたの見方です」と弁護士は話を遮った。「しかし、具体的に運動にどんな効果があるのですか」

「ご興味がおありですか」とわたしは笑顔で尋ねた。「今、そのテーマで本を書いているところです」

「ええ、教えてください」

おそらく弁護士はランナーズハイがどうのこうのといった漠然とした説明を予想していたのだろう。だがわたしは、臨床での事例を引きつつ、不安障害やうつ病を治療する上で運動には特定の薬と同じ効果が認められることを訴えた。延々二〇分にわたって運動の脳への効果を説明し、とくに運動によってエイミーの不安が治まり、わたしが診るようになってから九か月間、改善の兆しがなかった支離滅裂な感情をコントロールできるようになったことを詳しく述べた。運動の効果を法廷ではっきりさせようと言うのなら、こちらとしても望むところだ。

エイミーのケース

不安は脅威に対するごく自然な反応であり、ストレス反応において、交感神経系と視床下部－下垂体－副腎（ＨＰＡ）軸の活動が高レベルに達した時点で発生する。だれでもスピーチを目前に控えているときや、これから上司と対決しようというときには、その困難に立ち向かうべく注意力が研ぎ澄まされる。このときに体に現れる症状は、緊張、震え、呼吸困難といったものから、鼓動の高まり、発汗などがあり、ひどくなると胃がキリキリ痛んだりもする。そして感情面に表れるのは恐怖だ。たとえば飛行機に乗っていて、機体がいきなり数百メートルも急降下したら、あなたを含め乗客は全員、神経を尖らせ、ひどく心配するだろう――このまま死んでしまうのか、と。その後しばらく神経系は警戒態勢を解かず、少しでも揺れたら過敏に反応する。それは自然なことだ。

しかし実際に脅威となるものがないのに不安になり、普通の行動がとれなくなるのであれば、それは不安障害だ。脳は不安に圧倒され、現状を大局的に把握することも、冷静に考えることもできなくなる。アメリカでは全人口の一八パーセントにあたる約四〇〇〇万人が病気と言えるほどの不安を感じていて、その症状は、全般性不安障害、パニック障害、特定恐怖症、社会不安障害など、多岐にわたる。いずれも深刻なストレス反応がもたらす身体的症状が認められ、脳は機能不全に陥り、状況を誤って解釈しがちになる。共通する特徴は、説明のつかない不安に囚われることで、違いはその文脈《コンテクスト》だけだ。

全般性不安障害の人は、なんでもないものに対してそれが脅威であるかのような反応をしやすい。自分の影に怯える臆病者で、ストレスの原因をどこにでも見つけ、過剰な心配をする。パニック障害の人は、普段はまったく普通にしているが、突然、身動きができないほどの不安や、心臓発作を起こしたのかと思えるほど激しい痛みに襲われる。パニックは不安が最も極端な形で表れたもので、あらゆる恐怖症の人に共通して見られる。恐怖症の人は、特定の事象や状況に対して凍りつくような恐怖を覚え、強烈かつ往々にして不合理な嫌悪感を抱く。クモ恐怖症や広場恐怖症などがよく知られている。社会不安障害は恐怖症のひとつで、おそらく最も一般的なものだ。だれもがある程度の社会不安を経験するものだが、社会不安障害は、たまに内気になるといった程度のものではない。その不安ははるかに強く、人と会ったり話したりという社会的な状況がすべて恐ろしく感じられ、ひどくなると他人に見られることさえ怖くなる。

社会不安障害は多くの人が考えているほど珍しいものではなく、アメリカでは一五〇〇万人が患っていて、日々の暮らしへの影響は深刻だ。

こうした不安は、別の形の不安に入り込んだり、あるいは取り込んだりして、うつなどの精神障害を招くことも少なくない。パニック障害であっても全般性不安障害になるとは限らないし、逆もまたしかりだが、一般にパニック障害の人は、つぎの発作への恐れから全般性不安障害へと発展しがちだ。また、不安感受性（不安そのものに危険を感じやすい傾向）が強いと、不安障害は悪化しやすい。たとえば、不安とは関係のない理由で心拍数が上がったり呼吸が速くなったりしたときに、その身体的変化を意識しただけで不安やパニックの引き金がひかれる。あるいはコントロールを失いそうな気がしただけで、実際にコントロールできなくなる。精神的なものであれ肉体的なものであれ、恐怖そのものを恐れるようになり、不安は一気に高まって手に負えなくなるのだ。

エイミーは全般性不安障害の典型で、パニック障害と社会不安障害の傾向もいくらか認められた。彼女には、その病気に顕著な「症状」――異常に警戒する、緊張する、最悪を予期する――と、「特質」――症状に紛れているが、もっと根深い性向――が表れている。彼女は幼いころからずっと不安感受性が強かったが、結婚生活が破綻するとそれがますます強くなった。とるにたらないストレスの種に対して、まるで命にかかわることのように激しく反応し始めたのだ。そうした過剰な反応は、彼女自身も、人との関係も、深く傷つけた。

不安な状況という意味では、エイミーがはまり込んだ状況以上に過酷なものはないだろう。子どもとの面会は事実上、夫に支配されている。精神科医にかかることを強制され、精神科医は診察結果を法廷に報告することになっている。おまけに町中の人がことのなりゆきを知っている。不安が最も強くなるのは、監視されながら子どもと会っているときだ。彼女は自分がうまくやれるということを、法廷が決めた監視者に示さなければならないのだが、またなにかしくじって、夫が法廷で使える武器をさらに増やしてしまうのではないかと不安になるのだった。自分が裁かれているというよりも自分の精神状態が裁かれているようで、自分がちゃんとやれているかどうかを心配すればするほど症状は悪化した。実際のところエイミーは母親として立派に務めをこなしていたのだが、こんな状況がつづくうち、やがて母親としての能力に自信がなくなってきた。なんとしてでも自分を立て直し、子どもを取り戻したかったが、とても戦える状態ではなかった。不安をコントロールできない神経症患者になったような気がしてきた。こうなると、負の連鎖はもう救いがたい。つねにパニック寸前の状態で、自分を守ることができず、無力感に囚われた。

こんな状況に陥ったら、だれでもすべてが悲惨な結末に向かっているように思えてくるだろう。そしてなにもかも避けるようになり、身の周りの世界が縮み始める。エイミーは、結婚が破綻したのちに移ったアパートメントに引きこもり、友人や家族とも会わなくなった。

防衛

夫側の弁護士の見方とは逆に、エイミーは治りたいと強く思っていた。薬に頼りたくないというのは犯罪ではないし、珍しいことでもない。それに最初はしばらくプロザックを飲んでいたのだ。それで神経は鎮まったが、やる気が失せたので服用を中止した。彼女は以前からヨガを習っていて、心を落ち着かせるにはよかったが、不安はなくならなかった。そこでわたしは有酸素運動を勧めた。エイミーはエリプティカルマシンを買ってアパートメントに据えつけた。安全圏の外に踏み出すより、そうした方がはるかに気楽だったからだ。

エリプティカルマシンの運動は少しずつ習慣になり、毎朝三〇分、マシンに乗るようになった。その時期の彼女には、楽しいと思えることはほとんどなかったが、運動だけは次第に楽しめるようになった。上半身をひねる運動を取り入れたことや、その有酸素運動につづけてヨガを一時間やっていることなどをわたしに報告した。そうするうちに不安の「症状」をコントロールできていると思えるようになってきた。それは病気の「特質」を克服するための重要な第一歩だ。じきに彼女は、不安やパニックに襲われたら、一〇分から一五分マシンをこげば、落ち着きを取り戻せることを学んだ（スーザンが縄跳びでストレスに対処したのと同じである）。

エイミーは運動を通じてやる気を取り戻した。朝から晩まで心配しつづけるのをやめただけでなく、自分のことを消極的ではなく積極的だと思えるようになった。身がすくむような思いもしなくなり、人生のほかの領域にも気持ちが向き始めた。趣味や、友人との付きあいを再開し、そのおかげで、自分のよいところを取り戻せた。もう、自分のことをケージの隅で縮こまり、ちょっとした刺激にびくついているマウスのようだとは思わなくなった。表面的には、ただ自分の殻から出ただけのように見えるかもしれないが、運動が彼女の人格に及ぼした影響はもっと深遠だ。まるでしっかりした土台があるかのようにふるまっている。

実のところ、彼女を取り巻く状況はほとんど変わっていない。状況に対する彼女の反応の仕方が変わり、それで態度も変わったのだ。彼女は、ほかの人が一杯のウィスキーやアルプラゾラム（抗うつ剤。商品名はザナックス）でそうするように、運動で神経を鎮めているのだと言う。この戦略によって不安感受性は明らかに低くなり、脳が罠から脱け出す道を見つけられるようになったのだ。

証拠

二〇〇四年、サザンミシシッピ大学の研究者ジョシュア・ブロマン＝ファルクスは、運動が不安感受性を下げるかどうかを調べた。対象としたのは、不安感受性が高く、全般性不安障害を抱え、しかし運動は週に一回するかしないかという程度の、五四名の学生だ。ブロマン＝ファルクスはその運動不足気味の被験者を、ランダムに二つのグループに分けた。どちらにも二週間のあいだに二〇分間の運動を六回させたが、一方のグループは最大心拍数の六〇パーセントから九〇パーセントという強度でランニングマシンを走らせ、もう一方のグループは時速一・六キロのペースでランニングマシンを歩かせた。最大心拍数のおよそ半分くらいのレベルだ。

どちらのグループにも不安感受性の低下が認められたが、激しい運動をしたグループの方が早く、大きな効果が出た。しかもそちらのグループだけが、体に出る不安の症状を恐れなくなった。違いは早くも二回目の運動の直後から現れ始めた。このグループは、運動によって鼓動と呼吸が速くなるのを経験し、そうした肉体の現象が必ずしも不安の発作につながらないことなったのだ。

を学んだ。体の興奮が気持ちよく思えるようになり、興奮を一概に悪いことだと決めつけなく

認識レベルでの誤解が不安を引き起こすのだとすれば、これは重要な発見だ。運動することで不安の「症状」と戦えば、その症状を改善でき、体が健康になるにつれて「特質」を少しずつ取り除いていくことができる。体が興奮状態になっても不吉な知らせとは限らないし、生命にかかわることでもないのだと、時間をかけて脳に教え込むのだ。認識レベルでの誤解をプログラミングし直すのである。

有酸素運動をすれば、不安がたちまち解消されるという事実は、ずいぶん昔から知られていた。しかし、研究者がその仕組みを突き止めようとし始めたのはごく最近になってからだ。

運動すると体の筋肉の張力が緩むので、脳に不安をフィードバックする流れが断ち切られる。体の方が落ち着いていれば、脳は心配しにくくなるのだ。また、運動によって起きる一連の化学反応には気持ちを落ち着かせる効果がある。筋肉がはたらき始めると、体は燃料を供給しようと脂肪を分解して脂肪酸を作り、血液中に放出する。この遊離脂肪酸は血液中を移動する際の乗り物にするために、トリプトファン（八種類の必須アミノ酸のひとつ）と結合していた輸送タンパク質（アルブミン）を奪い取る。身軽になったトリプトファンは、浸透圧差に導かれて血液・脳関門をやすやすと通り抜け、脳に入っていく。そしてたちまち、われらが友、セロトニンの構成材料になる。トリプトファンだけでなく、運動によって増えた脳由来神経栄養因子（ＢＤＮＦ）もセロトニンを増やし、わたしたちを落ち着かせ、安心感を高める。

運動はガンマアミノ酪酸（ＧＡＢＡ）分泌も引き起こす。ＧＡＢＡは脳の主要な抑制性神経

伝達物質で、ほとんどの抗不安剤はそれに照準を合わせている。不安を自ら引き起こそうとする脳の動きを細胞レベルで食い止めるには、ＧＡＢＡの量を正常に保たなければならない。ＧＡＢＡは脳で起きる強迫観念に駆られたフィードバックの連鎖を断ち切ることができるのだ。また、運動することで心臓の鼓動が速くなると、心筋細胞が心房性ナトリウム利尿ペプチド（ＡＮＰ）というホルモンを生成し、過度の興奮にブレーキをかける。ＡＮＰは体がストレス反応を抑えるために使う道具となる。これについてはあとで詳しく説明しよう。

有酸素運動は不安障害のどんな症状も大幅に和らげることを数多くの研究が示している。さらに、運動は健康な人が普段の生活で感じる不安も和らげられる。二〇〇五年、チリの高校生のグループを対象として、九か月にわたって運動が心と体に与える影響を測定するという興味深い研究がなされた。一五歳の高校生一九八名を二つのグループに分け、一方には週三回、九〇分の激しい運動をさせ、対照グループは週に一度、通常の体育の授業を九〇分、受けさせた。本来この研究の目的は、運動と一般的な気分の変化の関連を測ることだったが、心理テストでは不安に関する値がひときわ目を引いた。激しい運動をしたグループの不安度は一四パーセント下がったが、対照グループはわずか三パーセント下がっただけだ（三パーセントは偽薬《プラセボ》効果によるものとして統計上無視できる数字だ）。健康レベルは実験グループが八・五パーセント向上したのに対し、対照グループが一・八パーセントの向上にとどまった。もちろんそれも偶然ではない。明らかに、運動の量と不安の度合には関連があるようだ。

恐れを恐れる

不安とは恐れだが、それでは恐れとはなんだろう。神経学的に説明すれば、恐れとは危険の記憶である。不安障害になると、脳はつねに恐ろしかったときの記憶を再生しようとする。すべては扁桃体が警報を響かせたときに始まるが、通常のストレス反応と違って、不安障害の場合は警報解除信号が適切に作動しない。なにも問題はないとか、問題が片づいたからもうリラックスしてよいなどと、認知の処理装置が教えてくれないのだ。体と精神の緊張がもたらす感覚入力によって心があまりにもざわついているので、状況を正しく把握できなくなる。

こうした認識のズレが起きるのは、ひとつには前頭前野が扁桃体をしっかりコントロールしていないためだ。全般性不安障害の患者の脳をスキャンしたところ、前頭前野のなかで扁桃体に停止信号を送る部分が、小さすぎることがわかった。歯止めがかからず、過度に興奮した扁桃体は、なんでもない状況をことごとく生命を脅かす危機と見なし、記憶に焼きつける。その記憶は互いに結びつき、不安が雪だるま式にふくれ上がる。海馬はその恐怖の意味を明らかにして闘争・逃走反応を和らげようとするのだが、そのはたらきを扁桃体が圧倒してしまう。そして、記憶がつぎつぎに恐怖と結びつき、不安が膨張する一方で、その人の世界は萎縮していく。

わたしの患者で、社会不安障害を抱えるある女性の事例は、恐怖がいかに雪だるま式に大きくなるか、そして、どうすればそれをうまく抑制できるかを教えてくれる。彼女は二〇代後半のオフィスマネージャーで、社会的な付きあいや、知らない人に会うこと、さらには知っている人と世間話をすることさえ怖がっていた。ここではエレンと呼ぶが、彼女はカクテルパーティに行くと考えただけで胸がどきどきし、喉がからからになる。いざ出席すると、最初の一杯が待ちきれない。社会不安を患う人の多くがそうであるように、自分が見世物になっているように感じ、なにか失敗をして恥をかいたり、屈辱的な思いをしたりするのではないかと心配でたまらなくなる。そして家に帰ってからは、自分のそんな「ふるまい」に腹を立てる。

こうしたすべてのせいで、エレンは七人の部下を監督することに強いストレスを感じていた。部下に仕事を頼む際に下手《したて》に出るのをやめたいと思っているのに、不安を感じるせいで上司らしくふるまえなかった。なにかを依頼すると、多く頼みすぎたような気がして、ひどい罪悪感に駆られてしまうのだ。権威への自覚が蝕まれるにつれ、弱みを見つけられてしまうのではないかとますます不安になり、職場ではだれとも話さなくなった。

やっかいなのは、生存を脅かされたときの記憶が、既存の記憶を根こそぎにしてしまうことだ。たとえば、あなたが仕事帰りに毎晩同じ家の前を通るとしよう。ある晩、そこから犬が飛び出してきてあなたに襲いかかる。そのときから、おそらくあなたはその家の前を通らないようになる。襲われた記憶が、それまでずっとなにごともなく通っていた記憶よりも強烈だからだ。たとえその後、そこに塀が巡らされ、しかもあなたが世界でいちばん論理的な考え方をする人間だとしても、やはり前を通るときには少々びくびくするだろう。恐怖の記憶が回路になると、その回路はずっと残る。つまり、恐怖は永遠につづくのだ。

科学者の予想に反して、不安障害をもつ人ともたない人の脳の活動を写したＭＲＩ画像を比べると、実際に恐ろしい刺激に対する扁桃体の反応に、差は認められなかった（実際に恐ろしい刺激とは、たとえば恐怖にゆがんだ表情の写真などだ。人間はほかの人の表情から生き延びるためのヒントを読みとるようプログラムされているため、そのような写真は強力な効果がある)。

差が出るのは、恐ろしくない刺激に対する反応の方だ。ほのぼのとした写真を見せられると、たいていの人は扁桃体の活動が一気に穏やかになるが、不安障害患者の扁桃体は、恐ろしい刺激のときと変わらない反応を示した。危険と安全の区別がつかないのだ。アメリカ国立精神衛生研究所の発達・情動神経科学部門のトップを務める精神医学者ダニエル・パインは、「不安障害の患者は学習障害も患っている」と考えている。

不安障害の人の学習回路が正しく機能しない背景には、遺伝的要因もあるらしい。最近いくつかの研究が、ＢＤＮＦがニューロンの結合を促進するのを妨げる遺伝子の変異を調べた。ニューロンの結合が妨げられると記憶障害が発生する。この遺伝子変異をもつマウスを不安を引き起こす状況に置き、抗うつ剤プロザックを投与したところ、得られるはずの安堵感が認められなかった。プロザックは同じ状況に置かれた正常なマウスには十分な効果があった。この結果は、ＢＤＮＦが不安を駆逐するのに欠かせない因子であることを示唆している。おそらくそれはプラスの記憶回路を成長させて、恐怖を迂回するルートをつくっているのだろう。

だからこそ運動は、(筋肉の緊張をほぐし、セロトニンとＧＡＢＡを増やすことによって)不安な「症状」を改善するだけでなく、不安障害の「特質」を根本的に解消できるのだ。運動はニューロン結合に必要なものをすべて供給する。もしこのプロセスに人為的に指示を出すことができれば、恐怖にうまく対処するすべを脳に教えられるだろう。

初めてわたしのところへ来たとき、エレンはお決まりの抗うつ剤ＳＳＲＩ（選択的セロトニン再取り込み阻害薬）を飲んでいた。効果は感じていたようだが、根本的な問題は解決されていなかった。そこでわたしは当然ながら運動を勧めた。彼女は走ったあとは不安が軽くなることを自覚していたが、「忙しすぎて運動をやっている暇はないんです」と言った。わたしは、「逆に、無理にでも時間を作って運動するようになれば、そうした焦りは消えるから大丈夫ですよ」と諭した。少々はっぱをかけたところ、投薬を微調整した効果もあったのか、彼女は仕事の前にジムに行くようになった。そして間もなく、運動ができなかった日はストレスが溜まり、新しい顧客への対応や仕事上の付きあいを積極的にこなせなくなることを悟った。そうなると俄然、やる気が出てきて、毎朝ジムに行くようになった。お気に入りのエアロビクスのクラスに間に合わなかったときは、ランニングマシンで二〇分間走るようにし、それを一年ほどつづけた。

今では部下に対して率直にものが言えるようになり、交流が増えるにつれて、ますます強く出られるようになった。社会不安がもたらす問題の大部分は、かつてのエレンのようなひどい恐怖症であれ、軽い不安であれ、いったん内にこもり始めると、人付きあいの練習ができにくくなり、ますます社会とのかかわりが怖くなるところにある。たいていの人がごく普通にやっていることをあえて練習するのは、ばかげていると思われるかもしれないが、そんなことは決してない。これはネーパーヴィル・セントラル高校でポール・ジェンタルスキが新入生向けに実施しているスクエアダンスの授業の核となる部分だ。生徒は全員、同じ状況でちょっとした会話を練習し、学期を通じて徐々に、人と交流することへの恐れを克服していく。エレンにとって運動は、心を落ち着かせる道具となり、職場で自分を試すきっかけとなった。不安が不安を餌として膨れ上がるように、勇気も勇気を糧として育つことができるのだ。

パニックの苦しみ

パニック障害は不安障害のうちでも最も辛いもので、不安障害が心と体をいかに麻痺させるかを極端な形で見せつける。わたし自身、初めてパニック障害の症例を見たときには、患者のあまりの衰弱ぶりにショックを受けた。当時、わたしはマサチューセッツ精神衛生センター精神科で専門の実習を始めて三年目で、郊外の社会福祉事業の診療所でも患者を診ていた。そこへひとりの女性が夫に引きずられるようにしてやってきた。うつで、家からまったく出ようとしないからだった。彼女はこれまでに何度か、心臓発作のような症状で救急外来に運ばれていた。わたしを前にして彼女は、もうすぐ死ぬに違いないと思う理由を細かく説明した。医者にそう訴えても、いつも心臓はなんの問題もないと言われるので、自分の頭がおかしくなったのではないかと思い始めていた。

パニックは心臓発作を起こしはしないが、そうなったように感じられるのは確かだ。筋肉が緊張し、過呼吸になって強い胸の痛みに襲われる。そして、荒く浅い呼吸が二酸化炭素を過剰に排出するので、血液のpH値が下がり、脳幹から警報が出され、さらに筋肉が収縮する（紙袋を口にあてて息をすると過呼吸が止まるのは、自分が出した二酸化炭素を吸い込むからだ）。

パニック障害を抱えて生きるということは、その恐ろしい発作を引き起こしそうなものを、ひたすら避けることを意味する。胎児のように引きこもり、恐怖ゆえに身の回りすべてを支配し、安全で安定している環境をなんとしても維持したいと願う。それはいろいろな形で表れる。受動攻撃性人格も、根本には周りを支配しようとする願望が潜んでいる。恐怖の引き金につねに指をかけている状態の強迫観念、あるいは徹底的な頑固さとなって表出することもある。わたしの患者はなにかがおかしいとわかっていたものの、パニックにすっかり組み伏せられ、現実の問題が歪んだ形でしか見えなくなっていた。

一九七〇年代後半の当時、不安障害とうつ病のおもな治療法は精神療法で、薬はあまり使わなかった。しかし医療の世界でも徐々に、心の健康を生物学的に解釈しようとする方向に流れが向かい始めており、不安障害をイミプラミンで治療する研究がいくつもなされていた。イミプラミンは三環系抗うつ剤で、開発されてから二〇年ほど経っていた。この薬は、脳幹の青《せい》斑核《はんかく》という部位でノルアドレナリンとセロトニンの相互作用を操作する。青斑核は、呼吸、目覚め、心拍数、血圧など基本的な生命機能の調節がその仕事なので、血液中のpH値を監視していて、パニック発作のときには信号を出して扁桃体の活動を引き起こす。イミプラミンはその覚醒システムを落ち着かせるので、パニックのスイッチが簡単には入らなくなる。わたしの患者にその薬を試したところ、すぐに効果が出た。不安を感じない状態が数日、さらに数週間とつづくと、彼女は少しずつ警戒を緩めていった。恐怖をコントロールすることで、治療は前進した。イミプラミンが彼女に自由を取り戻させたのだ。

同じころ、もうひとつの薬がさまざまな不安障害の治療薬として知られるようになった。それはベータ遮断薬で、交感神経系を鎮めるはたらきがある。ベータ遮断薬は脳と体のアドレナリン受容体を遮断してアドレナリンのはたらきを抑え、ストレスや不安を感じても、血圧が上がったり、心拍や呼吸が速くなったりしないようにする。心臓疾患の患者にも血圧を下げる薬としてよく使われる。ベータ遮断薬を飲めば、脳への不安のフィードバックを断ち切り、扁桃体の警戒態勢を解くことができる。まず体に出る不安の症状を抑えることで、手がつけられなくなる前にパニック発作を和らげるのだ。この薬は、社会不安障害やあがり症の人にも効果がある。クラシック演奏家が演奏の前にベータ遮断薬を飲むのは珍しいことではなく、そうすれば、演奏の妨げとなる発汗や緊張を防ぐことができる（がちがちに緊張した唇でトロンボーンを吹くのはさぞかし大変だろう）。

パニック障害の人に、イミプラミンとベータ遮断薬の両方を処方する場合もある。前者は不安を鎮め、後者は体をリラックスさせる。ここでこの二つの薬がどのように効くかを説明するのは、それが運動の効果と相通じているからだ。実は運動も、これらの薬と同じ経路で心身に影響することがわかっている。つまり、二つの引き金に安全装置をかけるのだ。

苦しみ抜いて

数十年間にわたって医学界では一般に、パニック患者には運動を避けることを勧めていた。「そんなことをしたら危険だ！」と。その考え方は、一九六〇年代後半になされたいくつかの研究に基づいている。パニック患者の何人かが、運動による体の変化――心拍数や血圧の上昇、呼吸の速まりなど――のせいで、恐怖が増大したと報告したのだ。おそらく不安に襲われたと

き と同じように感じたからだろう。また、不安障害の患者のなかには、同じ運動をした場合、健康な人に比べて血液中の乳酸値の上昇が激しい人がいた。不安障害患者に乳酸を摂取させるとパニック発作が誘発されることがわかっている。こうしたことから、医者はどんな種類にせよ不安障害を抱える患者には、運動を避けることを勧めた。運動は発作を引き起こすから、おとなしくしていなさい、というのだ。

その後の数々の研究によって誤りだと証明されたにもかかわらず、この論理はいつまでも根強く残っていた。結局、一九九七年になって初めて無作為・プラセボ対照実験の形で、パニック障害患者に対する運動と薬の効果が比較検証された。実験を指揮したのはドイツの精神医学者、アンドレアス・ブロークスで、期間は一〇週間に及んだ。彼は軽症以上のパニック障害の患者四六人を三グループに分けた。定期的に運動するグループ、クロミプラミン（イミプラミンと同等の抗うつ剤）を毎日服用するグループ、毎日プラセボを摂取するグループである。

最初の二週間は、なんとプラセボ・グループも含めた三グループとも症状が改善した。クロミプラミンの効果が最初に現れ、かつ最も目覚ましかった。運動グループは、最初に下がった不安値はしばらくそのまま動かなかったが、後半の四週間で急激に減少した（プラセボ・グループは実験が進むにつれて症状が元に戻った）。第一〇週の終わりには、クロミプラミン・グループと運動グループはさまざまなテストで同等の改善ぶりを示した。どちらのグループも症状が軽くなった。

どうして運動グループの方が効果が出るのに日数がかかったのだろう。二〇〇五年にアンドレアス・シュトレーレが行った別の厳密な科学実験によると、そんなはずはないそうだ。シュトレーレは、ランニングマシンで三〇分間走ると、安静なままでいるのに比べてパニック発作は大幅に減り、人によっては効果がすぐに現れることを示した。ブロークスの研究で運動による不安の緩和に時間がかかったのは、おそらく最初のセッティングに問題があったのだろう。運動グループはひとりを除いて全員に広場恐怖症の傾向が見られ、うち数人はかなり重症で、そうでない人も運動は「危険」だと頭から決めつけていた。つまり彼らにとっては、外を歩いたり走ったりすること自体が難しかったのだ。実験の指示に従うには、恐怖と向きあわなければならなかった。広場恐怖症の人に向かって、「毎日六キロほど走ればなにもかもうまくいきますよ」と言ってすますわけにもいかず、ブロークスは彼らを徐々に運動に慣れさせていった。彼らはまず、自宅近くで六キロ強走れるコースを見つけて、週に三、四回、とりあえずスタートからゴールまで行くことを指示された。最初のうちは、必要なら歩いてもよかった。慣れてくると、ところどころ短い距離を走り、少しずつその距離を延ばしていく。六週が終わるまで、全行程を走らなくてもよかった。患者二人は、走っているうちにパニック発作に襲われたが、走りつづけていると治まった。

ブロークスの実験では、クロミプラミン・グループの全員が最後まで治療をつづけた。しかし副作用がひどく、口の渇き、多汗、めまい、震え、勃起不全、吐き気などに苦しんだ。運動グループは、プラセボ・グループ同様、数人の患者が脱落したが、残った人は、運動を始めたばかりの人にありがちな軽い副作用、つまり筋肉痛や関節痛を報告しただけだった。

六か月後の追跡調査では、実験終了時に最も健康だった運動グループの患者たちが最も不安値が低かった。最終的には、運動グループはクロミプラミン・グループと同じ健康を手に入れたが、彼らは自らの努力でそれを手に入れたのだ。薬に頼るのは間違いだというわけではないが、同じ結果が運動で得られたら、自分の対処能力に自信がもてるようになる。それは本格的な不安障害患者だけでなく、だれにとっても大きな利点となる。わたしたちは皆、日々の生活のなかで恐怖や不安を招く状況に直面している。エイミーがそうだったように、大切なのはそれにどう対処するかだ。

失われたつながり

不安障害の正式な治療法は薬でなければならないという考え方は、離婚訴訟の法廷に限ったものではない。二〇〇四年の『ニューイングランド医学ジャーナル』誌（ＮＥＪＭ）に掲載された論文は、全般性不安障害の治療法を概説していたが、運動については触れもしなかった。一般的な抗不安剤についての説明が主で、セラピーやリラクゼーションもよしとしていた。一三種の薬が一覧表に整理され、そのすべてについて起こり得る副作用が列挙されていたが、そのなかに、妊娠中に服用しても安全だと、アメリカ食品医薬品局が保証する薬はひとつもない。女性は男性の二倍、不安障害やうつ病になりやすいことを考えると、この点は軽視できない。

この記事は医師向けのものだが、医学研究のバイブルとも言うべき雑誌に掲載された全般性不安障害の治療法の総覧的論文で、運動が完全に無視されているとはなんとも嘆かわしい。「医学的無知」とでも呼びたくなるほどだ。数々の研究が運動の神経学的効果と心理学的効果を明かしているというのに、目に入らないのだろうか。

面白いことに、不満の声を上げたのは心臓専門医だった。NEJMはルイジアナ州ニュー・オーリンズのオクスナー医療財団のカール・レイヴィとリチャード・ミラーニから届いた手紙を掲載した。「(くだんの論文は)全般性不安障害とその薬物療法および心理療法について述べていますが、驚くべきことに、不安障害を治療するもうひとつの方法である運動についてはまったく言及していません」手紙は心臓専門医が心臓疾患の危険因子として不安障害に関心をもっていることに触れ、さらにつづける。「運動によって、不安障害の症状の五〇パーセント以上が消えることが明らかになっています。その結果は運動が慢性不安障害を緩和するもうひとつの手段となることを語っています」

この手紙は穏やかな語調ながら、あの論文は時代遅れだと批判している。レイヴィは運動と心臓について七〇本以上の論文を書いており、そのうちの一一本は不安障害をテーマとしている。彼の研究の結果はすべて、運動によって不安障害とうつ病が目覚ましく改善したことを示している。

この応酬で重視すべき点は、心臓専門医(「本物の」医者)が、精神科医の治療法全般を批判しているところだ。ヒポクラテスの時代には、感情は心臓から生まれるものであり、精神の病の治療は心臓から始めるべきだ、と考えられていた。現代医学は心と体を切り離したが、ヒポクラテスは正しかったことが近年、具体的に明かされている。心臓から生まれる分子が人間の感情にどのようにはたらきかけるかを科学者が理解し始めたのは、ここ一〇年ほどだ。

運動すると心筋から心房性ナトリウム利尿ペプチド(ANP)が分泌され、それは血流に乗って脳まで送られ、血液・脳関門を通り抜ける。脳に入ったANPは海馬の受容体にくっついて、HPA軸の活動を調整する（ANPは、脳内でも青斑核や扁桃体のニューロンで生成・分泌される。青斑核も扁桃体もストレスと不安に関して重要な役割を担っている）。動物および人間の実験によってANPには鎮静効果があることがわかっていて、研究者は、運動が不安に作用するのはおもにANPのはたらきによるものだと考えている。二〇〇一年、不安におけるANPの役割を実証しようとする初期の研究では、不安障害の患者でパニック障害のある人とない人のグループを比較した。彼らは無作為にANPかプラセボのどちらかを注射され、その後、コレシストキニン・テトラペプチド（CCK-4）と呼ばれる消化管ホルモンを注射された。CCK-4は不安とパニックを誘発する。どちらのグループもANPによってパニック発作が大幅に低減したが、プラセボではそうならなかった。

パニック発作のあいだ、副腎皮質刺激ホルモン放出因子（CRF）が急増する。CRFは自ら不安を誘発するとともに、神経系をコルチゾールであふれさせる。ANPは人間を混乱させようとするCRFの企てを防いでいるらしい。HPA軸にはたらきかけるブレーキのようなものだ。女性を対象にしたいくつかの研究により、妊娠中はANPのレベルが三倍になることがわかった。成長中の胎児の脳を、ストレスと不安の有害な影響から守るために生来備わっている戦略なのだろう。

重症の心疾患の患者を対象とする研究では、ANP値が高い人は不安値が低かった。不安障害の人はいなかったが、医師たちは彼らの不安に関心を寄せていた。というのも、不安の有無が術後の回復に大きく影響するからだ。ANPは、アドレナリンの流れをせき止めて心拍数を下げることで交感神経系の反応を直接鈍らせる。また、すばらしいことに、ANPは不安という感覚も緩和するらしいのだ。パニック障害の発作が頻繁な人は、血液中のANPが不足気味だとわかっている。

二〇〇六年に、アンドレアス・シュトレーレ率いるベルリンの神経精神医学者のグループが、有酸素運動による鎮静効果においてANPが中心的役割を担っているかどうかを調査した。一〇人の健康な被験者に同意の上でパニックを誘発するCCK－4を注射し、三〇分間ランニングマシンで（無理のないペースで）歩かせたところ、ANPの濃度が大きく上昇し、同時に不安とパニックの感情が緩和した。シュトレーレはこの相関は因果関係を示すわけではないとしつつも、「ANPは心臓と不安行動を生理学的につないでいる可能性がある」と述べている。

恐怖に向かって走れ

恐怖が永遠に記憶に刻まれるのであれば、そもそも不安を消すことなどできるのだろうか。答えは、恐怖消去と呼ばれる神経のプロセスにある。わたしたちは元の恐怖の記憶を消すことはできないが、新しい記憶を作り出し、それを強化することで、元の記憶を脇へ押しやることができる。脳は、恐怖の記憶と並行する回路を築くことで、不安を感じそうな状況でも、無害な代替案の方を示せるようになる。そうやって恐れる必要がないことを学んでいくのだ。不安の種となっていたものと、それへの典型的な反応とが切り離され、正しい解釈の回路につなぎ直される。そうすることで、たとえば、クモを見ると恐怖を感じ、心臓がどきどきする、といった連鎖を弱めることができる。科学者はそれを再帰属化と呼ぶ。

認知行動療法（ＣＢＴ）と呼ばれる心理療法を用いれば、恐怖の記憶を中立的あるいは前向きな記憶へと置き換えることができる。研究によれば、不安障害の治療においてＣＢＴにはＳＳＲＩと同等の効果があるようだ。もっとも、そのためにはＣＢＴの質が肝心らしい。この方法では、セラピスト同席のもと、恐怖をもたらすものに少しだけ接触させる。そこでパニックに陥らなければ、脳は自らの症状への認知を構築し直す。前頭前野に新しくできた回路が扁桃体を落ち着かせ、安全だと思えるようになり、脳はその感情を記憶する。この療法に運動を加えると、神経伝達物質と神経栄養因子によって前頭前野と扁桃体をつなぐ回路は強化され、コントロールする力がさらにつき、望ましい雪だるま効果が現れる。

精神科医で長距離ランナーのキース・ジョンズガードは、ＣＢＴに運動を組みあわせるとその効果が劇的に上がることを発見した。著書『うつと不安を克服する*Conquering Depression and Anxiety*』では、ランニングによって認知を再構築し、広場恐怖症を治療する方法を紹介している。一連のＣＢＴのセッションによって信頼を築いてから、朝早く、人気《ひとけ》のないショッピングモールの駐車場に患者を連れていき、何回か短距離を全力疾走させる。ほかにだれもいない場所でジョンズガードに見守られているので、患者は安心できる。患者が全力で走ってもへとへとにならない程度の距離を事前に調べ、——ここが賢いところなのだが——モールの入り口からその距離だけ離れた場所をスタート地点とし、モールに向かってダッシュさせる。入り口に近づき恐怖がピークに達しても、体が完全に覚醒していてパニックにならないという経験をさせようというのだ。患者はパニック発作が起きそうになったら、走るのをやめてジョンズガードのもとに歩いて戻ってくるよう指示されている。恐怖に向かって走り、安全に向かって歩くのだ。

最終的に、患者はモールのなかに入る不安を克服し、次第に奥まで行けるようになる。ジョンズガードによると、ほんの五、六回、こうやって走っただけで症状が大きく改善することも珍しくないそうだ。このアプローチは「本質的には、自分を振り落とした馬の背に再び乗ること」を学ぶものだと彼は書く。不安を克服するには、恐怖を感じても死ぬわけではないと脳に教え込むことが大切なのだ。

このアプローチは、恐怖の専門家として知られるニューヨーク大学の神経科学者ジョゼフ・ルドゥーが掲げたより広い概念に符合する。二〇〇一年九月一一日の同時多発テロ直後に、ルドゥーと共著者のジャック・ゴーマンは『アメリカ精神医学ジャーナル』誌に「行動を起こせ――能動的対処によって不安を克服する」という論文を発表した。能動的対処とは、根本的には、不安を引き起こす危険や問題に対して、受動的に心配するのではなく、なんらかの行動をとるというものだ。論文で具体的に挙げられているわけではないが、運動は間違いなく能動的な対処法と言えるだろう。実際に、その後、運動は能動的対処法の一要素どころではないことが明らかになった。

ルドゥーは、不安に直面しながらあえて行動することで、脳内の情報の流れがどのように変わり、新しい回路が形成されていくかを説明する。マイナスの雪だるま効果を起こしているのは、扁桃体の中心核という部位で、そこが恐ろしくない刺激と真に恐ろしい刺激とをつなげてしまう。その結果生じる恐怖の記憶が、引き金になる刺激と不安を結びつけている。

ルドゥーはラットを使って、脳内の信号はその回路を変更でき、扁桃体の中心核を迂回して基底核（体の運動回路をつないでいる）を通過させられることを証明した。同じことが人間にも言えるなら、ただ行動を起こすだけで、恐怖の記憶を呼び起こすメカニズムを回避できることになる。基底核は行動用の回路だが、行動を思い浮かべるだけでそこを目覚めさせることができる。わたしの患者で、仕事と恋人をたてつづけに失い落ち込んでいる男性がいた。わたしは彼に、毎朝、ジムに行くよう勧めた。いつまでもトラウマに囚われないようにするためだ。また、就職するために電話をかける企業の一覧表を作ることによって、信号の流れを恐怖の回路から行動の回路へと変えた。こちらは昔から行われていた能動的対処の例だが、脳にとって運動ほどには広範囲の影響を及ぼさない。じっと座って思い悩む代わりになにかしらの行動を起こすと、思考プロセスは受動的応答中枢を迂回して恐怖を抑え、同時に、脳はその新しいシナリオを学べるよう精一杯はたらき始める。不安に向きあったらだれでも本能的にそれを避けようとして、ケージの隅で縮こまるラットのように身動きがとれなくなる。だが、あえてそれと正反対の行動をとれば、認知を再構築できる。体を使って脳を治療するのだ。

恐怖から走って逃れる

運動がすぐれているのは、日常で感じる不安に対しても、病的な不安に対しても、体と脳の両方に効果があるところだ。具体的には以下の通り。

1　気をそらす

体を動かすと、文字通り不安から気をそらすことができる。患者のエイミーがエリプティカルマシンで運動しただけで、ひどい不安から抜け出し、つぎのパニック発作を恐れてばかりいないで、別のことに気持ちを集中できるようになったように。研究によれば、不安障害の人にとって気晴らしはどんなものでも——たとえば、静かに座っている、瞑想する、グループで昼食を一緒に食べる、雑誌を読むなど——効果があるようだが、運動の抗不安効果の方がそれらより長つづきし、しかも、ここに挙げるほかの利点がある。

2　筋肉の緊張をほぐす

運動には、ベータ遮断薬と同じように回路を遮断する効果がある。体から脳へ送られ、不安をいっそうかきたてるマイナスのフィードバックを断ち切るのだ。一九八二年に、ハーバート・デ・ヴリーズという研究者が、不安障害の人は筋紡錘の電気パターンが過度に活発だが、運動によってその緊張を（ベータ遮断薬のように）緩和できることを明かした。デ・ヴリーズはこれを「運動の鎮静効果」と呼んだ。彼は、筋肉の緊張が和らぐと不安も和らぐことを発見したのだ。先に述べたように、それは不安障害の「症状」だけでなく「特質」を克服する上でも重要である。

3　脳の資源を作る

運動によってセロトニンとノルアドレナリンを瞬時にも長期的にも増加させられることはす

でにご理解いただけたはずだ。セロトニンは不安回路のほぼすべての連結ポイントで作用し、脳幹では信号を調節して、前頭前野の恐怖を抑える力を向上させ、扁桃体を落ち着かせる。ノルアドレナリンは興奮性神経伝達物質なので、不安のサイクルを断つにはその調整が鍵となる。運動はまた、抑制性神経伝達物質のＧＡＢＡや、ＢＤＮＦも増やす。後者は恐怖に代わる記憶を補強する上で大切なはたらきをする。

4　別の結果があることを教える

不安障害がほかの障害と大きく異なるのは体に出るその症状だ。不安は交感神経系を活発にさせるので、心拍数が上がり、呼吸が速くなる。その変化に気づくことで不安やパニックの発作が引き起こされることもある。しかし、有酸素運動をするとそれと同じ症状が出て、しかもそちらはよいことなのだ。不安が引き起こす体の症状を、自分でコントロールできる望ましいものだと思えるようになると、恐怖の記憶は薄れ、代わりに新しい記憶が形成される。言うなれば生物学的な「すり替え」で、体に出た症状から脳がパニック発作を予想しても、それが望ましい症状であることを教え込んでいくのだ。

5　回路を作り変える

運動によって交感神経系が活性化すると、受け身でただ待って心配するという罠から解放される。そして、扁桃体の暴走を止め、人生は危険だらけだという見方を防ぐことができる。不安を感じても、あえて行動するようになれば、情報は扁桃体の別の回路で伝達されるようになり、安全で好ましい迂回路が築かれ、舗装されていく。別の回路をしっかりつなぎ、もうひとつの現実を学んでいこう。

6 立ち直りが早くなる

不安はコントロールでき、パニックは防げるということを運動を通じて学べる。それを心理学用語では自己把握《セルフマスタリー》といい、その力を強めていけば、不安な感情や、不安が高じて発症するうつ病に対して強力な予防策となる。意識的に自分のための行動をとるようにしていけば、自分にはそうする力があることに気づき始める。それを繰り返せば、大きな効果が期待できる。

7 自由になれる

研究者はストレスを研究するためにラットを身動きできないようにする。人間も同じで、文字通りの意味でも比喩的な意味でも身動きができなくなると、不安は増す。不安障害の人は自らその状態に陥る傾向がある。胎児のように背を丸めてうずくまったり、外界から身を隠せる安全な場所に引きこもったりするのだ。広場恐怖症の患者は家という罠に捕らえられているわけだが、どんな不安障害も、ある意味、罠に捕らえられているようなものなのだ。それを打ち破り、治療するには、行動を起こすことが肝心だ。外に出て探検し、そしてもちろん、運動しよう。

こんな運動をしよう

抗不安剤と運動を併用する場合と、薬だけを用いる治療には大きな違いがある。ベンゾジアゼピンのような薬——あるいは、自己流で治療している人にとってはアルコール——は、不安をすぐに鎮めてくれるが、それを飲んでいても恐怖に対して別の反応ができるようにはならない。不安障害の人は往々にして、自分が人生になにを望んでいるか、なにを選ぶべきかを考えることができない。実際、慢性的に不安を抱える人の大半が望むのは、不安になりたくないということだけだ。運動は、彼らがなにかに向かって動くことを後押しする。

わたしは、運動と薬のどちらかひとつを選ぶべきだとは考えていない。運動は選択肢として差しだされたもうひとつの手段であり、不安障害の人も、ときどき不安を感じるだけの人も、自分で処方できるので手軽だ。その点は一般の人がスポーツをする場合と変わらない。それにわたしは薬理学を真っ向から否定しているわけでもない。自力で治すべきだとか、薬に頼るのは間違っているとか、意志が弱い証拠だなどと言うつもりはないのだ。

先ごろわたしは、パニック障害をもつ高校生の患者の治療を始めた。最初にその傾向を示す症状が現れたのは六歳のときなので、もともとそういう素因があったのだろう。現在は受験のプレッシャーのせいで悪化していた。たとえば、ランニングをして心拍数が上がってくると、パニックになるかもしれないと不安になり、心臓発作を起こして死んでもだれも見つけてくれないのではないかと心配になる。立ち止まって急に泣き出すときもあるそうだ。しかしその一方で、肉体的な興奮に慣れることができれば、そのような感情を克服できることを理解している。ゾロフトの服用をやめさせた方がいいだろうか？　ＮＯ！　やめさせるべきではない。と言うのは、彼がパニックの発作を極度に恐れているからだ。その発作は実に恐ろしいものなので、通常わたしは、パニック障害の患者に対しては投薬治療から始めることにしている。薬を服用するのは大変なことではないし、人によってはスイッチを切り替えるようにすぐ効果が出て、誘因を弱めることもあるからだ。しかし、すでに述べたように、薬は必ずしも永続的な改善を約束するものではない。それを望むなら、脳の再学習が必要となる。だとしたら、両手に銃を握って闘えばいいではないか。わたしは薬と運動を組みあわせれば、すばらしいアプローチになると考えている。薬によって即効性の安心感を提供し、運動によって不安の根幹部分を攻撃するのだ。

とくに子どもに関してこの治療法は重要な意味をもつ。不安障害の子どもは、そうでない子どもに比べて、成長したのち、うつになる傾向が強いからだ。ある長期的な研究で、七〇〇人の子どもをおとなになるまで追跡調査した。不安障害の子どもの大半は、おとなになるまでに治っていた。しかし、気分障害の子どもの三分の二は、思春期直前に不安障害を発症していた。悲しいことに、不安障害は治療が比較的簡単なのに、子どもだと見逃されてしまう場合が多い。この子どもたちは、教室の後ろでおとなしく座っているが、実はびくびくしている。行儀がいいので、悪いところがあるとはだれも気づかない。そのあいだに不安障害は彼らの脳に否定的なパターンを刻みつづけ、将来の問題の素地を作っているのだ。

わたしはその若者に、「きみにとっていちばん必要なのはだれかと一緒に運動することだ」と言った。これはパニックになる人すべてに言えることだ。安心なだけでなく、人がそばにいるだけでセロトニンの値はすぐに上昇するからだ。「心拍数の上昇が好ましく思えるようになるまで、自宅か、その近所で運動しなさい。楽しめる運動を見つけなければいけないよ」と指示し、彼のパニックは遺伝的な要因が強いようなので、「真剣に取り組みなさい」と念を押した。彼は、最低でも毎日一五分間の激しい有酸素運動——ランニング、水泳、エアロバイク、エアロボート、なんであれ心拍数を上げる運動——から始める必要があった。激しい、ということがとくに重要だ。実験により、激しい運動だけが、不安による肉体的な興奮に対する感受性を和らげることがわかっているからだ。

これまで診てきた若者が総じてそうだったように、彼は薬を嫌がった。飲むのをやめていいかと聞かれたので、時間が経って運動が習慣になり、認知行動療法もつづけていけば、不安感受性は下がるだろうと話した。「最終的には、薬を減らせるだろうし、飲まなくてよくなるかもしれない」。しかし運動が完全に薬の代わりになるかどうかはだれにもわかっていない。人間の脳はあまりにも複雑なのだ。

パニック障害の治療を受けた人の多くは、その後まったく違う人生を歩むことができる。最後の発症から時間が経てば経つほど、再びパニックに襲われる可能性は低くなる。同じことはあらゆる不安障害について言える。人生が変わっていくにつれ、周りの世界とかかわるようになり、不安を遠ざけられるようになる。そして、軽い不安、つまり薬を飲むほどではないが、少々わずらわしい程度の不安なら、運動だけで対処できるようになっていく。

あの高校生はさまざまな方向からの治療が必要だった。薬、運動、対話療法である。けれども、エイミーの場合は体を動かすだけで、そのときも長期的にも大いに症状が改善し、対話療法へと道が開かれ、根本的な問題に取り組むことができるようになった。有酸素運動はそれまでやっていたヨガだけでは足りない部分を補った。その結果、彼女は、不安にのみ込まれまいと気を張って疲れ果てていた状況から脱し、心の平安を得て、自分を客観的に見られるようになった。以前に比べて自分の気持ちと行動を考えるようになったのだ。そして、困難や否定的な感情には自然な波があり、その波に乗ることが大切なのだと悟り、実際、うまく波に乗れるようになった。同様に大切なのは、自分が快方に向かっていることに気づき、それをきちんと言葉で表現できるようになったことだ。離婚は大地震さながらに彼女の人生を粉々にしそうになったが、その後、彼女は運動によって人生の基盤をしっかりと固めた。揺り返しが来るのはわかっているが、それに耐えられるくらい強くなったと感じている。

エイミーの変わりようには驚かされる。彼女の弁護士、両親、一家を診ているセラピスト、それに多少は夫も、彼女は別人のようになったと感じている。エイミーは前よりも自分と周囲の状況をコントロールしていて、すっかり自信もつき、現実的かつ前向きになった。法廷での戦いは長丁場になるかもしれないが、彼女はもう打ちのめされることはない。運動が彼女をしっかりと守ってくれているのだ。

第五章

うつ

気分をよくする

ビルは知らないうちに大切なものを失いかけていた。五〇歳になり、若いころより九キロも太ってしまったので、ダイエットとランニングを始めることにした。ほどなくして体重は減り始め、それと同時に思いがけない副作用が現れた。自分に対しても他人に対しても、前ほど批判的でなくなり、不平や不満が減ったのだ。妻と子どもはその変わりようを喜び、以前より彼と一緒にすごすようになった。ビルはそれがうれしくて、ますます温厚になっていった。うつ病だったわけではないが、運動が日課になってからは、人生に対して情熱をもてるようになった。まったくの偶然から、自分がもっと幸せになれることに気づいたのだ。

同様に、うつ病という病気の理解も、偶然に導かれて深まっていった。最初の抗うつ剤が生まれたのは、やはり偶然からだ。一九五〇年代に、結核の試験薬が患者を「異常に幸せな気分」にすることがわかった。数年後、新しく開発された抗ヒスタミン剤に、同じように気分を高揚させる効果が認められ、そこから三環系抗うつ薬と呼ばれる薬が誕生した。突如として、うつの症状を薬で軽減できるようになったのだ。それを機に、完全に心の問題とされていることも、実は生物学的に説明できるのではないかという画期的な見方が生まれた。そこから、脳が心をコントロールする仕組みを解き明かそうとする動きが始まり、この分野の風景は一変した。

以来五〇年にわたって、気分障害は精神医学の研究の主軸となってきた。うつになる原因は今もわかっていないが、感情の土台となる脳の活動については、かなり詳しいところまで明らかになっている。そして、気分について生物学的に解明されるにつれて、有酸素運動がどれだけそれに影響するかが見えてきた。実際のところ、運動が脳に及ぼす影響についてわかったことの大半は、うつの研究を通じてだった。運動は深刻なうつから軽いうつまで、すべてに効くのだ。

現在イギリスでは、医者はうつ病の治療の第一歩として、患者にまず運動を勧めるが、あいにくアメリカでは運動がその治療に用いられることはほとんどない。世界保健機関によれば、アメリカとカナダにおいてうつは、冠動脈性心疾患やさまざまながん、エイズを抜いて重篤な障害をもたらす病気のトップとなっている。アメリカの成人の約一七パーセントが人生のある段階でうつを経験しており、それにかかる医療費は毎年二六一億ドルにものぼる。そのうちの何人が自殺を図ろうとするのかはわからないが、悲しいかな、アメリカではおよそ一七分にひとりが自殺している。そうした事情に加えて、うつを患う人の七四パーセントが、不安障害、薬物濫用、認知症など別の病気を併発することからも、うつは差し迫った問題となっている。そして残念ながら、現状が改善される兆しはいっこうに見えてこない。

うつが克服されにくいのは、ひとつには、その症状があまりにも多様で、だれでも大なり小なり似たような症状を経験するということがある。不満を感じたり、イライラしたり、悲観的になったり、やる気が失せたり、冷淡になったり、自分を批判したり、憂うつになったり……そのような経験が一度もない人などいるだろうか。たとえば、悲しさは、なにかを失ったときに感じる正常な感情であり、悲しんでいるからといって、うつになっているわけではない。うつだと言えるのは、その感情がいつまでも消えなかったり、ほかのいくつかの症状をともなったりする場合だ。

では、症状と性格の違いはなんだろう。冒頭で紹介した患者のビルは人生の大半を通じて批判がましく、否定的なものの見方をしていた。厳密な意味で病気ではないが、わたしが「うつのシャドー・シンドローム」と呼ぶものを患っていた。人を「健康な状態以上によくする」薬を処方することについては、倫理的な側面から議論がつづいているが、その点において運動は、抗うつ剤よりはるかに分がいい。うつの症状が出ていないからといって、気分がよくなる権利がないわけではない。ビルは走るようになってから、以前より幸せになった。あとで述べるように、もし彼がうつ病と診断されるほどの症状だったとしても、同じ効果が出ただろう。有酸素運動はうつの症状全般に効く。軽い単独の症状にも、はっきり病気だとわかる症状にも、それが単独であろうと、複数が合わさった症状であろうと効果があるのだ。わたしは、うつとは、総じてつながりが蝕まれた状態だと見ている。人生のつながりだけでなく、ニューロンのつながりも蝕まれているのだ。運動はそうしたつながりを元通りにする。

うつの症状は幅広く、タイプははっきり異なっている。わたしの患者でも、食欲がなく、眠れないという人もいれば、過食気味で、疲労感がひどく、朝ベッドからなかなか出られない人もいる。また、簡単なことも決められず、無力感に陥って引きこもっている人もいれば、あらゆる人やものに対して怒鳴りつけ、喧嘩をふっかける人もいる。このように症状が両極端に分かれるので治療も難しい。乳がんなら生検によって最善の治療法を決めることができるが、うつは、心理テストを受けたとしても、効果のある薬を見つけるにはあれこれ試してみるほかない。うつの種類を見分ける血液検査など存在しないのだ。

そこでふたたび、生物学上の犯人を見つける旅に戻らざるを得ない。偶然のたまものだった最初の抗うつ剤から逆行分析してみると、それはノルアドレナリン、ドーパミン、セロトニンという、いわゆるモノアミン神経伝達物質のはたらきを強めることがわかった。一九六五年、マサチューセッツ精神衛生センターの精神医学者ジョゼフ・シルドクラウトが、ノルアドレナリンの分解産物であるメトキシハイドロキシフェニルグリコール（ＭＨＰＧ）がうつ病患者には少ないことを発見した。わたしたち研究者は、うつに関してはっきり測定できるものが見つかったことを喜んだ。その量を測定することで、生物学の基本的レベルでこの病気を診断し、治療できる、と考えたのだ。シルドクラウトの先駆的研究はモノアミン仮説へとつながった。それは、うつが発症するのは先に挙げた三つの神経伝達物質が不足するためだとする仮説だ。以後、治療と研究の大半は、その神経伝達物質の量を正常に戻すことを目指すようになった。

新しいブーム

一九七〇年、大学を出たわたしはマサチューセッツ精神衛生センターに職を得て、精神医学の世界で起きている大きな変化のただなかに飛び込んだ。指導者《メンター》はシルドクラウトその人で、幸いにもわたしは、彼が気分障害についての生理学的仮説を科学的に探究していく様子を間近に見ることができた。二年後、わたしはピッツバーグ大学医学部へ移った。そこでは日々、精神分析を行い、台頭しつつあった脳科学にどっぷりつかった。ピッツバーグ大学ではすでにだれもがＭＨＰＧの研究に取り組んでいて、わたしは気分障害のタイプを特定するために赤血球に取り込まれるリチウムの量を測定することになった。また、統合失調症患者の尿サンプルの冷凍もわたしの仕事だった。それらはスタンフォード大学のライナス・ポーリング〔ノーベル化学賞・平和賞を受賞した化学者）に送られた。ほかにも、データを分析するためのプログラミングを学んだり、自分が発見したことを精神生理学の学会で発表したりした。そのような作業を通じて、わたしは精神医学を「本物の」科学にすることに夢中になっていった。

ところが、ちょうどそのころ、ノルウェイのある病院に関する記事を目にした。その病院では、うつ病の患者に治療方法として抗うつ剤か毎日の運動か、どちらかを選ばせている、というのだ。わたしは愕然とした。当時、抗うつ剤が臨床に導入されたばかりで、その目覚ましい効果が、治療についてのわたしたちの認識を根本から変えていたところだった。だがノルウェイでは、病院が率先して、深刻なうつ病の患者に運動をさせていて、しかも効果が出ているというのだ。とは言え、その効果はあいまいなものだった。脳の奥底への探究が始まったばかりのその時代に必要とされていたのは、ハードサイエンスの手法だったのだ。

やがてわたしはマサチューセッツ精神衛生センターの研修医としてボストンで暮らし始めた。周囲ではもうひとつのブームが始まっていた。ランニング・ブームである。ボストン・マラソンにオリンピックの金メダリストで地元出身のフランク・ショーターが出場し、世界屈指のランナーと競いあった。ビル・ロジャース（四回優勝）がブームに火を付け、「エンドルフィン・ラッシュ」という新しい言葉も生まれた。

当時は、ジョンズ・ホプキンス大学出身のポスドクの神経科学者キャンディス・パートが、脳にアヘン様物質の受容体があることを発見したばかりだった。その存在は、体にモルヒネのような分子で痛みを抑える仕組みが備わっていることを示唆していた。のちにエンドルフィンと名づけられたその物質は、実際に体の痛みを和らげ、幸福感をもたらすことがわかった。さらに、ランナーたちの血液を調べたところ、エンドルフィン値の上昇が認められた。すべてがぴったり符合するように思われた。運動をすると脳がこのモルヒネのような物質で満たされると考えれば、だれもが運動中に経験する気持ちよさの説明がつくではないか。こうして、その陶酔感がピークになった状態を表現する「ランナーズハイ」という言葉が生まれた。このとき、わたしのなかで、運動と気分が初めて結びついた。

エンドルフィンはストレスホルモン――四〇種類あり、脳や体のあちこちに受容体がある――のひとつと見なされていて、きつい運動の最中に脳を落ち着かせ、筋肉の痛みを和らげることができる。言うなれば、わたしたちを英雄的行為へと駆り立てる秘薬であり、体が限界を超えていても、わたしたちにその痛みを忘れさせ、目的を達成させるのだ。第三章に登場した精神科医のロバート・パイルズはかつてそのはたらきを体現した。マラソンに出れば必ず完走してきたのが彼の自慢だったが、ある年のボストン・マラソンでは、とてもそんなことは言っていられない事態に陥った。スタートして間もなく、だれかが体を冷やさないようにまとっていたプラスチックのゴミ袋に足を取られ、道路に膝から転んでしまったのだ。パイルズはすぐ立ち上がって走りつづけた。そのときはショックでなにも感じなかったそうだ。ところが距離が長くなるにつれて足どりがおかしくなり、三〇キロに届くころには膝が腫れ上がって動かなくなった。大腿骨が骨折していたのだ。足が地面を蹴るたびに耐えられないほどの激痛が走ったはずだが、気づかなかったと言う。エンドルフィンのせいに違いない。

痛みはうつと関係がある。パートの発見につづいて、本当にエンドルフィンが運動時の高揚感の正体なのかどうかを明かそうとする実験がいくつもなされた。それらはエンドルフィン遮断薬によってランナーズハイが抑制されるかどうかを調べたが、結果はまちまちだった。その後、体で産生されるエンドルフィン――ランナーの血中に検出されたもの――は脳には入らないことがわかり、科学界でのエンドルフィン・ラッシュのブームは下火になった。エンドルフィンがただひとつの答えではないとわかると、研究もされなくなった。ところが今、わたしたちはふたたびエンドルフィンへと戻ってきた。いくつもの研究によって、エンドルフィンは直接脳でも作られ、運動で得られる満足感に寄与していることがわかったのだ。もっとも、その魔法にどの程度、貢献しているかはまだはっきりしていない。

人間の心を厳密に生物学的に解釈しようとするとき、心と脳と体が互いに影響しあっていることは往々にして見落とされがちだ。運動すると気分がよくなるだけでなく、自分を肯定的にとらえられるようになる。そのことがもたらすプラスの効果は、特定の化学物質や脳の特定の部位が生み出せるものではない。気分が落ち込んでいても、体を動かしてすっきりすると、自分はきっと大丈夫で、信頼できると思えるようになり、態度もすっかり変わる。この日課を定着させるだけで、気分は大きく改善する。明らかに変化が起きるのだ。

その効果を最もはっきり示しているのは、カリフォルニア州バークレーの人口研究所が行った「アラメダ郡研究」である。その画期的な研究は、一九六五年から二六年間にわたってアラメダ郡の住人、八〇二三人について、生活習慣と健康度に関するいくつもの項目を追跡調査した。途中、一九七四年に詳細な観察を行っている。調査開始時（六五年）にうつの兆候が見られず、七四年までの九年間、あまり運動をしなかった人は、一九八三年までにうつになった割合がよく運動した人より一・五倍多かった。一方、最初は運動していなかったが一九七四年までに少しずつ運動するようになった人と、最初から一貫して運動していた人は、一九八三年までにうつになる割合が同じだった。つまり、運動の習慣の有無がうつになるリスクを変えるのだ。

ほかにもいくつか包括的な研究が行われ、運動とうつの関連についていくらか違った角度から検討したが、結果はすべて同じだった。二〇〇六年には、オランダにおける大規模な調査の結果が発表された。それは一万九二八八組の双子とその家族について調べたもので、その結果は、運動すると不安が減り、うつにも神経症にもなりにくく、より社交的になることを示していた。また、一九九九年にフィンランドでなされた三〇四三人を対象とする調査では、週に最低二、三回運動している人は、運動をほとんどしない、もしくはまったくしない人に比べて、うつ、怒り、ストレス、「ひねくれたものの見方」がきわめて少ないことが明らかになった。この調査には気分についての質問も含まれていたが、本来の目的は心血管系の危険因子を調べることだった。従って、うつに照準を合わせた調査よりも広い範囲の症状について語っている。もうひとつ、二〇〇三年に発表されたコロンビア大学疫学科による調査は八〇九八人を対象とし、やはり運動量とうつになりやすさに反比例の関係を見いだしている。

収束する生化学回路

その登場とともに大ブームを引き起こした抗うつ剤プロザックは、神経伝達物質のひとつに的を絞って、その化学的アンバランスを正そうとする最初の薬だった。プロザックを第一号として、その後、選択的セロトニン再取り込み阻害薬（ＳＳＲＩ）と呼ばれる一群の薬が開発された。ＳＳＲＩはセロトニンを放出するシナプスがそれを再吸収するのを妨げることによってセロトニンの量を増やし、脳の正常な伝達を回復させると見られている。プロザックのすごいところは、大勢の人に効果があり、ひとつの症状に狙いを定めてそれを改善できることで、それを飲むと否定的な気持ちが消えるだけでなく自尊心を取り戻せることから大きな話題を呼んだ。自尊心の低さはうつ病がもたらすもうひとつの特徴だ。

それから二〇年が経ち、プロザックとその仲間のＳＳＲＩはだれにでも勧められるものではないことがわかってきた。セロトニン、ノルアドレナリン、ドーパミン、もしくはそのいくつかをターゲットにしたほかの抗うつ剤についても同じことが言える。問題のひとつは副作用だ。一例を挙げれば、ＳＳＲＩを服用しているわたしの患者の多くは、薬を飲み始めて数か月経つと、性生活に支障が生じてきた。ある推定によれば、ＳＳＲＩを服用する患者の五〇パーセント以上が、性行為に関する副作用を訴えている。セックスへの興味が失せた人もいれば不能になった人もいた（ゆえに、ＳＳＲＩは早漏や性犯罪者の治療によく用いられる）。性の問題は軽視されがちで、とくに、それ以外は気分の改善が見られる場合は後回しにされがちだが、実際は知らず知らずのうちにその人を蝕み、ほかの問題を誘発する。性的な感情や情熱は、すべての人の原動力となっていて、それを抑えつけると、おそらくは人生に対する情熱が失われ、親密なつながりがもてなくなり、さまざまなチャンスも失われる。うつの深刻な症状に比べれば、少々の副作用はがまんすべきかもしれないが、副作用も多くの人にとって障害となる。現在、ＳＳＲＩには子どもや若者の自殺願望や自殺行為のリスクを高める恐れがあるという注意書きが付されている。その真偽はまだはっきりしていない。また、このグループの薬、とくにヴェンラファクシン（商品名エフェクサー）には依存性があり、やめるのが難しいという問題も出てきている。

最近診るようになった患者は、起業家として成功した人だが、その人生は破綻しかけていた。自分の浮気のせいで妻と別居していて、事業も失った。夫婦でセラピーを受けるうちに、彼が注意欠陥・多動性障害（ＡＤＨＤ）だとわかり、それについて詳しく知るためにわたしのもとを訪ねてきたのだった。

彼は「自然でないもの」を体に入れるのが嫌いで、投薬治療を拒んだ。しかし最終的には興奮剤を試すことに同意した。それは妻が強く勧めたからで、彼は妻を裏切ったことに深い罪悪感を抱いていた。数種類の薬を試したが、どれもすぐやめることになった。頭痛や腹痛、筋肉痛になったからだ。

わたしは彼に、最大の問題はＡＤＨＤではなく、うつになっていることだと話した。彼は体を動かさず、やる気もなく、希望を失っていた。仕事の問題を解決しようとせず、何か月も経っているのに問題があるということ自体、受け入れていなかった。ある日、診察室に入ってきた彼の様子は一段とひどくなっていた。いつもはこぎれいにしているのに、無精ひげをはやし、髪もぼさぼさで、ベッドから起きるのも大儀だと言う。

わたしは抗うつ剤を試すべきだと強く勧め、ＳＳＲＩのエスシタロプラム（商品名レクサプロ）を処方した。ところが副作用がひどく——むかむかして、食べたものを戻すようになった——もう薬はなにも試したくないと言い出した。

以前はよく運動をしていたそうだ。わたしは、それなら絶対に毎日運動すべきだと諭した。前からそう言いつづけていたのだが、レクサプロのことがあったのでなおさら熱心に、運動が脳に及ぼす影響の強さを説いた。理詰めで考える人なので、運動と脳に関連する研究事例もいくつか詳しく説明した。

二週間後、彼は見違えるほど元気になっていた。笑顔と自信を取り戻し、ほぼ毎日走っていることに満足していた。その後一か月かけて、彼は真剣に仕事を探し、妻との関係も大きく改善した。初めて妻とやり直せそうな気がしてきた、と言った。なにより彼が驚いていたのは、自分が以前とはまったく違うように感じられ、しかもその感覚がつづいていることだった。

運動はエンドルフィンを増やすだけでなく、抗うつ剤のターゲットになっている神経伝達物質をすべて調整する。運動をすると、まず脳の特定の部位でシルドクラウトのお気に入りの神経伝達物質ノルアドレナリンが急増する。それによって脳が目覚めてはたらき出し、うつのせいで失いかけていた自尊心を回復することができる。

運動はドーパミンも放出させる。ドーパミンは気持ちを前向きにし、幸福感を高め、注意システムを活性化させる。やる気と集中力を総括しているのだ。いくつかの研究からわかったことだが、習慣的に運動するようになると、脳のドーパミン貯蔵量が増えるだけでなく、ドーパミン受容体を作る酵素が生成され、脳の「報酬中枢」にある受容体そのものが多くなる。それで、なにかをなし遂げたときにより強い満足感を得られるようになるのだ。要求があれば、ドーパミンを作る遺伝子は活性化してさらにドーパミンを作り、結果的にそれらの生化学的経路がより安定する。このことは依存症をコントロールするうえで重要となる。

セロトニンも同じように運動の影響を受ける。セロトニンは自尊心を保つためになくてはならないもので、気分や衝動を調整している。また、コルチゾールを中和してストレスを抑えるとともに、学習に重要な前頭前野と海馬のつながりを細胞レベルで整えている。

本物のテスト

運動が、抗うつ剤のターゲットにしているのと同じ化学物質に影響することはかねてより知られていたが、科学的に正しい方法で運動と抗うつ剤を比較したのは、一九九九年のデューク大学における研究が最初だった。SMILE（Standard Medical Intervention and Long term Exercise/標準的な医学的介入と長期運動）というかわいい名前をもらったその画期的な研究において、ジェームズ・ブルメンタールと同僚は、運動の効果とSSRIの一種であるセルトラリン（ゾロフト）の効果を一六週間にわたって比べた。まず初めにうつ病の患者一五六人をランダムに三つのグループに分けた。ゾロフト・グループ、運動グループ、両方を試すグループである。運動グループは、週三回、三〇分間、監督下で有酸素運動能の七〇パーセントから八五パーセントの強度でウォーキングかジョギングをした（一〇分のウォームアップと五分のクールダウンは含まない）。どんな結果が出ただろう。三グループとも、うつの症状が大幅に緩和し、それぞれ約半分は症状が完全に消えた。一三パーセントは症状は緩和したものの、すっかり治ったわけではなかった。

ブルメンタールは、運動には薬と同じくらいの効果があると結論した。わたしは、運動が脳の化学反応を変えてうつを治すという考えを信用しようとしない患者には、この研究論文のコピーを渡すようにしている。この研究は、少なくとも現在の精神医学としては最善を尽くして運動の効果について白黒をはっきりさせているからだ。この研究の成果は、ぜひとも医学校で教え、生命保険会社にも浸透させ、国中の老人ホームの掲示板に貼り出すべきだ。老人ホームでは入居者の五分の一近くがうつを患っている。運動がゾロフトに負けず劣らず効果があると皆が知っていれば、その病気を根本からやっつけられるはずだ。

ＳＭＩＬＥの論文の行間には、運動が長く治療として認められなかった複雑な事情を読み取ることができる。アンドレアス・ブロークスが一九九七年に運動と抗不安剤クロミプラミンを比較したとき（四章）もそうだったように、ブルメンタールの実験ではどちらも最終的には同じくらい改善したが、薬を服用した人の方が効果は早く出た。一見、抗不安剤は効果が出るまでに三週間かかるという製薬会社の注意書きと矛盾しているように思える。だが、その三週間という期間は統計から出したもので、長年に及ぶわたしの経験では、多くの患者はほんの数日で効果が現れた。

それとは逆に、たった一度、運動をしただけで気分が高揚することを示した研究についてはどう考えるべきだろう。二〇〇一年、ノーザン・アリゾナ大学の心理学教授シェリル・ハンセンは、健康な被験者を対象として、わずか一〇分の運動でも、活力と気分がたちまち向上することを示した。しかし、ハンセンが数時間後に気分を測り直したら、おそらくどちらも元に戻っていただろう。一回の運動で気分を高揚させられると知っていることも大切だが、日々の気分を根本から変えるには時間がかかるということも肝に銘じておこう。

ブルメンタールの研究では、週に一度、運動前に気分を測定した。早々と改善が認められる人もいたが、その効果は薬ほど劇的ではなかった。うつからの回復を示す決め手となるのは、今から五分後も気分がよく、さらに五時間後も気分がいいに違いないと予測できることだ。そしていずれは、明日の朝も気分がいいはずだと思えるようになる。定期的な運動によってそうなるには、しばらくかかる。

調査の六か月後、ブルメンタールたちは、ふたたび患者たちの様子を調べ、長期的に見た場合、運動の方が薬より効果があることを知った。うつが治らなかった人は、運動グループでは約三〇パーセントにとどまったが、投薬グループでは五二パーセント、運動と薬の両方を試したグループでは五五パーセントにもなった（ブルメンタールは両方試したグループの結果について、興味深い説明をしている。それについてはあとで紹介する）。初回の調査で寛解した患者のうち、症状がぶり返したのは運動グループではわずか八パーセントだったが、投薬グループは三八パーセントにのぼった。かなりの差だ。

四か月間の実験を終えたあと、被験者は好きなように治療を受けてよかったし、それきりやめてもよかった。それで結果はややこしくなった。心理療法を受けたいという人もいれば、投薬グループだった人が運動を始めたり、運動グループだった人が薬を飲み始めたりした。そのため、いろいろな要素が条件に加わった。それでもブルメンタールのチームは、その人の症状がよくなるかどうかに最もはっきり影響するのは、運動の量だと断定している。とくに毎週五〇分運動すると、うつになる確率が五〇パーセントも低下した。ブルメンタールは運動によって寛解がもたらされるとまでは言っていない。逆もあり得るからだ。患者はうつがよくなったから、運動をつづけられたのかもしれない。これは運動と気分の相関を見ようとする科学者がぶつかる典型的な「ニワトリが先か、卵が先か」の問題だ。とは言え、運動するからうつが軽いのか、それともうつが軽いから運動するのかが、そんなに重要だろうか。どっちにしたって気分はいいのだ。

だが、運動も薬も両方試したグループの予想外の結果については、どう考えればいいのだろう。当初の予想では、運動しながらゾロフトも服用したグループが最高の結果を出すものと思われたが、彼らは再発率が最も高かった。それについてブルメンタールは、抗うつ剤を飲むのが嫌だった人がいたせいだろうと推測する。患者たちは運動がうつにもたらす効果を調べるための実験だと聞いて参加する気になったのだから、なおさらだ。実際、薬も処方されることを知ってがっかりした人が何人かいた。そして実験期間中、薬が運動の効果を妨げていると感じた人もいた。そんなことは生理学的に見ればあり得ないのだが、薬を服用していることで負い目を感じ、エクササイズで得られるはずの自信が損なわれた可能性がある。ブルメンタールはつぎのように解釈している。「彼らは『運動プログラムに真剣に取り組み、一生懸命がんばった。大変だったけれどうつに打ち勝った』と思うことができず、『抗うつ剤を飲んだからよくなった』と考えたのかもしれない」

最高の処置

うつについて話すとき、治すという言葉は使わない。治ったかどうかは、行動や感情を主観的に見て判断するしかないからだ。うつ病患者のおよそ三分の一は、抗うつ剤でうつの症状がすべて消える。ほかの三分の一は投薬でずいぶん気分がよくなるものの、やる気のなさ、倦怠感、疲労などの問題は残るようだ。否定的な感情が消え、ベッドから出ることはできても、新しい仕事を探しに出かけたり、やるべき仕事を片づけたりはしない。快調と言うにはほど遠く、いつまでもうつの影を引きずっている。最新版の『精神疾患の診断・統計マニュアル』はうつ病の症状を九つ挙げており、六つ以上あてはまるとうつ病だとしている。集中できず、不眠がちで、自分に価値がないように感じ、なにごとにも興味がもてないとしても、症状はまだ四つ。つまり、専門的に見ればうつ病ではない。ではなんなのだろう？　ただみじめなだけなのだろうか。つまり、わたしが言いたいのは、うつ病であろうとなかろうと、うつの症状はすべて追い払うべきだ、ということだ。その意味で、運動の効果がますます真剣に検討され始めている。

テキサス大学サウスウェスタン医療センターの気分障害研究プログラム責任者で臨床精神科医であるマドフカール・トリヴェディは、運動によって抗うつ剤の効果が高まるかどうかを研究している。二〇〇六年、彼は予備的研究の結果を発表した。それによると、抗うつ剤が効かない患者に一二週間にわたって運動をさせたところ、うつの程度を測る最高一七ポイントのテストの値が、一〇・四ポイントも下がった。そうとうな改善だ。対象となった一七人は、全員が重度のうつで、それまでに最低でも四か月間、抗うつ剤を飲んでいた。薬は効かなかったが、実験中も飲みつづけた。

トリヴェディはクーパー研究所の協力を得て、運動の計画案を作った。そして、あまり活動的でない患者に、自宅でウォーキングかエアロバイクを好きな回数と強度でさせた。ひとつだけ決められていたのは、毎週一定量のエネルギーを消費することだった。ほとんどの患者は週三回、平均で五五分間のウォーキングを選んだ。九人が脱落したが、それは予想される範囲だ。最後までやり遂げた八人のうち五人が寛解した。数週間しかつづかなかった患者も、症状が改善した。

被験者の数こそ少なかったが、トリヴェディが出した結果には大きな意味がある。皆が皆ではないが、薬の効果がなくても、運動なら効果がある人がいることが明らかになったからだ。当然、ではなぜ最初から運動をさせないのか、という疑問が湧いてくる。とくに、いろいろな薬を試しては失敗している人の場合はなおさらだ。だが、「魔法の薬」の魅力は絶大で、薬に頼る風潮はなかなかやみそうにない。アメリカ精神医学会で重症うつ病の部門を率いているT・バイラム・カラスに聞いてみるといい。彼はうつ病治療法のガイドラインに運動を入れることを学会に求め、併せて、精神科医はすべての患者に、毎日五キロから八キロほど歩くか、あるいは激しいエクササイズをするよう勧めるべきだと提案した。しかし精神医学会は二の足を踏んだ。ほとんどの医者は運動が気分を高揚させた事例を知っているはずだが、それでも、科学的根拠が希薄だと言うのだ。脳のはたらきが精査され、細胞のライフサイクルの秘密が明かされているこの時代にあって、精神科医たちに運動のような心身一体的な戦略を治療と認めさせるのはなかなか大変だ。

どの医者も、いちばん扱いにくい患者はほかの医者だと口をそろえて言う。医学の学位をもつ患者に、うつには運動が効くことを納得させるのがどれほど難しいか、想像していただきたい。わたしの患者で、ときどき軽いうつに陥るグレイスは、精神科医で、薬について専門的な知識をもっている。しかし、あれこれ試してみたが、副作用のない適当な抗うつ剤は見つけられなかった。なかではSSRIが効くようだったが、彼女はすぐにやめてしまった。あっという間に体重が増えたからだ。彼女は聡明で、運動がもたらす効果をすくなくとも部分的には理解していたが、自分でやろうとはしなかった。

ところが昨年の夏、思いがけずその機会が訪れた。背中を痛めてしばらく寝たきりになったので、ただリハビリのために水泳を始めたのだ。水泳はそのときの彼女にできる唯一のことだった。水が体を支え、痛みを和らげてくれるので気持ちがよかった。じきに水泳そのものが楽しくなり、毎日三時間プールですごすようになった。痛みが緩和されただけでなく、ずいぶん久しぶりに筋肉の張りも戻ってきて、自分のことを好ましく思えるようになった。

ところが冬になってプールが閉鎖されると、背中の痛みは再発し、気分もまた沈み込んだ。今回は、イライラと怒りっぽくもなった。仰向けでできる運動はあまりなかったので、ウェイトトレーニングを始めた。一日数回、わずか一・五キロほどのダンベルを心拍数が上がるくらいの速さで上げ下げした。このちょっとした運動で体調はずいぶん違ったが、さらに重要なことに、脳と心にも変化が起きた。わたしは長年、彼女を見てきたが、この経験のなにかが彼女の目を運動に向けさせたようだ。

背中の痛みはすっかり治ったが、グレイスはその後もずっと水泳をつづけている。以前より創造的に考えたり書いたりできるようになり、新たな活力がみなぎるのを感じていると言う。それは家族や友だちもよくわかっているそうだ。もっとも、彼女はその変化に驚きはしなかった。大学時代、テコンドー・チームで毎日トレーニングしていたときは、勉強の成績も最高だった。そしてボストンで若い医者だったころにはマラソンを走っていた。大勢の人と同じく、運動の習慣をなくしたのは、家庭をもってからだった。「忙しすぎてトレーニングのメリットを忘れていました。でも、今は本来の脳を取り戻したような感じがします」

論理の穴

薬や運動がうつを改善させる仕組みについて本当のところがわかってきたのは、脳の鮮明な写真を写せるようになってからのことだ。一九九〇年代初頭、ＭＲＩで調べたところ、ある種のうつ病患者の脳に明るい斑点が見つかった。それは高信号域と呼ばれ、白質の部分に現れる。白質とは、灰白質《かいはくしつ》——ニューロンの本体である細胞体の集まっている部分。灰色っぽい色をしているので灰白質と呼ばれる——から伸びた軸索が集まった部分である。さらによく見てみると、皮質の量が普通と違うことがわかった。灰白質が実際に縮んでいるのだ。灰白質は皺《しわ》の寄った薄いカバーとなって脳を覆っていて、注意力、感情、記憶、意識といった人間の複雑な機能すべてをつかさどっている。ＭＲＩによって見えてきた現実はぞっとするようなものだった。慢性のうつは、脳の思考する部位を構造的に傷つける可能性があるのだ。

同様の研究により、うつ病の患者の脳では扁桃体と海馬に著しい変化があることが明らかになった。いずれもストレス反応の重要な役割を担う部位だ。扁桃体が人間の感情をつかさどる中心だということは以前から知られていたが、記憶中枢である海馬がストレスとうつにもかかわっていることはようやくわかり始めたところだった。一九九六年、セントルイスにあるワシントン大学のイヴェット・シーラインが、うつ病患者一〇名の脳と、同じような体格と学歴の健康な人一〇人の脳をＭＲＩで比べたところ、うつ病患者の海馬は、健康な人のそれより最高で一五パーセントも小さかった。また、海馬が縮む度合と、うつ病だった期間の長さに関連があることを示す証拠も見つかった。意義ある発見だ。うつ病患者の多くが学習と記憶の衰えを訴えるのも、海馬の萎縮から始まるアルツハイマー病患者の気分が沈みがちになるのも、おそらくそこに理由がある。

ストレスホルモンのコルチゾールが多いと、海馬のニューロンは死んでしまう。実際のところ、ペトリ皿にニューロンを入れ、コルチゾールをたっぷり注ぐと、ニューロン間の結合は途切れ、シナプスの成長は止まり、樹状突起はしなびていく。そうなるとコミュニケーションは遮断される。うつ病の人の海馬では、それが実際に起きているのだ。彼らが否定的な考えから脱け出せない理由のひとつがこれで、海馬は別の結合を作るための枝を伸ばせなくなり、否定的な記憶を何度もたどり始める。

新たに陽電子放射断層撮影装置（ＰＥＴ）や機能的磁気共鳴画像法（ｆＭＲＩ）のおかげで、うつをこれまでとは違う生物学の角度から見られるようになった。誕生した当時、それらの画像は粗く、あいまいだったが――その点は今もあまり進歩していない――、科学者は脳の静止画像だけでなく、活動している様子も見られるようになったのだ。また同じころ、新しいニューロンが海馬とおそらくは前頭前野において、日々作られていることもわかった。どちらもうつになると萎縮する部位だ。この新しいツールと新しい発見から、「神経伝達物質仮説」の見直しが始まった。

とは言え、その古い理論が捨てられたわけではない。さらに拡大されたのだ。今では、うつは、脳の感情回路が物理的に変化した結果だと考えられている。ノルアドレナリン、ドーパミン、セロトニンはシナプスを通って情報を運ぶ大切なメッセンジャー（神経伝達物質）だが、そこがしっかりつながっていなければ、役目を十分に果たせない。そもそも脳の仕事は、つねに回路を接続し直しながら情報を伝達し、それによって人間を環境に適応させ、生き延びさせることである。ところが、うつになると、特定の部位でその適応機能がはたらかなくなる。つまり、細胞レベルで学習が遮断されるのだ。そうなると脳は、自己嫌悪の否定的な堂々巡りに陥り、その穴から脱け出すのに必要な柔軟性も失われる。

うつを結びつきの問題として定義し直すと、そのさまざまな症状の説明がつく。うつとは、むなしく感じられる、なにもできない気がする、希望がもてなくなる、というだけのものではない。学習、集中力、エネルギー、やる気――脳のあちこちがかかわる多様な思考システムにその影響は及ぶのだ。影響は体にも現れる。睡眠や食事、セックスへの欲求が遮断され、身の回りのごく基本的なことさえできなくなる。精神科医のアレクサンダー・ニクレスクは、うつとは、希望がまったくない環境で資源を保存しようとする生存本能だと述べている。「おとなしくして危険に近づかないようにするために」そういう状態になるのだ、と二〇〇五年の『ゲノム生物学 *Genome Biology*』に掲載された論文に記している。一種の冬眠だ。感情の風景が冬のように寒々しくなると、神経生物学的機能がその人にじっとしていなさいと告げる。ただし、往々にしてその冬は一シーズンでは終わらない。脳は萎縮し、神経は可塑性を失い、新たなニューロンは生まれなくなり、ニューロンの結合がどこもかしこも途切れてくる。こうして見ると、うつをただひとつの問題として定義できなかったのも不思議はない。

裏にある結合

うつがおもにコミュニケーションの断絶、あるいは脳の適応機能の喪失からもたらされるのであれば、運動の価値を認めさせるにはむしろ好都合だ。一九九〇年代初頭、海馬を含む、気分をコントロールする部位で、脳由来神経栄養因子（ＢＤＮＦ）がコルチゾールの攻撃からニューロンを守っていることが明らかになった。ＢＤＮＦはニューロンの結合と成長を促す肥料のようなもので、ニューロンの可塑性や、ニューロン新生に欠かせないものとなっている。コルチゾールが増えすぎるとＢＤＮＦは減るが、抗うつ剤と運動はそれと反対のはたらきをする。言うなれば、ＢＤＮＦは綱引きのロープで、慢性ストレスと適応力がそれを引っぱりあっているのだ。このまさにミラクルグロのようなＢＤＮＦは、かつてのセロトニンのように注目の的となり、研究者はそれを量ったり、阻害したり、増やしたり、思いつくありとあらゆることをして、人間とマウスの気分への影響を調べ始めた。

ネズミに、滅入っているかどうかを聞くことはできないが、逃れられないストレスにどう反応するかを観察することはできる。足にショックを与えたら、ネズミは逃げようとするだろうか、それとも動かなくなるだろうか。これは「学習された無力感」の実験モデルで、逆境にうまく対処できず、生き延びて繁栄するための行動がとれなくなることを示し、人間のうつの仕組みを説明する際によく用いられる。実験動物は、逃げることをあきらめた時点でうつになったと見なされる。

そのような実験で、マウスの海馬にＢＤＮＦを注射したところ、そうでないマウスよりもすばやく逃げようとした。この注射はマウスの行動に対して、運動や抗うつ剤と同等の効果をもつようだった。逆に遺伝子を改変されてＢＤＮＦを通常の半分しか生成しないマウスは、抗うつ剤の効果があまり出なかった。このことから、ＢＤＮＦは抗うつ剤が効くために必要な要素であることが察せられる。また、ＢＤＮＦが少ないマウスは、ＢＤＮＦ機能が正常なマウスに比べて、ストレスから逃げようとするのが遅かった。

人間が相手の場合、科学者に許されるのは、血液中のＢＤＮＦ値を量ることだけで、脳内のＢＤＮＦレベルについては、それをもとにおおまかな予測をするほかない。ある研究で三〇人のうつ病患者の血液中のＢＤＮＦ値を調べたところ、全員が正常値を下回っていた。別の研究では、抗うつ剤がうつ病患者のＢＤＮＦ値を正常に戻すことがわかった。さらに別の研究では、ＢＤＮＦの値が高くなるとうつの症状が減った。また、自殺したうつ病の人を検視したところ、脳のＢＤＮＦ値が目立って低かった。健康な人でも、ＢＤＮＦ値が低いと落ち込みやすく、神経質だったり攻撃的だったりする。

ラットの海馬に含まれるＢＤＮＦを増やす上で、運動は抗うつ剤と同程度か、場合によってはそれ以上の効果を見せる。ある実験でラットに運動させながら抗うつ剤も投与したところ、ＢＤＮＦの値は通常の二・五倍にもなった。人間も運動をすると、すくなくとも血液中では抗うつ剤を飲むのと同じくらいＢＤＮＦが増える。

一九六〇年代のノルアドレナリンがそうだったように、おそらくＢＤＮＦは氷山の一角なのだろう。今日の研究は、ＢＤＮＦを始め、血管内皮成長因子（ＶＥＧＦ）、線維芽細胞成長因子（ＦＧＦ‐２）、インスリン様成長因子（ＩＧＦ‐１）、そのほか、ニューロンの可塑性や新生にかかわる化学物質全般に焦点を合わせている。また、製薬会社の資金提供を得て、そのような成長因子を特定し、量を量り、影響を受ける遺伝子をマッピングし、どうすればその効果を薬でまねできるかを探る研究も進んでいる。ＢＤＮＦとその仲間の神経栄養因子は、神経化学物質の連鎖的反応《カスケード》ではセロトニンよりずっと上流の、水源に近いところから流れ出ている。大本でスイッチを入れているのは遺伝子だ。

「神経伝達物質仮説」からこの「結合理論」への移行は、研究の視点がニューロンの外側から内側へと移ったことを意味する。ＢＤＮＦはセロトニンのようにシナプスで作用するのにくわえ、遺伝子のスイッチを入れて神経伝達物質と神経栄養因子を生成させ、細胞の自己破壊的な活動にブレーキをかけ、抗酸化物質を放出し、軸索と樹状突起の材料になるタンパク質を提供している。抗うつ剤が効くまで時間がかかるのは、このようにＢＤＮＦが遺伝子経由で脳を調節しているせいかもしれない。

　抗うつ剤は効き目が出るまでに三週間かかることも珍しくない。ニューロン新生――海馬に幹細胞が誕生して、ネットワークにつながるまで――にほぼ同じ期間がかかるのは単なる偶然だろうか。研究者の多くは、それを偶然とは見ていない。最近、結合理論をベースにして、ニューロン新生が阻害されるのがうつの一因ではないかとする見方が生まれた。ラットのニューロン新生を阻むと抗うつ剤が効かないことが実証されているので、その可能性はある。運動によってＢＤＮＦとその仲間の成長因子が増えることははっきりしているので、それらの因子がニューロン新生に欠かせないのだとしたら、運動と抗うつ効果のつながりはさらに確かなものとなる。これまでBDNFの不足がうつの原因だと実証した人はいないが、それに挑戦した人は多い。一九九七年、イェール大学の精神科医のロナルド・デュマンは『一般精神医学アーカイブス *Archives of General Psychiatry*』誌に「うつの分子的・細胞的理論」と題する論文を発表した。以来、彼やほかの学者たちがBDNFの謎の解明に取り組んでいる。二〇〇六年、デュマンはうつのさまざまな治療法がBDNFに及ぼす影響を表にまとめた。その治療法には、入手可能な抗うつ剤全種類のほかに、電気ショック療法（ECT）や経頭蓋《けいとうがい》磁気刺激法（TMS）など、それほど一般的ではないものも含まれる。どの方法でも海馬のBDNF量は増えたが、デュマンによると、最も効果が高かったのはECTで、二・五倍にまで増えたそうだ。

　しかし、ECT——脳に電流を流して発作を起こす——のように乱暴なやり方で、なぜ薬やセラピーや運動と同様の効果を上げられるのだろうか。思うに、ECTはわかりやすい比喩となっている。うつを脳が固まった状態と見なせば、各治療の共通点が見えてくる。どれも一種のショック療法なのだ。脳の空回りしている部分や、固まってしまっている部分を激しく刺激して、その力学を変えようというのである。つまり、脳と体を目覚めさせ、負のスパイラルから自分を引っ張り出そうというのだ。その意味において有酸素運動がきわめて強力なのは、進化の過程で人類はまさにそれによって脳を刺激してきたからだ。

絆を断つ

分子科学者たちが脳の閉ざされた扉の鍵穴を道具でつついて開こうとしていたときに、エモリー大学の神経科学者ヘレン・メイバーグはその扉を一気に叩き壊そうとした。数年前のことだが、脳深部刺激療法（ＤＢＳ）という過激な方法を試したのだ。彼女は重度のうつ病患者六名の膝下野《しつかや》に電極を差し込んだ。ほかの治療法が効かない患者ばかりだった。「彼らは身動きがとれなくなっていました」メイバーグは語る。「ギアが入っていないので、思ったことを行動に移せないのです。なんとかしてそこから一歩でも前に進ませなければなりませんでした」そこで脳に電流を通したところ、効果は絶大だった。六名の患者が全員、手術台に乗って電極のスイッチが入ったときの感覚を、「頭のなかの空白が消えた」ように感じたと表現した。うち四人は最終的にうつの症状が消えた。

メイバーグがターゲットにした膝下野は前部帯状回《たいじょうかい》の先端にある。そこは前頭前野から下がってくる情報と、辺縁系から上がってくる情報を行き来させる重要な中継地点、言うなれば、感情の階段の踊り場だ。脳の遂行機能《エグゼクティブ・ファンクション》を担い、注意を払うべきものの順序づけをし、間接的に辺縁系を調節し、認知の信号と感情の信号を統合している。もし、うつの場合のように、そこが否定的なものから注意をそらせられなくなると、人はほかのことをなにも考えられなくなる。「なにかを始めることもできなければ、はっきりと考えることもできず、家族に対しても思いやりをもてなくなる――どれも気持ちが内向きになったために起きる二次的な兆候で、言うなれば疑似信号なのです」とメイバーグは説く。「要所を修理することはできますし、そうすれば、ほかの問題に取り組みやすくなります」

ＤＢＳの本当の目標は、患者の前頭前野をふたたびネットワークにつなげ、その遂行機能によって重要な問題に対処できるようにさせることだ。そうすれば患者は自由になり、問題に対して理性的に立ち向かえるようになる。「わたしは悪い人間ではない。子どもたちはわたしのことが大好きだ。人生は修復できる」と思えるようになるのだ。これは運動の効果のひとつでもある。二〇〇三年、ドイツの神経科学者のグループが、軽度のうつ病で投薬治療を受けている二四人と健康な人一〇人を対象として、運動が遂行機能に及ぼす影響を調べた。被験者は全員、神経心理学的テストによって遂行機能を測定したのち、最大心拍数の四〇パーセントの負荷でエアロバイクを三〇分間こいだ。そしてもう一度、テストを受けた。同じことを、最大心拍数の六〇パーセントの負荷――乳酸のバランスを崩すのに最低限必要な強度――でも行った。するとうつ病の患者は、どちらの負荷レベルでも運動後はテストの点数がぐんと高くなった。運動によって最も高次の思考能力が即座に向上したのだ。たった一回の運動が、前頭前野に影響を及ぼしたことになる。うつではない一〇人はそれほど向上しなかったが、そもそも彼らに治すべきところはないのだ。

「それでも、遂行機能は話の一部でしかありません」と述べたのは、メイバーグが最初だろう。彼女は、抗うつ剤が効いた患者と、認知行動療法で効果の出た患者のPETスキャンを比べて、この二つのアプローチが辺縁系の活動に正反対の方向からはたらきかけていることを発見した。抗うつ剤はボトムアップ方式で作用するようだ。つまり、まず脳の下位組織である脳幹にはたらきかけ、その影響が辺縁系に伝わり、ついには最上位の前頭前野に及ぶのだ。抗うつ剤の効果がまず体に現れるのはおそらくそのためで、悲しい気分が薄れるより先に、体にエネルギーが満ちてきたように感じられる。一方、認知行動療法と心理療法では、まず自分を肯定的にとらえられるようになってから、体の調子がよくなったように感じられる。それは、セラピーの効果がトップダウン方式で前頭前野から下位組織へと波及していくからだ。まず思考を修正して、「学習された無力感」に向き合えるようにし、希望がもてない悪循環から脱け出せるようにしようというのだ。

運動がすぐれているのは、一度に両方向からうつを攻められる点だ。当然ながら運動すると体を動かすので、脳幹が刺激され、エネルギーと情熱と関心とやる気が湧き上がってくる。元気になったように感じられるのだ。一方、脳の上位にある前頭前野において、運動は、セロトニン、ドーパミン、ノルアドレナリン、ＢＤＮＦ、ＶＥＧＦといった、これまで挙げたすべての化学物質を調節して、わたしたちの自己概念を変化させる。とは言っても、抗うつ剤とは違って、それらの化学物質のどれかを選んで作用するわけではない。運動は脳全体の化学反応を調節して、信号を正常に戻すのだ。そうやって前頭前野をがんじがらめの状態から解放して、好ましい情報を記憶できるようにし、うつの悲観的な思考回路から脳が脱け出せるようにする。また運動すれば、自分が主導権を握ってものごとに立ち向かえることに気づく。この枠組《パラダイム》みは気分全般について言える。うつに限らず、いやな気分が消えないときも、運動は同じような効果を発揮する。一日ついてなくてむしゃくしゃしているような場合でも、運動は同じメカニズムで気分をよくしてくれるのだ。

うつを治すには、両方向から攻めることが肝心だ。「脳刺激療法を受けている患者も、脳のシステムが復旧したあとは、心のリハビリが必要になります」とメイバーグは言う。「その第一歩は、とにかくなにかをさせることです。行動療法として望ましいのは、外に出て歩くことです。なんでもいいから体を動かすのです。綿密な計画はいりません。動くことで、負の悪循環に陥らなくなります。効果はすぐに現れます。以前は自分でなにかをしようという気さえなかったのですから」

前頭前野がしばらくシステムから外れていたのであれば、それをプログラムし直さなければならない。それには運動がうってつけだ。世界が違って見え始め、不毛な荒野ではなく森が見えてくる。自分で体が動かせるとわかるだけで上出来だ。自分で自分の面倒を見られることの証《あかし》となるからだ。

トンネルを抜ける

うつを引き起こす単独犯を探し始めてから、科学はずいぶん発展した。モノアミン仮説に端を発した何十年にも及ぶ研究により、感情の仕組みについて多くのことがわかってきた。そして、うつの原因に近づけば近づくほど、その複雑さが見えてきた。最初のころは、シナプスではたらく神経伝達物質のバランスが崩れているのが原因だと、だれもが信じて疑わなかった。しかし今では、そんな単純な話ではないことがわかっている。

皮肉なことに、だからこそ運動はいまだに医学的な治療として認められないのだろう。運動はセロトニンやドーパミン、ノルアドレナリンを増加させるだけではない。断定はできないが、それらすべてを、進化によって最適化されたレベルに調整するのだ。新しいニューロンやその結合の材料を提供しているＢＤＮＦ、ＩＧＦ－１、ＶＥＧＦ、ＦＧＦ－２についても同じことが言える。つまり、運動の影響が及ぶ要素はあまりにも多いので、その影響を――ハードサイエンスの名のもとに――科学者が望むように分離させることはほぼ不可能なのだ。しかし、微細な分子のふるまいから、長年にわたって何千何万という人を観察した結果に至るまで、確かに証拠はある。運動は間違いなく抗うつ剤だと言える。いや、それ以上のものなのだ。

しかしながら、運動とうつに関する調査では、患者の約半数が脱落するのも無理はない。おそらく彼らの大半はもともと運動をしていなかったので、運動を始めるというだけでひと苦労だったのだろう。医者が患者に運動を勧めるときには、この点を念頭に入れておくべきだ。すっかり希望をなくしている人に対して、あまりに高い要求をすると、ますます内にこもらせてしまう。いくつかの研究から、運動とは辛いものだと思い込んでいる人でさえ、運動後には壮快な気分になることがわかっている。辛さの先に待ち受けるものがわかっていれば、もっと容易にハードルを乗り越えられるだろう。

人間は本来、社会的な動物なので、うつの人にとっても、人とのかかわりを促し、戸外など感覚を刺激する環境でする運動が理想的だ。運動に付きあってくれるようだれかに頼み、新しい環境に身を置けば、その刺激を伝えるための新しい結合と新しいニューロンが必要になる。囚われていた虚無感から脳が脱け出すと、目的意識と自尊心が生まれ、明るい未来が見えてくる。そのような前向きな気持ちが湧いてきたら、それをなにかに向けるようにしよう。そうやってボトムアップ式で得られたやる気と体の元気さを、トップダウン式で得られた自信と統合していこう。運動する気にさせることで、人生を自分のものとして引き受けるよう、その心も励ましているのだ。

こんな運動をしよう

わたしが治療の一環として患者に運動を勧めると、まず聞かれるのは、「どれくらいやればいいのですか」ということだ。はっきり決まった答えはない。うつは、症状も重さもさまざまなのだから、それも当然だろう。しかし、マドフカール・トリヴェディは、効果が期待できる運動量について、いくつか結論を出している。彼は運動を薬のようにはっきりと量化して、医療の専門家にも受け入れられるものにしたいと考えている。それはなにより重要なことだ。患者に運動をつづけさせるには、医師はその患者に最も適した処方箋を出さなければならないからだ。

トリヴェディと共同研究者のアンドレア・ダンは八〇名のうつ病患者を五つのグループに分けた。四つのグループには強度と回数の異なる運動をそれぞれ割りあてた。あとのひとつは対照グループで、観察下でストレッチ運動のみをさせた（観察者との社会的な交わりが影響するかどうかを見るため）。体重一ポンド（〇・四五キログラム）あたりの消費カロリーを運動の「用量」の単位とした。激しい運動を課された二つのグループは、週三回か五回のコースをこなし、一回に平均一四〇〇キロカロリーを消費した（一ポンドあたり八キロカロリー）。三か月が終わるころ、この二グループはともに、うつの度合を示す数値が半減した。はっきり言って、症状が著しく緩和したのだ。一方、軽めの運動をした二つのグループが一回の運動で消費したカロリーは、平均で五六〇キロカロリー（一ポンドあたり三キロカロリー）だった。こちらのグループはうつを示す数値が三分の一だけ下がった。それはストレッチ・グループとほぼ同じで、つまり効果はプラセボと同程度だったわけだ。つまり、わたしがいつも言っていた通りだった。運動は体によく、（ある程度までは）すればするほどいい、ということだ。

トリヴェディとダンは、公衆衛生のガイドラインを基準にして「高用量」の運動としては、ほぼ毎日、中程度の有酸素運動を三〇分間つづけることを勧めている。体重が一五〇ポンド（六七・五キロ）の人なら、中程度の運動を週に三時間することになる。「低用量」は、同じ運動を週八〇分するのに相当する。

体重一ポンドあたり八をかければ、高用量の運動として週にどれだけのカロリーを消費すべきかがわかる。ジムに行けば、それぞれの運動のカロリー消費量がわかるようになっている（たいていのエアロビクスマシンには消費カロリーを計測する機能がある）。体重一五〇ポンドの人がランニングマシンで三〇分間に二〇〇キロカロリー消費するとして、高用量の運動としては、週に六回する必要がある。

わたしは、本章の冒頭で紹介した患者のビルのようにうつのシャドー・シンドロームを抱える人には、少なくともこの程度の運動をお勧めしたい。彼らはうつ病と診断されたわけではないが、だいたいが人生に対して悲観的で、自分も含め、人間全般に対して失望している。ビルの場合、ランニングとウェイトトレーニングを始め、ジムで知りあった仲間と毎朝一緒に運動してコーヒーを飲むようになった。すると職場での仕事ぶりと人間関係は改善した。新たなプロジェクトに対して反射的に怒りを覚えることもなくなり、むしろ新しい挑戦を喜べるようになった。妻の彼に対する見方もすっかり変わった。

気分がふさぎがちな人にもこうした運動を勧めたい。そのような人はたいてい自尊心が低い。

それは日々、自分がどんな気分になるか読めないためで、今日は不機嫌になるのだろうか、それとも朗らかでいられるだろうか、と不安になる。わたしの患者ジリアンはまさにそんな状態で、理想的な男性と婚約したのに、気分が落ち込み、イライラしがちだった。そこでわたしと彼女はその問題を掘り下げることにした。当然のごとく、わたしは運動を強く勧め、彼女は最初は嫌がっていたが、ついにオフィスのそばのジムに入会した。賢明にも、すでにジムの会員だった同僚と一緒に行くことにし、毎日昼休みに励ましあいながらエクササイズした。数か月後、彼女は自分に満足できるようになった。毎日の運動がいかに自分を安定させるかを話してくれた。それに、運動によって生活のリズムも保たれるようになり、ますます気持ちが安定した。

気分が激しく変化する人は、自分のことを双極性障害〔躁うつ病〕だと言うかもしれないが、それは、うつ病とはまた別の話だ。これまで双極性障害について触れなかったのは、その障害に対する運動の効果がほとんど研究されていないからだ。しかし近年行われた予備研究で、双極性障害で入院している患者のうち、ウォーキング・プログラムに参加した人は、それに参加したがらない、もしくは参加できない患者と比べてうつの症状が少なく、不安感もあまりないことがわかった。また、双極性障害の患者を定期的に人とかかわらせるようにすると、長期的に見て症状が改善された。運動が双極性障害の治療に組み入れられるようになったのは、つい最近のことだ。

ある意味、運動は治療としてより予防としての方がはるかに重要だ。うつの初期症状として、まだそれほど気分が落ち込まないうちに現れるのは睡眠障害だ。なかなか起きられなかったり、寝つけなかったり、その両方の症状が出ることもある。わたしはそれを睡眠慣性（目覚めたあとも眠気が残る症状）だと考える。睡眠を始めるのもやめるのもうまくできないのだ。結果、エネルギーが失われ、ひいてはものごとに対する興味が失われる。そうなったら、すぐに動き始めることが大切だ。そして、それをやめてはいけない。毎日の散歩、ランニング、ジョギング、自転車、ダンスレッスンのスケジュールを決めよう。眠れないのなら、毎朝、夜明けとともに散歩に出よう。犬を散歩させ、生活リズムを変えよう。うつに背を向けて走るのだ。人生がかかっている覚悟で、一四〇〇キロカロリーを燃焼させ、問題を根から摘みとろう。

深刻なうつ病になると、どん底にいるような気がして、じわじわと死に向かっているような状態になる。外に出たりジムに行ったりするのはほぼ不可能で、それどころか想像すらできないかもしれない。そういう場合は、まず医者に診てもらって、オメガ3脂肪酸のサプリメントを摂取しよう。その成分は抗うつ効果が実証されている。それが脳を解放するので、少なくとも散歩には出られるようになるだろう。そこで助けを求めよう。友人や家族に毎日立ち寄ってもらい、できれば、一緒に近所を散歩してもらうといい。イギリスとオーストラリアでは、ずいぶん前からうつ病患者のウォーキング・グループの活動が盛んで、アメリカでも普及し始めたところだ。インターネットで近所にそのようなグループがあるかどうか調べてみよう。それがなくても、お金に余裕があれば、決まった時間にパーソナル・トレーナーに来てもらうというのも手だ。ソファから起き上がることさえできないのに、なにをばかげたことを、と思われるのは承知の上だ。もしそうだとしたら、なおのこと是が非でも体を動かすべきなのだ。

運動に即効性はないが、なんとしても、脳をふたたび作動させなければならない。体が動き始めたら脳も動かざるを得なくなる。これは段階的に進めていくものであり、最善の戦略はともかく最初の一歩を踏み出し、さらに大きな一歩を踏み出すことだ。最初はゆっくりと始め、積み重ねていこう。うつとは、本質的には、なにに対しても動こうとしない状態だ。運動はこの否定的な信号を反転させ、脳を騙して冬眠から目覚めさせるのだ。

第六章

注意欠陥障害

注意散漫から脱け出す

「おそらく三歳のころには、すでに自分がほかの子どもと違うということに気づいていたと思います。兄弟も、近所の子も、自分のように犬みたいにひもでつながれてはいなかったからです」と手紙に書いてきたサムは、三六歳のベンチャー・キャピタリストだ。彼は長年にわたる自分の障害について理解したいと思っている。同じ症状が幼い息子にも現れ始めているそうだ。「わたしは家ではずっと問題児扱いで、よく犬小屋に押し込められ、学校では『落ちこぼれ』用の席をあてがわれました。先生は、この子はやればできるのに、やる気がないのだと思っていたようです。今では自分の考えをきちんと整理して言えるようになりましたが、明日できることは明日やる、というところは残っています」

サムは決して頭は悪くなかったが、注意欠陥・多動性障害（ADHD）の人の多くがそうであるように、突飛な行動をとるせいで、周囲の人からは、手に負えないばかか、あるいは甘やかされすぎだと思われてきた。同じ屈辱を息子に味わわせたくなかったし、ビジネスパートナーと妻の勧めもあって、わたしのもとを訪ねてきたのだった。「なにもかもめちゃくちゃなまま、なぜやっていけるのか、妻たちにはまったく理解できないようです」と彼は語る。

混乱、周囲の注目、締め切り――そのような強いストレスが彼の脳にとってはドラッグのようにはたらく。手紙にはこれまでの経緯が記されていた。権威に従うことができず、一四歳でドラッグをやるようになり、何度も懲罰を受けたそうだ。それでも不良になったわけではなかった。一六歳のときには、両親から成績がよくなるまで車の免許を取らせないと言われ、ほぼ一夜にしてGPA（成績評価点平均値。四点満点）を一・五から三・五に上げた。先生の言った通りだと、だれもが思った。やればできるじゃないか。

だがサムの場合、やる気が問題なのではなかった。ＡＤＨＤは、脳の注意システムがうまくはたらかない結果なのだ。このシステムは、覚醒、やる気、報酬中枢、遂行機能《エグゼクティブ・ファンクション》、そして動作をつかさどる部位がニューロンでつながってできている。そのひとつ、「やる気」について考えてみよう。ＡＤＨＤの人が「やる気さえあればいい」のは、確かにそのとおりだが、人間心理のほかのあらゆる面と同様に、やる気も生物学的に生じるものだ。授業中、落ち着きのない子どもが、テレビゲームなら何時間もじっと座っていられるのはどういうわけだろう。夫が話しているときには「心ここにあらず」の女性が、ブラッド・ピットとアンジェリーナ・ジョリーのゴシップ記事に読みふけるのはなぜだろう。「あたりまえじゃないか、だれだって興味が湧くものには熱中できるものだ」と言われるかもしれないが、実は、そういうことでもない。彼らの脳を機能的磁気共鳴画像法（ｆＭＲＩ）で見れば――科学者たちが実際そうしたように――状況によって報酬中枢の活動がはっきり違っていることがわかる。報酬中枢はドーパミン・ニューロン〔ドーパミンを産出するニューロン〕が束になった部位で、側坐核と呼ばれ、喜びや満足の信号を前頭前野に送って、集中するために必要な動機ややる気を生み出している。

　報酬中枢を活性化して脳を集中させるのに必要な刺激は、人によって異なる。結局、サムをしゃんとさせたのは、大学で入った運動部の厳格なシステムと激しい運動、そして故郷の人々に、自分はばかではないことを示したいという思いだった。フットボールではリーグ・ディヴィジョンⅢに出場し、ラクロスでも活躍し、何度も学長表彰を受けた。「毎朝五時からという厳しい練習に参加するうちに、自分もやればできることがわかったのだと思います」と手紙には書かれていた。

現在、サムは毎朝数キロ走り、ベンチャー投資会社の共同経営者として、起業家と大口投資家の仲介をしている。その競争の激しい世界でやり手、つまり、エネルギッシュで、社交に長け、取引を成立させるコツに通じた人物として知られている。大きな取引に向かうときには、難なく集中できる。プレッシャーが大きいほど集中力が研ぎ澄まされ、細かなことまで気がまわるようになる。終日、その取引のことで頭がいっぱいになるほどだ。

矛盾しているようだが、そのように極端な集中力はADHDの人によく見られる性質で、ゆえにしばしばその障害が見逃される。新しく来た患者をADHDと診断すると、「そんなはずはない、本を読んだりなにかをしたりするときにはしっかり集中できるから」とよく反論される。だが、そもそも彼らの注意システムの不具合は、「欠陥」と呼ぶべきものではない。むしろ、思ったとおりには注意を向けられない、集中できないということなのだ。そこで患者には、ADHDは「注意変動障害」だと考えた方がわかりやすいと話している。欠陥と呼ぶほど一貫した障害ではないからだ。

サムはその点をよく理解している。重要な仕事や打ちあわせは、早い時間に片づけるようにしている。そうすれば、早朝ランニングの鎮静効果がまだ保たれているからだ。時間が経つにつれ、注意散漫になっていく。たとえば、かけ直すべき電話があったとしても、秘書に言われるまですっかり忘れている始末だ。かつて学校で問題児扱いされる原因となった症状と今も戦いながら、ADHDをコントロールするすべを見いだし、多動性をある程度抑え、むしろ強みにさえしている。自分の問題をよく理解することによって、日常生活と人生をうまく調整し、成功者になったのだ。

とてつもない注意散漫

わたしはこれまでにＡＤＨＤに関する本を三冊、友人で同僚のネッド・ハロウェルとともに著してきた。一作目の『へんてこな贈り物〜誤解されやすいあなたに——注意欠陥・多動性障害とのつきあい方』は一九九四年に刊行されてベストセラーになり、幅広い層の人がＡＤＨＤとはいったいどんな病気なのかを知った。ちょうどそのころ、二〇世紀最大の文化的パラダイム・シフトが起きた。ワールド・ワイド・ウェブの登場である。インターネットから情報が延々と流されるおかげで、だれもが注意散漫になりやすくなった。

今日の世界では、すぐ気が散ってしまう。情報や雑音、邪魔するものに囲まれているので、だれでも、ときに圧倒され、集中できなくなる。世界の情報量は数年ごとに倍増しているが、わたしたちの注意システムは、脳のほかの部位と同じく、身の回りの環境について理解するのがせいぜいだ。その点においては、一万年前とまったく変わっていない。ところがコンピュータが支配するこの社会では、なんでもスピーディに進むのが当然で、そうでないと、たちまちイライラすることになる。携帯が鳴らない、メールが届かない、そんなことが一時間もつづくと、なにかあったのではないかと心配になる。計画を練ったり、事前によく考えたり、その結果を予測したりする時間や忍耐力なんかもういらない。ワンクリックでつぎに進めるなら、それでいいじゃないか。そんな時代にあって、運動が優先リストの最下位に押し込められているのは不思議ではない。運動には、計画と努力が求められるからだ。

専門家は、アメリカの成人のうちＡＤＨＤを患っているのはせいぜい四パーセント（一三〇〇万人ほど）だと推定するが、残り九六パーセントが注意力の問題と無縁だというわけではない。だれでも多かれ少なかれ、注意散漫になることがある。そしてこれまで述べたように、精神障害の程度は人によってずいぶん異なる。シャドー・シンドロームとは障害というほどではない個人的性格の傾向で、医者が診断する際のチェックリストとは必ずしも一致しない。たとえば、ＡＤＨＤのシャドー・シンドロームの人は、恋愛関係で問題を起こしがちだ。その一方で、緊張を強いられる勢いのある分野で成功を収める可能性も高い。その両方もあり得る。起業家、株式のトレーダー、セールスマン、救急救命室の医師、消防士、法廷弁護士、映画界の大物、広告業界の重役になっている人も珍しくない。それらの仕事では、多動性、型に囚われない考え方、リスクを厭わない姿勢が大きな成果に結びつくからだ。注意散漫なのは、熱狂的な環境では長所にもなる。ＡＤＨＤのシャドー・シンドロームの人は、系統だったやり方が苦手で、物忘れがひどく、対人関係で問題を抱えるかもしれないが、プレッシャーがかかると状況をうまくコントロールできるようになる。

今でも、かつてのサムの先生のような考え方をする人はいる。注意散漫になったことはだれでもあるので、ＡＤＨＤの人でも努力すれば集中できるはずだと思ってしまうのだ。わたしが会う人のなかにも、ＡＤＨＤは怠惰なだけだとか、親の育て方、愚かさ、強情さ、乱暴さの表れだといまだに信じている人がいる。皮肉なことに、そのような疑念の根っこは医学界にある。そこでは、何十年にもわたって、ＡＤＨＤはおとなになれば魔法が解けたように治ると考えられていた。わたしが自分の業績としてとても誇りに思っているのは、この旧弊な考え方に挑戦し、ＡＤＨＤはおとなになってもつづくことを示したことだ。

現在、ＡＤＨＤについては医学的な研究が進み、態度の問題ではないことがはっきりしている。そうでなければ遺伝するはずがない。二〇〇〇組近いオーストラリアの一卵性双生児を調査したところ、片方がＡＤＨＤだと九一パーセントの確率でもう一方もＡＤＨＤだった。

また一九九〇年には、ＡＤＨＤが生物学的な異常によるものだということを証明する画期的な研究が発表された。アメリカ国立精神衛生研究所のアラン・ザメトキンとその同僚によるもので、彼らはＰＥＴ（陽電子放射断層撮影装置）で成人の脳の活動を測定し、注意力テストを受けているとき、ＡＤＨＤの人の脳は、そうでない人の脳とはたらきが違うことを示した。ＡＤＨＤグループは対照グループと比べて脳のはたらきが一〇パーセント低く、最も著しい違いは前頭前野に認められたのだ。そこは行動を調整していて、運動によるプラス効果が現れやすい部位でもある。

問題の兆候

「注意欠陥障害」という言葉が初めて登場したのは、一九八〇年に出された『精神疾患の診断・統計マニュアル』第三版においてだった。以来、そのおもな症状の注意欠陥と多動性を別々に診断すべきかどうか、議論が重ねられてきた。ＡＤＨＤの症状として、注意欠陥は必ず出るが、多動性の方はときどき見られる程度だ。多動性はおとなよりも子どもに多く、とくに——絶対というわけではないが——男の子に多い。そして長年にわたって、手に負えない乱暴な子どもだけがＡＤＨＤと診断されてきた。多動性の子どもと、ぼんやりと夢見がちの子どもを結びつけて考える人はいなかった。しかし、どちらのケースも治療法は同じであり、現在ではは多動性があってもなくても、この障害はＡＤＨＤと呼ばれている。

多動性の子どもはだれが見てもすぐにそうとわかる。彼らは壁にぶつかるほどの勢いで駆けまわり、少しもじっとしていない。椅子に座らせると体のあちこちをいじったり、貧乏ゆすりをしたり、いたずら書きをしたり、手遊びしたりする。忍耐力がないので、周囲の邪魔をするし、考えなしにものを言う。いつも急かされているように感じており、人の話を先取りして言ってしまう。聞かなくてもわかっていると思っているか、相手の話に飽きてしまうのだ。

総じて、じっくり仕事に取り組むのが苦手だ。ひとりで遊ぶのに耐えられず、学校でうまくやれないと、あえて道化を演じることも多い。社会性はあるが、社会的な合図を見逃すため、行動に不器用なところがある。そして、サムのように、幼いころから自分は出来損ないだと聞かされて育つ。しかし、たえず動いていなければ気がすまない彼らは、当然のようにスポーツをするようになり、かなり活躍もする。

また、多動性の一部として、衝動的なところがある。子どももおとなも、よくも悪くも反応が過剰で、すぐ感情的になったり、怒ったりする。車の運転中にかっとなるのは基本的にはかんしゃくのせいで、ＡＤＨＤでもとりわけ多動性が著しい人に見られる危険な傾向だ。交通渋滞に耐えてわたしのオフィスに来るだけでひと苦労だと言う患者も何人かいる。「ヘッドライトに榴弾砲がついていればいいのに！」とある女性は言った。「そうしたら、皆こっぱみじんに吹き飛ばしてやるわ！」忍耐力の欠如がさらに拍車をかける。ＡＤＨＤの人は列に並ばないためならどんなことでもするし、待たされるとなると感情を爆発させる。

不注意や注意散漫はＡＤＨＤの症状として一般的だ。わたしのもとを訪ねてきたある夫婦は、妻の不注意のせいで関係にひびが入りかけていると訴えた。彼女は集中治療室での仕事を天才的によくこなしたが――それが生きがいだった――家族に注意を向けることができなかった。わたしのオフィスで夫はそう説明しながら、「ほら！　あの調子です」と言った。確かに彼女は窓の外に目をやっていた。ＡＤＨＤの人は不意に話題に興味を失い、考えていたことや目標や、ほかのことを忘れてしまう。典型的な兆候は旋回《ピルエット》で、ドアを出たとたんにくるりと回って家に入り、忘れ物を取りに二階へ駆け上がる。もちろんだれでもそんな経験はあるが、わたしの患者の何人かは毎日そうなのだ。ＡＤＨＤの生徒は宿題をしたとしても、それを家に置いてくる。

ＡＤＨＤの脳にとって、仕事に取りかかるのはとてつもなく大変で、先延ばしにするのはお手のものだ。この脳のもち主は、なにかやりたいことをやろうとして机の前に座っても、どうでもいいようなことを始めてしまう。注意欠陥障害の患者は、とことんまで追いこまれないと、仕事を片づけられない。整理整頓が大の苦手なので部屋やオフィスは散らかり放題だ。それに組織とは愛憎半ばする関係である。患者のサムは権威には反抗していなかったが、組織をうまく導けないことにいらだっているようだった。

逆説的だが、ＡＤＨＤによく効く治療のひとつは、きわめて厳しい組織にはめ込むことだ。長年、ＡＤＨＤの子どもをもつ親の多くが同じようなことを言うのを耳にしてきた。「ジョニーはテコンドーをしているときは、ずいぶんいい子なんです」宿題はしないし、怒りっぽいし、気難しいし、問題ばかり起こすのだけれど、ようやく長所が見えてきた、と。

それはほかの武術でもいいし、バレエ、フィギュアスケート、体操など、枠組みのしっかりした運動でもいい。比較的新しいスポーツであるロッククライミング、マウンテンバイク、急流でのパドリング、それに、お母さん方は眉をひそめるかもしれないが、スケートボードも激しい運動の最中に複雑な動きを要求するので、効果がある。脳と体の両方に負荷をかける運動は、有酸素運動だけするより効果が高いのだ。ホフストラ大学のある大学院生が小規模な研究でそれを証明しようとした。八歳から一一歳までのＡＤＨＤの少年のうち、週二回武術の稽古に通っている子どもは、普通の有酸素運動をしている子どもに比べて、行動と成績がいくつもの項目で大きく改善した（どちらのグループも、まったく運動をしないグループに比べると劇的な改善を見せた）。武術の稽古に参加している少年は、そうでない子よりもきちんと宿題や予習をし、成績も上がり、規則もあまり破らなくなり、席を立って駆けまわることも減った。つまり、落ち着いて勉強に取り組めるようになったのだ。

このようなスポーツに特有の型の決まった動きは、脳の幅広い部位――バランス、タイミング、動きのつながり、結果の予測、切り替え、エラーの是正、運動の微調整、活動抑制、そしてもちろん過剰な集中をコントロールする部位――を活性化させる。極論すれば、こうしたスポーツは生きるか死ぬかにかかわるものだ。空手の攻撃を避け、平均台から落ちて首の骨を折らないようにし、波しぶきの上がる急流で溺れないようにするのだから。そのために闘争・逃走反応が起こり、集中力が高まる。心が極度に警戒していれば、そうした活動に必要な技を学ぼうとする気持ちは強くなる。脳にしてみれば、生きるか死ぬかがかかっているからだ。そして、当然ながら、そのスポーツをやっているほとんどの時間、有酸素運動をしているので、認知能力は高まり、新しい動きや戦略を体得しやすくなる。

大々的に、しかも曖昧に、やり遂げる

注意システムは脳の真ん中に居座っているわけではない。その実体は、脳幹にある覚醒中枢の青斑核を起点として四方に広がる双方向のネットワークで、脳全体に信号を送って目覚めさせ、注意を喚起している。このネットワークには報酬中枢、辺縁系、大脳皮質といった部位がかかわっている。最近では、それに小脳も含めるようになった。小脳はバランスと流動性をコントロールしている。注意力、意識、そして体の動きをつかさどる部位の多くは重複していることが明らかになっている。

注意システムの回路を調節しているのは、神経伝達物質のノルアドレナリンとドーパミンだ。この二つは分子レベルでとてもよく似ていて、互いの受容体に結合できるほどだ。ADHDの薬はこの二つの化学物質をターゲットにしている。さらに科学者は、ADHDに関する多くの遺伝子のうち、この二つの神経伝達物質を調節する遺伝子に注目する。

大まかに言って、ADHDの人の問題は、その注意システムにむらがあることだ。自分では、途切れている、ばらばらになっている、まとまりがない、と感じるようだ。そうなるのは、神経伝達物質のどちらかか、注意システムにかかわる部位のどこかがうまく機能していないからで、症状が千差万別なのは、そのように原因がいくつもあるからだ。

たとえば、青斑核は睡眠のオンとオフを切り替える役割を担っていて、概日《がいにち》リズムと密接に

結びついている。ＡＤＨＤの人に共通する症状のひとつに、睡眠パターンの異常がある。なかなか寝つけなかったり、逆に起きにくかったり、夢遊病や寝言、悪夢に悩まされたりする。当初、多動性の子どもは、覚醒に問題があると見られていた。つまり「部屋中駆けまわる」子どもは、眠気を覚まそうとしてそうしているのだと見られていたのだ。しかし、脳幹の奥でせっせとノルアドレナリンを生成している青斑核は、この異常のきっかけを作っているにすぎない。青斑核から延びているノルアドレナリンを運ぶ軸索は、腹側被蓋《ふくそくひがい》領域（ＶＴＡ）から延びているドーパミンを運ぶ軸索とともに、扁桃体のニューロンに結合している。

第三章で述べたように、扁桃体は入ってきた刺激に対して、意識に先だって感情の反応の強さを決め、その刺激を高次の処理過程へと送り出している。ＡＤＨＤに関して言えば、扁桃体はものごとの「注目度」を決めている。ＡＤＨＤ患者がかんしゃくを起こしたり、やみくもに攻撃的になったりするのは、扁桃体による調整がうまくいってないからだ。扁桃体が刺激に対して敏感すぎるとパニック発作が起きるおそれもある。もっとも、ときには興奮しやすい性質がプラスにはたらくこともある。ＡＤＨＤの人はなにか目的に向かうときには非常に熱心で、部屋中の人を元気にさせることができるのだ（ほかの人の注意を引きつけておくのは、ＡＤＨＤの人にとって朝飯前だ）。

ドーパミンも側坐核、いわゆる報酬中枢に信号を運んでいる。リタリン、アンフェタミン－デクストロアンフェタミン（商品名アデラール）、その他、興奮を引き起こすもの――コーヒーからチョコレート、コカインに至るまで――が最後にたどりつくのも報酬中枢だ。そこは、十分に活性化されなければ、なにに注目すべきかを前頭前野に伝えるという大切な役目を果たすことができない。つまり報酬中枢は遂行機能のうちの、優先順位をつける作業に携わっているのだ。優先順位がはっきりしていればこそ、やる気は出てくる。基本的に脳は報酬中枢が反応しないとあまりはたらかない。側坐核を損傷したサルは注意力を維持できず、報酬に直結しない作業はやろうとしない。同じことがＡＤＨＤの人についても言える。彼らは、大学入試のための勉強というような、長い目で見て価値がある地味な作業よりも、すぐに満足が得られる作業を好む。わたしは彼らを「現在に囚われる人」と呼ぶ。長期目標に焦点を合わせられないので、やる気がないように見えるのだ。

前頭前野もＡＤＨＤに対して責任がある。一般に注意不足とは、重要でない刺激への関心を抑制できないことだと考えてよい。言い換えれば、注意を払うべきでないものにどうしても注意を向けてしまうのだ。前頭前野は作動記憶の拠点でもあり、報酬が得られるまでのあいだ注意力を持続させ、同時に複数の問題をまとめて保持することができる。作動記憶が損なわれると、人は長期目標に向かって作業や仕事を進めることができなくなる。それは、作業、熟考、加工、順序づけ、計画、練習、そして結果の予測ができるほど長く考えを心に留めておけないからだ。作動記憶はランダム・アクセス・メモリ（ＲＡＭ）のようなもので、遂行機能すべての基幹と見なされている。ＡＤＨＤの人が時間の管理が苦手で、遅れがちなのも、作動記憶の欠損ゆえである。彼らは、時間が経つことを文字通り忘れてしまうので、するべき仕事に取りかかろうとしない。遅刻つづきでクビになりそうなあるＡＤＨＤの女性は、たとえば朝、シリアルの箱をとろうとして、食器棚が乱れているのに気づくと、出かけなければいけないことを忘れてしまう。そしてひとしきり整理に熱中したのちに、なにをすべきだったかを思い出してパニックになる。

全コントロール・ユニット、注目！

情報に注意が向けられればそれでいいわけではなく、その情報が脳内でスムーズに流れることも重要だ。ここで注意システムと体の動き、ひいては運動とが結びついてくる。体の動きをコントロールする脳の部位は、情報の流れも調整しているのだ。

小脳は脳のなかでも原始的な部位で、動きのコントロールと精錬だけにかかわっていると長く考えられてきた。空手の蹴りであれ、指の鳴らし方であれ、なにか動きを覚えようとするとき、小脳はフル回転している。小脳は、脳のわずか一〇パーセントの体積しかないのに、ニューロンの半分を有している。つまり、そこにはぎっしりニューロンが詰まって、常に活動しているのだ。小脳がリズムを調整しているのは、動きだけではない。脳のシステムのいくつかも調整し、そこが新しい情報をスムーズに流し、管理できるようにしている。ＡＤＨＤ患者は、小脳の一部が小さく、正しく機能していない。注意力が途切れがちなのはわけあってのことなのだ。

小脳は、前頭前野と運動皮質――それぞれ思考と動きの中枢――に情報を送っているが、その途中で大脳基底核と呼ばれるニューロンが集まった重要な場所を通る。そこは一種のオートマチック・トランスミッション（自動変速機）で、大脳皮質の要求に応じて、注意力に向ける資源を配分している。そのはたらきは、中脳の黒質から出されるドーパミンの信号によって調節されている。ドーパミンは自動変速機のオイルのようなもので、それが足りないと、注意を簡単にシフトできなかったり、つねに高速ギアに入ったままになったりする。それがADHDの人の状態だ。

科学者が大脳基底核について知っていることの多くは、パーキンソン病の研究からもたらされた。パーキンソン病は大脳基底核のドーパミン不足によって起きる。この病気は、運動機能だけでなく、複雑な認知作業の調整能力にも打撃を与える。初期段階では、そうした不調が成人発症のADHDとして表れる。

この類似は重要で、現在、神経学者は、数々の信頼できる研究に基づいて、パーキンソン病の初期段階にある患者に、病気の進行を食い止めるために毎日の運動を推奨している。ある実験では、ラットの大脳基底核のドーパミン・ニューロンを破壊して、パーキンソン病を発症させ、その半数を「発症」後一〇日間、毎日二回ランニングマシンで走らせた。驚くべきことに、ランナーたちのドーパミン・レベルは正常な値を保ち、運動機能も衰えなかった。パーキンソン病患者についてのある研究では、激しい運動が運動機能だけでなく気分も向上させ、そのプラス効果は運動をやめたのちも六週間以上、持続した。

とくに興味を惹かれるのは、運動と注意力の強い結びつきだ。この二つは、脳内で同じ回路を共有していて、おそらくそれゆえに、武術のような活動はADHDの子どもに効果があるのだろう。新しい動きを覚えるために、彼らは集中しなければならず、その際、運動システムと注意システムの両方が動員され、鍛えられるのだ。

異論は多いものの、失読症（ADHD患者の約三〇パーセントが発症する）を治療するのに、もっぱら運動を通じて小脳を鍛えようとする方法がある。それは「失読症・統合運動障害・注意欠陥障害治療（ＤＤＡＴ）」で、ベースとなっているのは、脳が運動をまとめられないのは、視標追跡（目の動き）の不調に原因があり、ゆえに読むのも書くのも困難になるという考え方だ。また、失読症を抱える子どもの大半は、小脳機能のテストの成績が平均以下であることも研究者らは知っている。ＤＤＡＴでは、一日二回、一〇分間、ごく単純な運動技能の訓練をする。二〇〇三年、イギリスの研究者が失読症の子ども三五人にＤＤＡＴを試したところ、「驚異的」な結果が出た。治療しない生徒に比べ、ＤＤＡＴを六か月間受けた生徒は、読み書き能力、視標追跡、認知能力、敏捷性やバランス感覚などの身体機能が格段に向上したのだ。

わたしの友人で同僚のネッド・ハロウェルは、自身のＡＤＨＤ治療センターで、（数ある方法のなかから）この方法を用いていて、自らの息子にも効果があることを確認した。また最近、コロンビア大学医学部の著名な科学者たちが、ＡＤＨＤの治療におけるＤＤＡＴの効果を測る大規模な研究に着手したところだ。

薬理学的な研究により、ＡＤＨＤの薬は小脳と大脳基底核の線条体の活動を正常化することがわかっていて、この二つの部位が運動だけでなく注意力にとっても大切であることが推測される。おそらく、脳の運動中枢を鍛えてその高次の機能を向上させれば、薬に頼らなくてもよくなるはずだ。

初期の手がかり

わたしは確定申告の準備を一〇月前に始めたためしがない。いつも年明けには、今年こそ締め切り前に出すぞと決意を固めている。そして一月上旬は、会計士に出す書類をきちんと集めている。だが、しばらくするうちに、カードの利用明細がなくなっていることに気づく。カード会社に電話して写しを送ってもらえばすむのだが、そんな簡単なことでもわたしの熱意は大いにくじかれる。なくした書類を探したり、ファイルに貼る小さな白いラベルを買ったりといった細々した作業をやらなければという気持ちが、何か月も心の奥底でくすぶっている。そして、その時期がすぎると、やる気はすっかり消えてしまっている。

幼いころのわたしは、ありがたいことに学校では厳しい修道女に監督されていたし、校外では、いろいろなスポーツをやって駆けまわっていた。それでも部屋は大変な散らかりようだった。忘れ物はしょっちゅうで、テニスのコーチからは、これまで見たなかで最高に気まぐれな選手だと言われた。

明らかにわたしはADHDだったのだが、そうとは知らなかった。当時は、その病名すらなかったのだ。注意力に問題がある人は皆、多動性と見られていた。

医者になり、一九八〇年代初めにマサチューセッツ精神衛生センターで教えるようになって初めて、この症状との接点ができた。わたしの教えている研修医が二二歳のADHD患者を連れてきたのだ。発作的に暴力を振るい、入退院を繰り返しているということだった。一〇代のころは多動性を抑えるためにリタリンを飲んでいたが、服用をやめてずいぶん経っていた。当時、多動性はおとなになれば自然に治るもので、成人後も興奮剤を飲みつづけると依存症になる危険性がある、と考えられていたのだ。もう一度リタリンを試させたところ、暴力的な発作はかなり治まった。彼は心底ほっとしていた。自分がこんなに落ち着いて集中できることをすっかり忘れていたそうだ。

当時、わたしは重度の攻撃性に興味を惹かれ、どうして患者が凶暴になるのかを調べ、治療し、論文を書いていた。その過程でたまたま当時ペンシルヴェニア大学の神経学科のトップだったフランク・エリオットの研究を知った。彼は、多くの囚人について調べ、その八〇パーセント以上が子どものころは深刻な学習障害だったことを発表した。

わたしは自分が抱えている攻撃的な患者たちの学校時代の記録を調べてみた。すると、似たような物語が浮かび上がってきた。彼らは幼いころからずっと、自分の考えや態度や行動を抑えられなかったのだ。多くは権威を嫌い、いつも失敗ばかりなので自尊心が低く、衝動のままに動いていた。人生の早い段階から問題を起こし、性格のよい面を引き出せていなかった。大多数は一〇代で薬物依存症になっている。そうした傾向は、キレやすい性質と容易に結びつき、暴力沙汰を引き起こす。わたしには、彼らの破壊的な行動は注意システムの欠陥に根づいているように思えてきた。

外来患者を注意力というフィルターを通して見始めると、うつ、不安、薬物濫用、怒りなど慢性の問題を抱えている人のなかに、注意システムがよくはたらかない人がいることがわかってきた。多動性がともなわないので見逃されていたのだ。彼らにADHDの薬を処方したところ、症状は大幅に改善した。自分の考えについて同僚と議論していくうちに、注意欠陥には症状の軽いものもあり、だれもが刑務所に入ったり、入院したり、職を失ったりするとは限らないことがわかってきた。おまけに、わたしと友人のネッドにもその症状があることが判明した。

わたしは成人のＡＤＨＤについて初めて論文を書いたが、どこにも受け入れてもらえなかった。うつや不安障害の症状を誤診しただけだとか、ＡＤＨＤとは違う病気だとか言われたものだ。だが、一九八九年にマサチューセッツ州ケンブリッジの会議で、ネッドとともに成人のＡＤＨＤについて初めて講演したとき、わたしは自分たちが正解に近づきつつあることを知った。その講演は、ＡＤＨＤの子どもをもつ親の団体に向けてのもので、タイトルはずばり「おとなのＡＤＤ（注意欠陥障害）」だった（当時はＡＤＨＤとは呼ばなかった）。部屋を埋める二〇〇人ほどを相手に講演を終え、質疑応答に入った。一五分くらいで終わるだろうと思っていたが、それは四時間もつづいた。聴衆は通路に置かれたマイクを取り囲むようにして、つぎつぎに自分の物語を話し、その意味を尋ねた。彼らの多くは子どもたちと同じ障害があり、それを自覚していたのだ。

また、ある精神医学の教授が、パーティでわたしがおとなのＡＤＨＤの事例について話しているのを聞いて、後日、治療を求めてやってきたこともある。「わたしのことを言っているのだと思いましたよ」彼はそう切り出し、自分の病歴について専門用語を交えて説明し始めた。ここではチャールズと呼ぶが、心ここにあらずといった感じで、メガネをかけ、よれよれのツイードの上着を着ていた。しかし、精神医学については当時のわたしよりずっと詳しかった。実際、わたしは彼の書いた本を何冊も読んでいた。

かつてチャールズはマラソンを走っていたが、膝を壊し、やむなくその生きがいをあきらめた。そのときから人生がねじれ始め、彼はうつになった。のちにＡＤＨＤだとわかる症状に気づいたのもそのころだ。ガールフレンドに執筆を邪魔されるとかんしゃくを起こし、集中しようとしているときに電話が鳴ると、コードを壁から引きちぎってしまうありさまだった。徐々に友人とも疎遠になっていった。ＡＤＨＤの症状と一致したので、その薬を出したところ、効果があった。

最初に来たときに、チャールズは抗うつ剤を服用していたが、理学療法をやめてトレーニングを再開すると、かなり気分がよくなったのでその薬もやめた。さらにトレーニングを積み、昔の体力をほぼ取り戻したとき、彼はＡＤＨＤの薬がランニングの妨げになっていることに気づいた。一マイルのタイムが以前より一〇秒ほど遅かったのだ。

そこで数日間、ＡＤＨＤの薬なしですごしてみたが、トレーニングしている限り、薬がなくても集中できることがわかった。思えば、かつては集中力が途切れるようなことはなかった。そのころはずっと熱心なランナーだったからだ。集中力を思うようにコントロールできなくなったのは、怪我をして走れなくなってからのことだ。こうしてみると運動の効果は明白で、それはわたしにはなによりの知らせだった。

エクササイズに集中する

同じころ、わたしはチャールズのほかにも、知的で有能な専門職についているＡＤＨＤの人を何人も診始めていた。彼らは文献に載っているステレオタイプとは合致しなかった。ネッドとわたしが『へんてこな贈り物』で取り上げるまで、ＡＤＨＤでありながら社会的に成功しているおとなの事例についてはだれも語ったことがなかった。そうした患者のなかには、運動をすれば生産性が上がることを自ら突き止め、自己治療の手段としている人もいた。とくに記憶に残っているのは、今では何十億ドルというヘッジファンドを運営している人物だ。彼は朝には興奮剤を服用し、薬の効果が切れる昼には毎日スカッシュをやっている。

だれでも運動はエネルギーを燃焼させることを本能的に理解している。それに、多動性の子どもを扱ったことのある教師は、子どもたちは休み時間が終わると格段に落ち着いていると口を揃えて言う。気持ちが落ち着き、集中力が高まることは、第一章で紹介したイリノイ州ネーパーヴィルで実施されている「ゼロ時間」プログラムの喜ばしい成果のひとつだ。

ＡＤＨＤの子どもにとって学校生活は拷問に等しい。授業中は一時間近くじっと座って、顔を前に向け、先生の話をきちんと聞いてすごさなければならないのだ。一部の生徒にとってそんなことはとてもできないし、破壊的な行動に走るのも、多くはそこに原因がある。

信じがたいことに、ＡＤＨＤの発症率を正確に調べた研究は非常に少ない。それでも、ミネソタ州ロチェスターのメイヨー・クリニックが行ったものはかなり信用がおける。ロチェスターで一九七六年から一九八二年に生まれた子ども全員のなかで、五歳までその地に住んでいた子どもを追跡調査した。対象となったのは五七一八名だった。一九歳の時点で少なくとも七・四パーセントにＡＤＨＤが認められ、有病率は一六パーセントに達する可能性があるそうだ。ほかの研究ではＡＤＨＤの子どもの約四〇パーセントは「成長して治り」、おとなになっても治らない場合でも、多動性の症状は緩和されることが多いとしている。衝動を抑える役割を果たす前頭前野が完全に発達するのが二〇歳代前半であることは偶然ではない。それが生物学的に成熟するということだ。

脳を関与させる

ドーパミンとノルアドレナリンが注意システムの調整において主導的な役割を果たしていることを考えると、ごく大まかな説明ではあるが、運動によってADHDの症状が緩和されるのは、この二つの神経伝達物質が増えるためだと言える。それも、すぐに増えるのだ。さらに、定期的に運動すると、脳の特定の部位に新しい受容体が生まれ、ドーパミンとノルアドレナリンのベースラインを上げることができる。

また運動は、脳幹の覚醒中枢においてノルアドレナリンのバランスを整える。「習慣的に運動をすると、青斑核の調子がよくなります」と話すのは、カリフォルニア州立大学の神経科学者で精神科医のアメリア・ルッソ＝ノイシュタットだ。その結果、どんな状況でも過度に驚いたり反応したりしなくなる。イライラすることも減る。

併せて、運動は大脳基底核にトランスミッションオイルを差すはたらきもする。大脳基底核もまた、注意システムがスムーズにはたらくようにしている。ここはリタリンが結合する重要な部位であり、ADHDの子どもの脳をスキャンして見ると、この部位が普通とは違っている。ラットに運動をさせると、大脳基底核に相当する部位のドーパミンの値が上昇する。それは新しいドーパミン受容体が作り出されるからだ。

ジョージア大学のロドニー・ディッシュマンらのグループは、運動機能テストをドーパミン活性の間接的指標として、運動がADHDの子どもに及ぼす影響を調べた。その結果にディッシュマンは驚いた。男子と女子で反応が異なったのだ。男子は、激しい運動をすると、じっと前を見たり舌を出したりする能力が向上し、多動性の子どもに多く見られる運動反射を抑制できることが示された。しかし女子ではそのような改善は見られなかった。女子の方が多動性になりにくいからかもしれない。また、運動すると、男子も女子もドーパミン・ニューロンの感受性が向上した。もっとも、男子は酸素摂取量が最大となる運動が最大の効果を見せたが、女子はそれより軽い運動（最大心拍数の六五パーセントから七五パーセントの負荷）の方が効果が高かった。

活動しすぎる小脳もＡＤＨＤの子どもの落ち着きのなさの一因となっている。近年の研究で、ドーパミンとノルアドレナリンを増やすＡＤＨＤの薬を服用すると、小脳が落ちつきを取り戻すことがわかった。運動もノルアドレナリンの値を上昇させる。それも動きが複雑であればあるほどよい。ラットは柔道はしないが、武術に相当する曲芸《アクロバティック》的な運動をさせて、脳の神経化学的変化を調べることはできる。ランニングマシンで走らせたラットに比べて、複雑な運動をしたラットは、脳由来神経栄養因子（ＢＤＮＦ）の量が目覚ましく増えた。おそらく小脳でＢＤＮＦが増えたのだろう。

先に述べたように、運動は、辺縁系において扁桃体の調整を助ける。ＡＤＨＤについて言えば、それは多くの患者に見られるキレやすい傾向を抑えるということだ。新しい刺激に対する反応が穏やかになるので、たとえば渋滞に巻き込まれても、カッとなってほかのドライバーを怒鳴りつけたりしなくなる。

ＡＤＨＤが――衝動と注意力の――コントロールの欠如に由来するという意味では、前頭前野のはたらきが重要になってくる。二〇〇六年にイリノイ大学のアーサー・クレイマーが画期的な研究をした。老人たちに、週にわずか三回のウォーキングを六か月つづけさせ、MRIで脳を見てみると、前頭前野の皮質量が増えていたのだ。遂行機能を調べたところ、作動記憶が改善し、作業をスムーズに切り替えたり、不要な情報を選別したりする能力が向上していた。クレイマーの研究はADHDに関するものではないが、その発見は運動がADHDの治療に役立つもうひとつの理由を示している。

運動によってドーパミンとノルアドレナリンが増えることはだれもが認めている。イェール大学の神経生物学者のエイミー・アーンステンによると、この二つの神経伝達物質は、前頭前野の「信号対雑音比」も向上させているそうだ。彼女は、ノルアドレナリンがシナプスを通る信号の質を高め、一方ドーパミンは、細胞が不要な信号を受け取らないようにして、雑音、すなわち行き場のないニューロンのおしゃべりを抑えることを発見した。

アーンステンはまた、神経伝達物質の量と注意力の関係をグラフに表すと、釣り鐘型になると語る。つまり、一定の値までは神経伝達物質が増えるほどプラスの効果をもたらすが、増えすぎるとそこから先はマイナスの影響を与え始めるのだ。脳のほかの部位と同じく、神経スープも最適なレベルというのが決まっている。そして運動はそれを作る最高のレシピとなる。

典型的な事例

あなたがわたしの患者だったジャクソンにばったり会ったとしよう。引き締まった体つきの二一歳の若者で、ジーンズの上にシャツの裾を出し、歯切れよい言葉で将来の計画を話す。つまり、典型的なアメリカの大学生で、普通よりちょっと賢い。だが、彼のすごいところは今の姿ではなく、そこにまでたどり着いたという事実と、いかにそれをなし遂げたかだ。ジャクソンはほぼ毎日走っている。ウェイトトレーニングをする日は五キロ弱、しない日は一〇キロ近くも走る。「走らなくても罪悪感を覚えるわけではないのだけど、なにか忘れものをしたような気になります。第一に、ぼくは走りたいんです。それは運動をしていれば集中できるとわかっているからです」

初めて会ったとき、ジャクソンは一五歳だった。わたしのもとへ来たのは、ADHDのせいで不安の症状が悪化したからだ。それまで彼はつねに、ものごとを先延ばしにしては自分を窮地に追い込んでいた。先生を丸め込んだり課題の締め切りをすり抜けたりする手腕には自信があったが、ごまかしを重ねるうちに、彼の神経はすり減っていった。高校を終えるころには深い穴に落ち込み、どうすればそこから抜け出せるのか自分でもわからなかった。彼の未来は、ぎりぎりまで先延ばしにしてきた数学の試験の、ある解答の正誤にかかっていた。「ずっと延ばし延ばしにしていたので、卒業できるかどうか、本当にわかりませんでした」と彼は振り返る。「帽子をかぶりガウンをまとって卒業式に出ていましたが、名前を呼ばれるとは思えなかったのです」彼はここで口をつぐみ、こう付け足した。「頭のなかが真っ白になっていました」

ジャクソンは早い時期にADHDだと診断された。小学三年のときに教師が、その乱暴なふるまいや、授業中の課題を終えられないことに気づいたのだ。以来ずっとリタリンを服用し、なんらかの興奮剤をつねに摂取していた。頭はよかったが、学校生活はトラブルつづきだった。

トップレベルの私立高校に通っていたため、こなせる以上の宿題をいつも抱えていた。次第になかなか寝つけなくなり、寝られたとしても、胃が痛くて目が覚めた。それほどまでに学校へ行くのが怖かったのだ。ついにパニック発作を起こし――テストの点はよく、平均でBだったのだが――その学校をやめて公立校に移った。もっとも、ほかのADHDの子どもと違ってジャクソンはとても社交的だったので、放課後のクラブを設立したり、仲間として問題児のカウンセラーを務めたりしていた。自分の問題から多くを学んできたので、彼らの気持ちがよくわかったからだ。

このあらゆる課外活動は、深刻な不安障害やうつに至る性質とは対照的だった。ある時点で、わたしは彼にアデラール、パロキセチン（商品名パキシル）、効果が持続する抑不安剤のクロナゼパム（商品名クロノピン）を服用させた。学業の面では、習う内容は簡単だったが、宿題をこなすのはやはり大変で、しばしば、やっていかなかったり、休み時間に急いで片づけたりしていた。頭がいいから宿題なんかやらなくても卒業できると確信していた。まるで「スパイ」みたいな気分だったと言う。こそこそと動き回り、授業をさぼり、課題の提出を迫る教師をのらりくらりとかわし、素知らぬ顔を装った。「そんな自分をかっこいいと思っていました。いちばん傑作だったのは、歴史の先生を騙したことです。好きな教科でしたが、長文のレポートを書いたふりをして、なんとAをもらったんです。なにも書いていないし、提出もしてなかったんですけどね」

結局、卒業式でジャクソンの名前は呼ばれた。一・八というGPAでなんとか卒業できたのだ。その点数では、親のコネを使っても希望の大学には入れなかったが、こぢんまりした短期大学に受け入れてもらえたので満足だった。高校も無事卒業でき、秋から通う先も決まり、彼は有頂天だった。実際とてもいい気分だったので、夏のあいだ薬なしでやってみることにした。それも、一切やめてしまったのだ（言うまでもないが、わたしはなにも知らされていなかった）。一日以上薬なしですごしたのは小学校以来だった。「薬をやめると、それまで悩まされていた細々したことが、いくつも消えました」と彼は語る。それに、けっこう大きな悩みも解消された。初めて正常な睡眠パターンを維持できるようになり、不安も和らいだのだ。気分がいいのは、高校を卒業できたからだろうと思ったが、大学で英語のクラス分けテストを受けるためにＡＤＨＤの薬をいくつかまた飲むようになると、腹立たしい副作用の方も戻ってきた。そこでテストが終わると、また薬をやめた。

しかし、決定的な転機となったのは、その夏ガールフレンドと一緒に行ったスペインでの経験だった。海岸を「いかしたスペイン男」に交じって歩いていて、自分の太鼓腹をどうにかしなければと思った。「それで走り始めたんです。するとも、とてもいい気分になりました。いくらかはスペインで休暇を楽しんでいたせいなのでしょう。なにもかもうまくいって、そんなに勉強が忙しくない大学に行けることになったし、きっとこれもうまくいく、そう思ったんです。その秋から大学へ通い始めましたが、大変だったことは一度もありません」

わたしがジャクソンの物語に惹かれるのは、運動を始めたのは体型のためだったとしても、治療効果に気づいて、それをつづけたところだ。当初、おなかは一向にひっこまなかったが（ピザとビールのせいだ）、集中しやすくなったので、彼は走りつづけた。短期大学の最初の学期ではＧＰＡで三・九をとり、一年後には第一希望だった大学に編入した。そこは小規模ながら競争の厳しいニューイングランドの名門校だが、二年次の彼のGPAは三・五だった。専攻はなにかって？　心理学だ。

彼は自分の精神状態をはっきり理解している。運動をさぼると集中力が落ちる。「走らなかったときには、はっきりわかります」と彼は言う。「中間試験のときなど、時間がなくて走れない。すると、どうなるかわかりますか？　外に出て走らずにいられなくなるんです。それが必要なんです」

彼は走れば気分がよくなるとわかっていて、そう知っているからこそ走りつづけている。

「いつも頭のなかにたくさんの声が聞こえています。運動を始めたからと言って、ひとつのことを考えられるようになったわけではありません。過剰集中という問題も相変わらずです。なので、むしろ重要なことに集中できるようになったと言うべきでしょう。今ではなにかについて考え始めると、たいてい問題なく集中できます。薬も飲んでいないので、前ほどには睡眠の問題もありません。絶対に運動が関係しているはずです。ぼくの人生がすっかり変わったのですから。間違いないですよ」

こんな運動をしよう

ＡＤＨＤの人がだれでも、ジャクソンのように運動のすごい効果を感じられるわけではない。それに、もし相談されていたら、わたしは、薬、とくに抗うつ剤の服用をいきなりやめるようなことは決して勧めなかっただろう。彼の例から、運動はリタリン、アデラール、ブフロピオン（商品名ウェルブトリン）の代わりになるのかという問いが生じてくるが、大半のケースについて、わたしの答えはノーだ。少なくとも、デューク大学のジェイムズ・ブルメンタールとその同僚が、うつ病の治療において運動はゾロフトの代わりになると示したのとはわけが違うのだ。

しかし、ジャクソンが薬の服用をやめようと思った理由から学ぶものは大きい。思うに彼は、自分をコントロールできていないと感じていたのだろう。自分は賢いのに、それを生かせていないと自覚していたのだ。常にイライラしていると、やる気がそがれる。ジャクソンの場合、それがうつと不安の原因になった。薬を飲むとますますそういう感情が強くなり、自分が依存しているように思えてきた。それとは逆に、ランニングが日課になると、気分、不安、集中力など、自らの内面をコントロールできていると思えるようになった。生まれて初めて、人生のかじを自分で取っているように思えたのだ。彼はランニングを薬として用いたのである。

わたしは患者の大半に、症状をコントロールするツールとして、薬と運動の併用を勧めている。いちばん効果があるのは朝、運動して、一時間ほどのちに薬を飲むことだ。そのころになると、運動によって即座に生じた集中力が切れ始めるからだ。患者の多くは、毎日運動すると薬が少量ですむようになる。

つまり、治療の主導権を握ることが大切なのだ。ＡＤＨＤの仕組みについて詳しくなれば、自分の弱点がわかり、心構えができる。わたしは患者に、治療のスケジュールと方法について戦略を立てることを勧めている。環境を正しく整えれば、行動を通じて注意力が手に入り、もっと生産的になれる。なにかに集中し、それをやり遂げられるようスケジュールを立て、環境を整えよう。ボールが壁から跳ね返ってくるのを待つのではなく、前に向かって投げるのだ。秩序と枠組みを整えれば、すぐに症状が消えるわけではないが、注意を正しい方向に向けることはできる。現在、多くの患者がそうするためにＡＤＨＤのコーチに相談している。人と約束しておけば、エクササイズなどの日課を守り、目標を達成しやすくなる。

ジャクソンはランニングを日課にすることで、枠組みを整えたが、それは二つの面で効果があった。日課に組み込むことで、自然に生活のリズムが整ったし、これまで説明したように、運動はさまざまな方向から脳を集中させてくれた。

ＡＤＨＤの子どもは同年代の子どもと比べて明らかに活発で――研究によると平均して体脂肪が少ない――ＡＤＨＤのおとなは、すでに運動をしている人が多い。それでも、さらに定期的に、さらに多くした方がいい。総じて、学校や仕事に集中しなければならない患者には、なんとしてでも毎日――最低でも週五日――の運動を習慣にするべきだとわたしは助言している。ディッシュマンは、女子なら最大酸素摂取量にまでは至らない運動、すなわち最大心拍数の六五パーセントから七五パーセントの運動がより効果的で、男子には激しい運動（無酸素性作業閾値――有酸素的エネルギー供給では足りなくなる限界――をちょっと下回るくらい、これについては第一〇章で触れる）が効果的だとしている。おとなについて、同様のデータはないが、これまで見てきた限り、心拍数を上げることが重要だ。できれば最大心拍数の七五パーセントの負荷で二〇分から三〇分つづけるのが望ましい。

とくにＡＤＨＤの場合、武術や体操のように、複雑で集中力が求められるスポーツをした方がいい。そのような運動は、注意システムのあらゆる要素を動員し、人を熱中させる。ランニングマシンでただ走るよりずっと面白いし、たいてい長つづきする。つづけやすいのだ。

わたしはできるだけ朝一番にトレーニングするようにしている。ひとたび治療を始めると、一日を正しい調子《トーン》で始めたいからだ。たいていはそれでうまくいく。枠組みを整え、目の前の患者に集中するのは簡単だ。運動したあと、ドーパミンとノルアドレナリンのピークがどれくらいつづくかについて、はっきりしたところはわからないが、具体的な事例から判断すると、一時間から一時間半は落ち着いて明晰に考えられるようだ。わたしは薬を服用しなければならない人には、エクササイズの効果が消え始めるこの時点で薬を飲むよう話している。両方から最高の効果を得るためだ。

本当のことを言えば、だれでもある程度は注意欠陥障害があり、どの方法が効くかは自分で試さなければならない。効果が出る仕組みがわかっていれば、おそらく最高の解決策を自分で見つけられるはずだ。もし、最低限度を知りたいのであれば、有酸素運動三〇分というのがわたしの答えだ。そんなに長くないはずだ。それで一日の残りの大半を集中してすごせるというのであれば。

第七章

依存症

セルフコントロールのしくみを再生する

二〇〇六年一一月、ニューヨークシティ・マラソンには三万五〇〇〇人が参加した。そのなかに一六人の元薬物依存症者がいた。これまで人生の大半を「おまわりから走って逃げる」ことに費やしてきたと冗談めかして言う面々だ。ゴールインした彼らにとって、そこに至るまでの道のりは四二・一九五キロどころではない。多くは刑務所暮らしやホームレスを経験し、困窮の末にオデッセイハウスに入所した。オデッセイハウスとは、ニューヨークにある薬物依存症者のリハビリ施設で、市内六か所で約八〇〇人の治療を進めている。

そこに行くと、人間が自分の行動をまったくコントロールできなくなったらどうなるかについて、ほぼ最悪のケースを目の当たりにする。クラックやヘロインやクリスタルメスといった依存性の強いハード薬物に溺れてしまった人の生活と、薬物を濫用していても依存症にはなっていない人の生活には大きな隔たりがあるが、脳のなかで起きていることは根本的に同じだ。オデッセイハウスの教えは、依存症的な性向を自覚する人はもちろんのこと、セルフコントロールが苦手な人すべてに応用できる。現在、科学者たちは、ギャンブルや買い物依存症、過食についても、薬物濫用を説明するのと同じ生理学的用語を用いて説明するようになった。依存症の人に共通するのは、報酬系のコントロールが効かなくなっていることだ。生まれつきの人もいれば、徐々にそうなる人もいる。

オデッセイハウスは一九六〇年代後半に設立され、カウンセリングから職業訓練、高齢の中毒者の介護、家族との和解の世話までさまざまなサービスを行っている。二〇〇〇年春、ジョン・タヴォラッチという職員が毎年秋に開催される五キロのチャリティマラソンに出場するという目標を掲げて、入所者たちにセントラル・パークをランニングさせるようになった。「わたしたちも彼らと一緒に走りながら、ランニングする意味について話しあいました。それは訓練であり、習慣であり、チームワークなのです」タヴォラッチは言う。彼は今ではオデッセイハウスの最高執行責任者だ。「依存症者はたいてい孤立しています。しかし、ここでは互いに刺激しあい、目標を決めて達成することの意義を学びます」

多くの入所者はウォーキングからスタートする。最初の試練は、タヴォラッチから課されるひとつのルール、すなわち、禁煙である。つぎに、セントラル・パークの池の周り二・五四キロをランニングする。「自分の人生のためのランニング」と名づけられたこの運動プログラムには、およそ一〇〇名の入所者が参加している。まじめに走りつづける人は、そうでない人の約二倍の期間きちんと治療を受ける。「あたりまえと言われればそうかもしれませんが、治療についてひとつだけはっきり言えるのは、治療を受ける期間が長いほど、依存から回復しやすいということです」

オデッセイハウスは、治療に際してはつねに全体的《ホリスティック》に取り組み、コミュニティの大切さを強調する。それが重要なのだ、とオデッセイハウスの理事ピーター・プロヴェットは言う。なぜなら、依存症は人生のすべてにかかわる疾患であり、その影響は家庭から気分や仕事まで、生活のあらゆる面に及ぶからだ。「依存症者にとっては薬物がすべてになってしまうのです」とプロヴェットは言う。だから、それを取り上げられると、ふいに体と心の中心に「空《から》の容器」が現れる。

「その容器を満たすのに、運動よりすぐれた方法があるでしょうか」プロヴェットは問いかける。「わたしは、運動は依存症の解毒剤であるとともに、予防注射にもなり得ると強く信じています。解毒剤としては、彼らがこれまで知らなかった人生の歩み方を教えてくれます。たとえば、運動の目的、運動する気分、運動の難しさ、喜びと苦しみ、達成感、体の健康、自己評価といったことです。運動を通じて、今までとは違う、こんなすばらしい生き方もあるのだと、依存症者に教えてあげることができるのです」

リバウンドに対する予防注射としての役割も等しく重要だ。リバウンドとの戦いは、一生に及ぶことも珍しくないからだ。プロヴェットは、運動は最良の予防法だと考えている。「運動は薬物依存症という行動の対極にあります。運動には肺活量、筋力、精神力が求められますが、それらの多くは薬物によって失われてしまいます。食事を抜き、体のことを考えず、衰えるままにして、つねに依存状態で精神的にも病んでいたら、まともな運動はできません。で、き、る、わ、け、が、な、い、の、で、す」

二〇年に及ぶ経験からプロヴェットが学んできたことに、神経生物学はようやく追いつこうとしている。依存症に対する運動の効果について彼が考えていることは、わたしが第五章でうつに関して論じたこととまったく同じだ。運動は、解毒剤としては脳内でトップダウンの方向で作用する。依存症者たちはその新たな刺激に慣れるにつれて、今までとは違う健康的なシナリオを学び、楽しめるようになる。もちろん体を動かすことが大前提だし、コカインを吸ったときのような即時の快感は得られないが、運動をすれば、より広範な幸福感が少しずつ全身に広がり、長くつづけるうちに、しないではいられなくなる。一方、予防注射としては、ボトムアップの方向で作用する。脳のより原始的な部位を活動させ、薬物への欲求を鈍らせるのだ。運動することでシナプスの迂回路が生まれ、薬物を求めつづける既存の回路を使わなくてすむようになる。

「全員がマラソンを走れるようになるわけではありません。けれども、運動を始めると、みるみるうちに、依存症者からアスリートへと変わっていきます」とプロヴェットは言う。「全員に効くのかと聞かれたら、おそらく答えはノーですが、たいていの人に効くのかと聞かれたら、たぶん、イエスです」

不当な報い

脳のはたらきに関する多くの発見がそうだったように、依存症について最初の手がかりが得られたのは偶然だった。一九五四年、モントリオールのマギル大学で、心理学者ジェームズ・オールズと大学院生ピーター・ミルナーは、ラットの脳に電極を刺してショックを与え、その行動を研究していた。彼らは学習に関係する領域に針を刺そうとして、間違った場所に刺してしまった。その結果、求めていたよりもはるかに興味深い結果が得られた。ラットは電気ショックを受けられるケージの隅へ何度も戻ろうとした。驚いたことに、電気ショックを与えることで、ラットをリモコンのおもちゃのように操れるようになったのだ。翌日もラットは同じ刺激を待っていた。ラットがそれを求めているのは明らかだった。その欲求は非常に強く、ケージのもう一方の隅に置かれた食べ物には見向きもしないで電気ショック装置のある隅へ向かうほどだった。

オールズとミルナーの実験で最もよく知られているのは、ラットが自分で脳に刺激を流せるようにしたものだ。レバーを押すと電気ショックが流れることを知ったラットは、五秒ごとにレバーを押しつづけた。電源が切られたあと、数回レバーを押してなにも起きないのがわかると、ラットはさっさと寝てしまった。

オールズとミルナーが電極を刺した場所は、側坐核と呼ばれる報酬中枢と密接な関係があり、それ以来、依存症の研究はその部位に焦点を当ててきた。前章で述べたように、側坐核は注意システムの大切な連結点であり、依存症に関しても重要なはたらきをしている。その報酬中枢は、わたしたちが好み、欲し、必要とするものを手に入れるにはどうすればよいかを学ぶのに必要なやる気を脳に与えている。依存症になりやすいもの、たとえばアルコール、カフェイン、ニコチン、薬物、セックス、炭水化物、ギャンブル、テレビゲーム、買物、無謀な生き方などはすべて、側坐核のドーパミンを増加させる。薬物の種類によって心が受ける効果はさまざまだが、どの薬物も報酬系のドーパミンを急増させる。薬物の威力のすさまじさをわかりやすく説明しよう。セックスをすると、ドーパミン・レベルが通常の一・五倍から二倍に上昇するが、コカインを吸引すると、三倍から八倍にまで急騰するのだ。

側坐核は、かつては快楽中枢と呼ばれ、依存症者は基本的に快楽を求めているのだという見方を後押ししていた。確かに人が薬物を試したり、賭博に運を賭けたりするのは、最初は快楽を得ようとしてそうするのだが、依存症者を単に快楽主義者と見るのは間違いだ。だれも依存症になったことを楽しんではいない。実際、報酬中枢においてドーパミンがキーメッセンジャーとしてどう機能しているか研究した結果、なにかを好きであることと、それを欲することには違いがあることがわかった。ミシガン大学の行動神経学者テリー・ロビンソンはつぎのように語る。「なにかを好きだというのは実際の快楽体験と結びついた状態で、一方、なにかが欲しいというのは、報酬を得るために進んではたらこうとする状態です。ドーパミンは、この『意欲』に関係していますが、対象を好きかどうかには関係していません」

報酬中枢は、ADHDと依存症の両方に絡んでいて、いずれの場合も意欲や自制心、記憶が損なわれるのはそこに原因がある。ADHD患者の約半数が、なんらかの薬物依存に苦しんでいるのは偶然ではない。それが意味するところを知った科学者は、依存症に対してこれまでとは違う角度から説明するようになった。

鍵となるのは、快楽よりも、「突出」と意欲であるようだ。ここでいう突出とは、日常生活において際だっているもの、ほかのどの刺激よりも勝るものを指す。快楽と痛みの合図はどちらも側坐核に大量のドーパミンを流し、わたしたちの注意を喚起して、生き残るための行動がとれるようにする。従って、薬物によって大量のドーパミンが放出されると、脳はその薬物に注意を向けることが生死にかかわるほど重大だと誤解してしまう。「薬物は、生き残るために進化してきた中心的なシステムを刺激します」とロビンソンは言う。「そして、本来意図されていたのとまったく違う方法でそのシステムを活性化するのです」

国立薬物濫用研究所の現在の定義によると、依存症とは、健康と社会的生活に悪影響をもたらすにもかかわらず、断ち切ることのできない衝動を意味する。多くの人が薬物を濫用しているが、依存症になる人は比較的少ない。なぜだろう。薬物などへの興味が芽生え、手に入れようとするのは報酬中枢を流れるドーパミンのせいだが、どうしてもそれをやめられなくなるのは、脳の構造に変化が生じるからだ。現在、科学者たちは依存症を慢性疾患と考えている。なぜなら依存症は、反射的行動を引き起こす記憶のなかに組み込まれているからだ。依存の対象が薬物でもギャンブルでも食事でも、脳に起きる変化は同じだ。

いったん報酬が脳の注意を引くと、前頭前野はそのシナリオと感覚を詳しく記憶するよう海馬に指示する。脂っこいものに目がない人の脳は、ケンタッキーフライドチキンのにおいとカーネル・サンダースのひげ、そして赤と白の縞模様のバケツを結びつける。こうした合図が「突出」し、つながって記憶されていく。ケンタッキーフライドチキンに車で乗りつけるたびに、シナプスは新たな合図を取り込んでさらに結びつきを強めていく。このようにして習慣が作られる。

通常、わたしたちがなにかを学ぶとき、その回路ができあがるとドーパミン・レベルは次第に下がっていく。しかし依存症、とくに薬物依存の場合は、薬物を摂取するたびにドーパミンがシステムにあふれ、記憶を強化し、ほかの刺激をはるか後方へ押しやってしまう。動物実験から、コカインやアンフェタミンのような薬物は側坐核の樹状突起を著しく成長させてシナプスの結びつきを増やすことが確認されている。その変化は薬物をやめたあとも数か月から、ときには数年もそのまま残ることがある。依存症が再発しやすいのはそのためだ。依存症は、脳がなにかをあまりにも強烈に学びすぎた結果だといえる。そうした適応は悪循環を招き、たとえばフライドチキンのにおいを嗅げば必ず大脳基底核が自動的に反応するようになる。いくら分別のある人の前頭前野でも、その反応を止める力はない。

前頭前野はその任務のひとつとして、危険と報酬を天秤にかけて、害をもたらすおそれのある行為をするかどうかを決めている。依存症になると、前頭前野は間違った選択をするようになるのではなく、反射的な行動を止められなくなるのだ。動物と人間の研究から、コカインは前頭前野の神経を傷つけ、灰白質まで減らすことがわかっている。さらに近年、脳画像を用いた研究により、前頭前野は二〇歳代半ばまで成長をつづけることが明らかになった。そのことから、薬物をやった人や依存症になった人の多くが、自制心が発達しきっていない一〇代や二〇代前半の若者のようなふるまいをする理由がわかる。「彼らの脳は、最終的には過敏なシステムとなって薬物を欲し、非常にまずい判断を下すようになります」とロビンソンは言う。「最悪の結末です」

ふたたび自立する

ティーンエイジャーにとって判事の前に立つことほど、自制心の成長を早めるものはない。わたしの患者ラスティは、ひょっとすると薬物依存症になっていたかもしれないが、三年間監獄ですごすのが怖くて、行いを改めた。その過程で運動の習慣を身につけ、今も道を踏み外すことなく生活している。

わたしがラスティの治療を始めたのは、彼が高校二年を終えた夏のことだ。彼は数か月前に自殺を図り、ようやく退院したばかりだった。寂しさと疎外感から、大量の薬を半リットルほどのピーチ・シュナップス〔リキュールの一種〕で流し込んだのだ。テストの点はよかったが、成績は芳しくなく、癇癪もちで、友人はひとりもいなかった。注意欠陥障害とかなり深刻な社会的失読症であることは明らかだった。社会的失読症とはわたしが名づけた病名だ。つまり彼は人とどう話せばいいのか、どうすれば会話でリラックスし、柔軟な受け答えができるかがわからなかったのだ。ラスティにとって、格好よくなれて友だちもできる作戦は、黒ずくめの服を着て、自分で育てた大麻を売ることだった。

わたしは彼に、ADHDに長時間効き目があり、依存症にならない興奮剤を処方した。すると成績が少し上がり、高三の春には、SAT（大学進学適性試験）でとてもよい結果を出した。それでも退屈したり、空虚な気持ちに囚われたりすると、コカインから咳止めシロップまで見境なく手を出した。ある日の午後、自宅にひとりでいたラスティはコカインの大量摂取でパニック発作を起こし、救急車を呼んだ。救急隊はすぐやってきたが、警官も一緒に来て、彼の部屋で薬物を発見した。ラスティは売買目的の薬物所持で逮捕され、留置場で一夜を明かした。

四か月後に裁判が開かれることになった。弁護士とわたしはラスティの治療計画を立てた。毎週、二種類の薬物検査を受けさせ、アルコール依存症更生会と薬物依存症更生会の集会に必ず参加させることにした。ラスティは少なくとも出廷の日までは、薬物を断っていなければならないとわかっていたが、コカインを吸いたくてたまらなくなった。弁護士から、そんなことをしたら求刑通り三年の収監になると脅され、助けを求めてわたしのもとへ来たのだった。まずは薬物に対する渇望をどうにかしなければならなかった。わたしは運動にはすばらしい効果があることを説明した。ラスティはランニングやスポーツは好きではなかった。子どものころ一時期サッカーをしたことはあったが、基本的に運動は苦手だった。わたしはちょうど、初めてネーパーヴィルを訪問したばかりで、おそらく彼の黒ずくめのファッションのせいで、ネーパーヴィルで出会ったレイチェルというゴス・ガールのことを思い出した。彼女は、ダンス・ダンス・レボリューション（ＤＤＲ）というテレビゲームで遊びながら自分を変えることに成功した。ＤＤＲは、テレビに接続した専用マットの上で踊り、画面上のダンサーの動きをまねするゲームだ。ダンスのステップは、見るからに大変で、サッカー選手がするようなハードな反復運動に似ている。しかもゲームなのでステージごとにスピードがどんどん速くなる。

ラスティはそれを試すことに同意した。最初はぎこちなかったが、次第に楽しめるようになった。彼が言うには、ゲームを始めるとすぐ、薬物への渇望が薄れていったそうだ。その夏は、刑務所送りになるかどうかを心配する以外することもなかったので、暇つぶしと治療のためにゲームばかりやっていた。退屈を避けることはとても大切だ。暇な時間は、薬物依存症から立ち直ろうとしている人にとって危険きわまりない。

ラスティは、毎日朝晩、何時間もＤＤＲで遊ぶまでになった。以前より元気になり、見るからに明るくなった。わたしは判事に手紙を書いた。ラスティは懲役を免れ、薬物テストと薬物依存症更生会、そして大学のカウンセリングをつづけるという条件つきで保護観察処分になった。大学に入ってからもしばらくはＤＤＲを毎日つづけた。その後、学内のサッカー・サークルに入り、ジムにも通い始めた。

運動のおかげで、ラスティはより生産的な生き方に目を向けられるようになった。運動は、多くの薬物依存症者が抱えている絶望感や無力感を埋める方法のひとつだと、わたしは考えている。ラスティにとっては確かにそうなった。規則正しい生活や運動は、脳を活発にし、薬物から気持ちをそらすことができる。そして、大脳基底核を再プログラミングして別の行動につながる回路を作る。薬物をやめようとしても結局、怠惰な生活に逆戻りし、あきらめてしまう人も多いが、体を動かしていると、自分はなにかをなし遂げることができると思えるようになるのだ。

ブルックヘイヴン国立研究所の医学部長ジーン＝ジャック・ワンは、アメリカの依存症研究を先導するひとりだが、運動について哲学めいた説明をしている。「中国語では、動物は主語になり得るが、野菜は主語にならない。野菜にここからあそこまでジャンプしろとは言えません。動くのをやめてしまえば、あなたは動物ではなく、野菜になってしまうのです！」

この言葉はオデッセイハウスのマラソンランナーたちにぴったりあてはまる。だが、ラスティのようにそれほど深刻でない場合も、DDRによって将来への絶望を払拭できた。現実の経験のほとんどは、コカインを吸ったときのハイな気分に比べると色あせて見えるかもしれないが、より豊かな未来を思い描くことができれば、現実の記憶を正しく刻んでいくことができる。

ラスティは現在大学二年で、優秀な成績をおさめていて、同じように依存症から立ち直ろうとしている女性と付きあっている。学生寮ではリーダーシップをとり、サッカーをつづけながら、ロッククライミングにも挑戦している。さらに、以前から家族の趣味だったスキューバダイビングもするようになった。先ごろ、休日にダイビングに行ってきたラスティは、自然界がじつに色鮮やかで美しいのにはいつも驚かされます、とわたしに語った。

ドーパミンへの渇望

ラスティがようやく知ったこと――薬物がなくても喜びを味わえるという事実――は、衝動と戦うための強力な武器になる。重度の薬物依存症者と話をしていてよく感じるのは、彼らがほとんどのものに鈍感になっているということだ。愛情、食事、社会的交流から得られる自然な満足感は、薬物の強烈な体験に比べれば、色あせた背景のように感じられるのだろう。普通の人生にはそのような強い刺激がないため、彼らはなにも感じることができないのだ。

生まれつき依存症になりやすい人もいる。たとえば、一九九〇年に行われた画期的な研究により、多くのアルコール依存症患者にはある遺伝子の変異（D2R2対立遺伝子）があり、そのせいで報酬中枢のドーパミン受容体が通常より少なく、ドーパミン・レベルが低いことがわかった。D2R2対立遺伝子をもつ人が皆、依存症になるわけではないが、なる可能性は高い。この変異の保有率は全人口の二五パーセントだが、ある研究では、肝硬変を患っているアルコール依存症患者の七〇パーセントがその保有者だとわかった。彼らの依存度はおそらく非常に高い。生命を脅かすほど肝臓を傷めていると知りながら酒を飲みつづけているのだから。つづいて行われたコカイン依存症者の調査では、半数がD2R2対立遺伝子をもっていた。そして、コカインに加えてほかの薬物の依存症でもある人は、八〇パーセントがその遺伝子の保有者だった。似たような結果が、ギャンブル依存症や病的な肥満の人にも見られた。彼らの半数はD2R2対立遺伝子をもっていて、ほかの依存症も併せもつ人の場合、その数字はやはり八〇パーセントに及んだのだ。研究者たちは、この問題を報酬不全症候群と名づけ、マスコミは、科学者たちが「アル中遺伝子」を発見したと報じた。

残念ながら、話はそれほど単純ではない。もちろん、遺伝的原因によって報酬中枢が十分なインプットを受け入れられなければ、つねになにかを渇望し、どうにかしてその不足を埋めようとするだろう。だが、それだけでなく、こうした報酬不全は、注意力やストレスシステムにも害を及ぼす。ドーパミンのバランスが崩れると、扁桃体は生存が脅かされていると見なして、脳内のバランスを整えようとする。これは、ＡＤＨＤの人の多くが「ストレス依存症」のように見えることと関係がある。ストレスがかかると、注意力を増すために、コルチゾールがドーパミンを急増させるのだ。この、絶えずつきまとう感覚――彼らが言うには、心にぽっかり穴があいたような感じ――ゆえに、依存的行動に陥りやすくなり、薬物を使ったり、チョコレートを貪ったり、一週間に四〇時間もテレビゲームで遊んだりするようになるのだ。

もっとも、報酬不全症候群だとしても、それでオデッセイハウス行きだと決まったわけではない。依存症に影響する因子は、少なくとも数百はある。それに、なにか新しい、わくわくするようなことを見つけようとする意欲そのものはとても重要だ。それがあるからこそ、人は勇敢な探検家や、斬新な芸術家や、一匹狼的な起業家になれるのだし、どんな分野に進んだとしても、伝統的な枠組みを押しやり、世界をこれまでとは違う視点から見るようになるのだ。

驚くほどのことでもないが、スカイダイビングのように危険なスポーツを愛好する人たちは、たとえばボート選手などに比べると自制が利きにくく、スリルを求めて行動しがちだ。最近、オランダで行われた研究によると、重度の依存患者と同じく、スカイダイバーの多くは日常生活に喜びを感じられないことが判明した。スカイダイバーも依存症者も、興奮の閾値が通常の人よりずっと高いのだ。だが、それはドーパミンを急増させる行動の原因だろうか、それとも結果だろうか？　ほかの研究から、コカインのような薬物の使用がＤ２受容体（ドーパミンを受け取る溝）を傷つけることがわかっている。脳内でドーパミンが過剰に放出されつづけると、大量の受容体が劣化する。そのため、生まれつきの脳の状態とは関係なく、服用した薬物の量が増えるほど、前と同じ快感を味わうにはより多くの薬物が必要となる。過食の人にも同じことが言える。「快感を得るために必要な量はどんどん増えていきます」とブルックヘイヴン研究所のジーン＝ジャック・ワンは言う。

衝動と戦い、習慣を断つ

二〇〇四年にロンドンで行われた研究は、たとえ一〇分の運動でもアルコールへの渇望を抑える力があることを示している。研究者たちはアルコール依存症で入院し解毒治療を終えたばかりの患者四〇人を二グループに分け、一方には中ぐらいの強度でエアロバイクをこがせ、もう一方には軽くこがせた。翌日は、グループを入れ替えて同じことをさせた。その結果、強めの運動をすると、アルコールへの渇望が劇的に抑えられることがわかった。第三章で述べたように、わたしの患者スーザンにもそれと同じことが起きた。スーザンはストレスのせいで昼間からワインを飲んでいたが、縄跳びをしてその欲求を抑えたのだった。

ストレスが依存症と結びついているとき、依存物を断つと、体は生命の危険を感じる。たとえば、アルコール依存症の人が急にアルコールをやめるのはドーパミンの栓を閉めるのに等しく、視床下部－下垂体－副腎軸（ＨＰＡ軸）のバランスが崩れる。依存物を断つことで生じる激しい不快感は数日で消えるが、脳のシステムは、それよりずっと長く不安定な状態に置かれる。そのようなデリケートな状態のときに、さらにストレスがかかると、脳はそれを緊急事態ととらえ、あなたにアルコールを飲ませようとする。禁酒をしていても、仕事で問題が起きたり、恋人と喧嘩したりするとまた飲み始めてしまうのはそのためだ。長く薬物に依存し、ドーパミン・システムが変わってしまっている人にとって、強いストレスに対処する最も効果的で、唯一知っている手段は薬物だ。だが、運動はもうひとつの解決策となる。

愛煙家の場合、激しい運動はたった五分でも効果がある。ニコチンは依存性物質のなかでも変わり種で、刺激物でありながら同時にリラックス効果がある。運動すると、タバコを吸いたいという衝動を抑えることができる。それは、ドーパミンがスムーズに増えるのに加えて、タバコをやめようとする人が悩まされがちな不安や緊張、ストレスが抑えられるからだ。運動をすると、タバコへの渇望が五〇分間抑えられ、つぎに一服するまでの間隔が二倍から三倍に伸びる。さらに、運動には思考を鋭敏にする効果があることが、ここで意味をもってくる。なぜならニコチンを断つと集中力が低下するからだ。その証拠として、ある研究によると、グレート・アメリカン・スモークアウト（全米禁煙の日）には、通常より職場での事故が多いそうだ。わたしが診ているADHD患者の多くは、文章を書くときや難しい課題に向かうときには、タバコを吸って集中力を高めている。そして、ニコチンが切れると集中も切れてしまう。

もちろん薬物のなかには、思考力を鈍らせるものもある。最近、イランの研究者が、モルヒネを投与したラットに運動がどう影響するかを調べた。運動は脳の依存と学習にかかわるいくつかの領域のドーパミン量と可塑性に影響を及ぼすので、モルヒネが引き起こす記憶障害を打ち消すのではないか、と彼らは予測した。科学者たちはラットを真っ暗な箱のなかに入れた。その底は、ラットの足に電気ショックを与えるようになっていた。それから電気ショックは受けないものの、明るく照らされた箱（げっ歯類は暗い場所を好む）にラットが移動するまでの時間を計った。

ラットは四つのグループに分けられた。グループ1は、毎回実験前にランニングマシンの上を走らせ、モルヒネを投与した。グループ2も同じように走らせたが、投与したのはプラセボだった。グループ3にはモルヒネは投与したが、運動はさせなかった。そしてグループ4は対照群として、運動もモルヒネもなしだった。運動をさせた二グループのラットは、暗い箱に入ると嫌なことが起きるのを覚えていて、なかなかそちらに入ろうとせず、入ってもショックを受けるとすぐに飛び出した。驚いたことに、運動してモルヒネを投与されたグループの方が、対照群よりよい結果を出した。つまり、運動には、頭をぼんやりさせる薬物の効果を相殺する以上の力があるということだ。

同じ研究で、運動には薬物の禁断症状――ラットの場合、「濡れた犬が体をふるわす」ような仕草や、もだえ苦しむ様子、下痢などを禁断症状と見なす――を劇的に緩和する効果があることがわかった。この事実だけでも、依存症から回復しかけている人にランニングシューズのひもを締めさせるには十分であり、オデッセイハウスの治療法が正しいことを科学的に証明している。

ある依存症患者の物語

長年にわたってわたしは報酬不全症に苦しむ人々を見てきた。なかでもとくに印象に残っているのは、あるオランダ人女性の事例だ。ここではゾーエと呼ぼう。ゾーエは重度のＡＤＨＤで、攻撃的で、何度もひどいうつ病になり、さまざまな薬物依存症に苦しんでもいた。驚いたことに、二〇年にわたってマリファナを常習していて、心を落ち着かせ集中するには、そうするほかないと思い込んでいた。

実際、ゾーエは不満や怒りといった感情を自分の人生から消し去ろうとしていた。子どものころは喧嘩ばかりする、ひどい学習障害児だったそうだ。現在四〇歳だが、いまだに癇癪を爆発させたり、不安に襲われたりする。あるときなど、ボストン行きの飛行機に乗っていて、突然パニック発作を起こし、飛行機を強引にアムステルダムへ引き返させたこともあった。

ゾーエは一三年かけて大学を卒業した。専攻が獣医学だったことを考慮してもかなり長い。その理由のひとつとして、二七歳になるまでＡＤＨＤだとわかっていなかったことが挙げられる。そう診断されてからはリタリンを処方されるようになったが、まずはマリファナをやめるために、解毒治療の病院に入院しなければならなかった。「一日に一〇本から二〇本、ジョイント（タバコ状のマリファナ）を吸っていたから、入院したときは檻に入れられた野生動物みたいな気分だったわ」と言う。そうやってどうにかマリファナを断ったものの、一年ほど経つとまたやり始め、たちまち一日中ハイになっていられるほど吸うようになった（しかも、リタリンと抗うつ薬を服用しながらである）。

専門とする分野で恵まれた仕事に就いたものの、大学卒業後一〇年間はどう生きていいかわからず、いろいろな面で自分を成長させることをあきらめていた。いつも目先の満足ばかり追いかけ、目標や人生を向上させる計画を立てることができなかった。人生なんか虚しいだけだとこぼしてばかりいた。マリファナを吸うと、自分が不幸で不満だらけなのを忘れることができたそうだ。

彼女はときどき、サイクリング、ヨット、乗馬などをやっていたが、わたしは、定期的にできる運動をしてみてはどうかと勧めた。彼女の医学的知識を見込んで、運動すると脳の化学プロセスが変化して、気分や攻撃性や注意力、そして依存症をコントロールする回路を作り直すことができると説明した。ゾーエは、本書でも紹介した研究論文のいくつかに目を通し、毎日運動する気になった。そして、もう一度、マリファナを断った。「ほかに選択肢がなかったから」と彼女は言う。「どうしても、なにか手を打たなければならなかったのよ」

彼女が選んだのは、本格的なエアロバイクで、自転車競技者がバランス感覚を磨きスタミナを養うために使うものだ。高速で回転するドラムをこぎ、足をすべらせると弾き飛ばされかねない代物だ。ゾーエがなぜこれほど大変な運動を選んだのかはわからないが、それはすばらしい成果をもたらした。この自転車をこぐにはバランス感覚と正確さが求められ、それには小脳の運動中枢と大脳基底核から報酬中枢と前頭前野へ至る注意システム全体をはたらかせなければならない。「最初はいやいややっていたわ。こいでもどこへも行けないのだもの」とゾーエは言う。「でも今はとても重宝しているのよ。それに、運動になるだけでなく、集中できるからいいの。振り落とされないようにこぐのはドキドキするわ」

しかし、そんな折、薬物を断つにはそれだけでは足りないとでも言うのだろうか、しらふでいようとがんばっているゾーエを見捨てて、夫が出て行ってしまった。クリスマス直前のことだった。わたしは心配した。ゾーエも不安でいっぱいだった。「オランダの冬はとても寒く、とても暗いのよ」とeメールには書かれていた。「またうつになって、みじめな自分に逆戻りするんじゃないかと怖かったけれど、そうはならなかったわ。薬物を吸っていたときには負け犬のような気分だったけど、運動するようになってからは勝者のような気分になれたからよ」

長年薬物に依存していた人の常で、ゾーエは今も不安定な状態にある。だが、間違いなく正しい方向に進んでいる。ゾーエはエアロバイクをこぐ距離を延ばそうとしていて、定期的にその記録を送ってくる。それに最近では縄跳びも始めたそうだ。彼女から届いた楽しそうな手紙の一部を紹介しよう。「たった今、一〇分間縄跳びをしたところ。心拍数は一四〇。きついけどやらなくちゃね。これはすばらしいわ。だって、一〇分縄跳びをしたら、三〇分自転車をこいだときと同じような気分になれるんだもの。たぶん、つづけると思う。だってすぐに報酬が得られるんですもの!! これが、最近わたしがはまっている運動よ」

ランナーズハイ

ゾーエがマリファナ依存症だったかどうかは議論が分かれるが、依存していたのは確かだ。薬物依存の兆候がはっきり現れ、体や心の落ち着きのなさといった禁断症状も見られた。ラットにマリファナの活性成分であるテトラヒドロカンナビノール（THC）を長く投与して、それをやめると、脳はシステム全体に副腎皮質刺激ホルモン放出因子（CRF）をあふれさせ、それによって扁桃体が活性化し、ストレスシステムのはたらきが活発になる。ラットの場合、マリファナを断ってから四八時間後に、体の震えや痙攣のピークがくる。実際のところゾーエは、解毒治療を受けているあいだ、ケージに入れられたラットのような気分になった。体に不快な症状が出ただけでなく、ドーパミン・システムがはたらかなくなったために、激しく落ち込み、不安にさいなまれた。運動をすると禁断症状が楽になるのは、扁桃体が落ち着きを取り戻し、ドーパミンが放出されるからだ。

マリファナが依存症になるかどうかはさておき、THCが脳に与える影響の研究は、運動がさまざまな依存症をどのように治すかについて、新たな手がかりを与えてくれる。まず、運動のあとでよく経験する爽快感は、薬物による恍惚に代わる無害な気持ちよさと言えるものだ。最近『英国スポーツ医学ジャーナル』に掲載された論文で、アーニ・ディートリクという研究者は、ランナーズハイを経験した人がそれをどう表現するかを記録している。ランナーズハイは「薬物でハイになった人やトランス状態を経験した人が言うような状態に似ている。たとえば、周りが歪んで見えたり、いろいろな考えが無秩序に浮かんだり、周囲のものが目に入らなくなったり、自分のことがすっかりわかったような気になったりするのだ」。

ランナーズハイという現象は三〇年前から注目されてきた。そして、ここ数年、その研究の焦点は、エンドルフィンだけでなくエンドカンナビノイドという神経伝達物質にも向けられるようになった。エンドルフィンは脳内のモルヒネ様物質で、エンドカンナビノイドはマリファナ様物質だ。どちらも体内で自然に作られ、麻薬と同じ効果があり、等しく痛みを緩和する。

一九九〇年代初頭、THCが脳内で特別な受容体に結合することがわかったのにつづいて、エンドカンナビノイドが発見された。進化の過程でそうした受容体が発達したのは、もちろんマリファナを楽しむためではない。だとすれば、人間の体内では、その受容体と結びつく自然物質が作られているはずだ。そうして見つかったのが、アナンダミドと2アラキドノイルグリセロール（2AG）という神経伝達物質だった。そしてマリファナも運動もチョコレートもすべて脳内のその受容体を活性化させることがわかった。

運動すると、この二つのエンドカンナビノイド（アナンダミドと2アラキドノイルグリセロール）が体と脳で作られる。それらは血流で全身に送られ、脊髄の受容体を活性化させ、苦痛のシグナルが脳に届かないようにする（モルヒネと同じように）。さらに、報酬系と前頭前野の隅々に行き渡り、ドーパミンに直接影響を及ぼす。エンドカンナビノイドの受容体が激しく活性化すると、マリファナと同じような陶酔感が生まれる。エンドルフィン同様、エンドカンナビノイドは体が作る強力なアスピリン（痛み止め）だ。最近では医者は、慢性疲労や線維筋痛などの痛みにアナンダミドを処方するようになっている。また、それらの症状にともなう痛みや疲労は、運動量を増やしていくと軽減されることが数多くの研究により明かされている。運動とこのような体内で生まれる鎮痛剤との関係は、まったく理にかなっている。それらは、狩りをつづけることで生じる筋肉や関節の痛みをしのぐために進化したのだ。

エンドルフィンと違って、エンドカンナビノイドは血液・脳関門をすんなり通り抜けられる。ゆえに科学者のなかには、エンドカンナビノイドをランナーズハイの原因と見ている人もいる。二〇〇三年、ジョージア工科大学の心理学者フィリップ・スパーリング率いるグループは、運動がエンドカンナビノイド・システムを活性化させることを初めて証明した。彼らは体育の時間を利用して、男子学生たちに、最大心拍数の七〇から八〇パーセントレベルで五〇分間、ランニングマシンを走るか、エアロバイクをこぐかさせ、血液中のアナンダミドのレベルへの影響を調べた。結果はどうだっただろう？　アナンダミドは二倍近くにも増えたのだ。

ランナーズハイそのものは、予測のつきにくい現象なので研究が難しい。マラソンランナーでさえ、走るたびにランナーズハイになるわけではない。また、スイマーズハイというものがないのはなぜだろう。興味深い説がある。比較的新しい発見によるものだが、肌にはエンドカンナビノイド受容体があり、それはランニングのようにドタドタと体を揺するときだけ活性化するのかもしれないというのだ。ランナーズハイというとらえがたい陶酔状態になるかどうかはともかく、スパーリングたちの研究からは、アナンダミドの上昇が、かなり激しい運動をしたあとで感じるリラックスと満足感の、少なくとも理由のひとつだとわかった。ランナーズハイにエンドルフィンがかかわっているかどうかはいまだに議論がつづいている。おそらく全体的な効果は、こうした要素が組みあわさった結果なのだろう。

よいものにこだわる

運動が、脳のなかで薬物のように作用するのなら、運動も依存症になるのだろうかとあなたは思うかもしれない。わたしはいつもそのような質問を受ける。簡単に言ってしまえば、その通りだが、心配はいらない。運動依存症に陥る危険があるのは、ごくひと握りの人だけだ。とくに危ないのは、拒食症の女性や、身体醜形障害、すなわち外見に過度なコンプレックスをもち、極度にそれを悩んでしまう精神障害者である。そういう人たちはどんどん食が細くなり、その状態で運動すると頭がくらくらして高揚した気分になるので、そのハイな気分によって悪循環が加速される。そうやっているとつかの間、強い自己満足が得られ、これをつづければいずれ外見が立派になるという錯覚に陥る。だが悲しいかな、この方法ではそんな未来は訪れない。もっとも、大多数の人はこの罠にはまるようなことはない。たとえばゾーエのように運動に依存するようになっても、それほど心配しなくていい。

運動依存症の最たる例は、ウルトラマラソンランナーのディーン・カーナジズだろう。カーナジズはカリフォルニアに暮らす四四歳の男性で、『六〇ミニッツ』や『トゥナイト』といった番組にも出演し、数多くの雑誌の表紙を飾った。それは五〇日間に五〇州で五〇回フルマラソンに参加するという圧倒的な偉業をなし遂げたからだ。五六〇キロを休みなく走り通したこともある。この一五年間で運動しないですごした時間は最長で三日と聞いても、わたしはそれほど驚かなかった。「そのときはインフルエンザにかかっていたんです」カーナジズは言う。「まだ気分はよくなかったのですが、ついにこう言いました。よし、行くぞ! なんとしても走ってやる」こうした傾向は、まず第一に、彼の免疫系の恐るべき強靭さを示している。

三〇歳の誕生日の夜、カーナジズはバーで飲んでいて、ふいに自分の人生を変えようと決意した。千鳥足で家に帰ると、古いスニーカーを引っ張り出して、深夜にかけて四八キロ走った。彼はアルコール依存症でもないし、薬物に手を出したこともない。だが、そうだとしたら、なにかほかに悩みがあるのだろうか。「一〇から二〇パーセントは、走ることが依存症になっているように思えます」とカーナジズは言う。「けれども、わたしが本当に求めているのは、運動のあとの幸福感、あるいは満ち足りた気分なのです。自分が完全な人間になったように思えるのです。運動できないときは、そのことばかり考えています。旅行中や、終日会議がつづいたりすると、運動したくてうずうずしてきます。自分が破裂するんじゃないかと思えてくるんです。殻を脱ぎ捨てて出て行きたくなって、そして、体が運動を求めているのだと気づきます。まるで罠にかかったような気分です」

カーナジズには一週間の決まったメニューはないが、平均して週に一一〇から一四〇キロ、日に三、四時間は走っているそうだ。平均的アメリカ人が一週間に移動する距離よりも長い距離を一日で走っていることになる。そう聞くと、皆、ぎょっとする。彼のことを変わり者だと言って片づけるのは簡単だし、多くの人がそう考えている。ところが実際のところは、トレーニングに莫大な時間を費やしているにもかかわらず、彼は実にバランスのとれた生活を送っている。一〇年以上にわたって『フォーチュン』誌に選ばれた五〇〇の優良企業のいくつかで正社員としてはたらいたのち、ある自然食品会社の社長を務め、最近ではプロのアスリートになり、著述業にも本腰を入れている（著書『ウルトラマラソンマン *Ultramarathon Man*』はベストセラーになった）。一一歳と九歳の二児の父親で、ほぼ毎晩、自ら子どもたちを寝かしつけ、学校への送り迎えもしている。睡眠時間はだいたい四、五時間で、午前三時には起きて、子どもたちを学校へ送る時間までにトレーニングをすませる。

「わたしはランニング中心の生活を築いてきました。だから、これほどの運動量をこなせるのでしょう」とカーナジズは言う。「依存症と言えるのかもしれませんが、どうなのでしょう。これまで精神分析を受けたことはありません。ただ内なる声に耳を傾けているだけなのです。幸い健康にはなんの問題もなく、毎晩仕事帰りにバーに寄り道しているわけでもありません。運動は究極の薬と言えるでしょう。いつでも効いて、しかも有害な副作用のない薬がほかにあるでしょうか？」

空《から》の容器を満たす

依存の対象を断つと、あとに残るのは空虚な気分だ。そういう点で、依存症の治療は、不安障害やうつ病を治療するのに似ている。依存の対象を断つのは最初の一歩にすぎない。依存やネガティブな感情が消えたら、その変化が根づくように、心の隙間をプラスの行動で埋めなければならない。最善の選択肢は運動だろう。結局、それこそが本来、人間がするべきことなのだ。つまり体を動かして生きるということだ。

運動が不安やうつを緩和するという事実はすべての依存症に対して大きな意味をもつ。不安やうつは依存症の治療の妨げとなる。依存を断とうとしていても、不安や絶望から、その決意がくじけ、あきらめてしまう人は多い。人はみじめな気分になると、衝動的になりやすいからだ。筋力をつけるトレーニングと有酸素運動はどちらも、アルコールやタバコをやめようとしている人が陥りがちなうつの症状を軽減する。さらに、第三章で指摘したように、体が健康になるほど回復力は増す。ストレスに柔軟に対応できれば、酒やスナック菓子やタバコに手を伸ばさなくてもすむだろう。とくに、依存の対象を断った直後数日間の悪夢のような苦しみを耐え、体の症状を改善するには、ストレスシステムをコントロールできるようにしておくことが肝心だ。

運動には、依存が脳に及ぼす直接的な有毒作用を緩和する効果もある。例として、胎児期アルコール症候群について見てみよう。妊娠中のラットに絶えずアルコールを与えたところ、胎児の海馬で生まれる脳細胞の数が激減した。アルコールは、海馬の長期増強（ＬＴＰ）、すなわち学習と記憶を支える細胞メカニズムも破壊する。そのようにアルコール漬けの母ラットから生まれた子ラットは、成長後、学習しにくいことも示唆されている。

しかし、それに関して喜ばしいニュースがある。酒を断ち、運動をすれば、脳の損傷が止まるだけでなく、脳の機能を回復させることができるのだ。おとなのラットでも、そうすることによってニューロン新生が促され、海馬が再生する。そして、母ラットをアルコールから遠ざけて走り回れるようにすると、その胎児にも同じことが起きる。また、最近の研究により、人間も禁酒すると、胎児期にアルコールに浸されたことによるニューロン損傷を回復できることがわかった。そして、すでにご存じのように、アルコール依存症の人の脳でも運動によってニューロンが多く生まれ、再生が進む。

ここに、学習と心の強さとのつながりを見ることができる。脳が柔軟であれば、心はいっそう強くなり、「自己効力感」が得られる。自己効力感は、強弱を測定することはできないが、自分を変えることへの自信につながるものだ。ほとんどの依存症者は、これまで自分が人生をどれほど損なってきたかを考え出すと、自分にはなにもコントロールできないと思うようになり、ましてや自制して依存を断つことはとてもできそうにないように思えてくる。しかし運動は、依存症者のそのような低い自己評価に強い影響を及ぼす。体を動かし、主体的に新たな目的に挑戦し、それを達成できれば、自分をコントロールできるという自信が生まれ、それは生活のほかの面にも広がっていくのだ。

近年、この見方がオーストラリアの研究者たちによって実証された。彼らは、二四人の学生を対象として、二か月に及ぶ運動プログラムが自己規制に及ぼす影響を調べた。自己規制は、自己効力感とは少々異なる。学生たちは、二週間ごとに心理テストを受け、日々の生活を自分で記録した。二〇〇六年、『イギリス健康心理学ジャーナル』誌に発表されたその結果には驚かされる。被験者たちは、知的抑制能力を測定した二つのテストの結果が向上しただけでなく、自己規制に関連するあらゆる行動が改善された。

彼らはスポーツジムに通う回数が着実に増え、タバコ、カフェイン、アルコールの摂取量が減り、健康的な食べ物を好み、ジャンクフードを敬遠するようになった。衝動買いや予算オーバーの買物をがまんできるようになり、以前ほど腹を立てなくなった。ものごとを先送りしなくなり、約束をきちんと守るようになった。そして、少なくとも以前に比べれば、使った食器をシンクに入れっぱなしにしなくなった。

研究者たちは、自己規制能力は、筋肉のように衰えもすれば鍛え直すこともできる力だと結論した。それは使えば使うほど強くなる。そして運動は、わたしたちがもつ自己規制能力の最良の形なのだ。

こんな運動をしよう

日々のスケジュールを決めるのにディィーン・カーナジズを見習う必要はないが、依存的傾向が見られる人は、なんでもいいから運動をする習慣を育てることが大切だ。

必要とされる運動量は、当然ながら依存の深刻度によって異なるが、依存を完全に断ちたいのであれば、週に五日、三〇分のハードな有酸素運動というのが最低ラインだ。できれば毎日、体を動かした方がいい。運動は前向きなことに目を向けさせ、心を埋めてくれるからだ。わたしは、職を失ったために依存症に陥った人を数多く見てきた。だから、もしあなたが失業中ならば、定期的に運動することはとても大切だ。わたしは朝の運動を勧めることが多いが、毎晩家で酒を飲む習慣を断ちたいと思っている人は、夜、運動する方が戦略としてはすぐれているだろう。アルコールではなくエアロビクスでいい気分になるのだ。

もっとも、運動もやりすぎないように気をつけなければならない。また、長期間つづけられるものを見つけることも大切だ。これまで紹介してきた患者たちは皆、有酸素運動によって大きな報酬が得られることを学び、その後、ほかの運動でも満足を感じられることを知った。ラスティは大学に入ってからは、いつもダンスダンスレボリューションをやっているわけにいかなくなったので、サッカー部に入り、ロッククライミングも始めた。ゾーエはエアロバイクから始めたが、春の訪れと同時に外に出て、森をサイクリングするようになった。選択肢が多いほど、一生運動をつづけられる可能性は高くなる。

今まで運動する習慣がなかった人は、スポーツジムに入会したり、個人的にトレーナーを雇ったりするのもいいだろう。お金をかければ、それだけやる気も出るものだ。食べ物に依存している人は、家の近くを速足で歩くとか、数分間縄跳びをするとか、あるいはジャンピング・ジャック（挙手跳躍運動）を三〇回するとか、なんでもいいから体を動かして、食べたいという気持ちを心から追い出そう。

運動が、食習慣をコントロールする方法だというと、あたりまえすぎるように思われるかもしれない。結局、体重は（摂取カロリー）－（燃焼カロリー）という単純な式の結果なのだ。しかし覚えておいてほしいのは、運動にはカロリーを燃焼するだけに終わらない利点があるということだ。運動中に生成されるドーパミンは、受容体に結びついて渇望を抑える。さらに長期的に見れば、運動することで多くのD２受容体が生成され、報酬システムのバランスが回復される。また、自分の体に否定的なイメージをもっている人にとって、体から脳へ気持ちを切り替えることで、かつてないやる気が湧いてくる。

多くの人が、依存症者にとって本当の問題は、やる気のなさだと考えている。ある意味でそれは正しい。だが、やる気とは脳の信号によって生まれるものであり、その信号は、確実なメッセンジャー（伝達物質）と、健全な神経回路がなければ送れないということに気づいている人は少ない。依存症をモラルの欠如によるものではなく、神経の機能不全としてとらえると、それは治療できるものとして形をもち始める。簡単に治すことはできないが、運動を用途の広い道具として利用すれば、治療ははるかに容易になる。運動は必ずしも治療法とは言えないが、ボトムアップとトップダウンの両方から脳にはたらきかけ、依存症の悪循環を迂回して渇望を抑制するように脳の配線を作り直す唯一の方法だ。試してみよう。きっとあなたも夢中になる。

第八章

ホルモンの変化

女性の脳に及ぼす影響

ホルモンは脳の発達に多大な影響を及ぼすだけでなく、一生を通じてわたしたちの行動や気分、性格を大きく左右する。成人したのち男性のホルモンレベルはほぼ一定だが、女性の場合は規則正しく変動しつづける。その影響は人によって千差万別で、脳の健康について語るときには決して無視できない。このことから、運動は女性にとっていっそう重要になる。ホルモン量の変動からマイナスの影響を受けている人は運動によってそれを軽減でき、プラスの影響を受けている人はそれをさらに強められるからだ。概して運動は、ホルモンシステムのバランスを、月単位でも、妊娠や閉経といった人生の節目においても、整えてくれる。

女性は平均して、一生のあいだに四〇〇回から五〇〇回ほど月経を経験し、その一回は四日から七日に及ぶ。合計すると、長い人では実に九年以上という歳月だ。月経前症候群（PMS）に苦しめられている女性にとっては、かなり長い。「短気で怒りっぽくなって、イライラしていたら、きちんとなんかしていられないわ」と、三八歳になる同僚の女性は言う。ここではパティと呼ぼう。「フェミニストが聞いたら怒るでしょうけど、その時期、一部の女性は頭がおかしくなるのよ」

「頭がおかしくなる」は言いすぎだとしても、パティの言葉はホルモンに圧倒される時期に多くの女性が感じるフラストレーションをうまくとらえている。月経前になると、約七五パーセントの女性は、体か心、あるいはその両方においてなんらかの不快な症状を感じる。なかには日常生活に支障をきたすほど症状が重い女性（女性の一四パーセントは、PMSのせいで学校や仕事を休むほどだ）もおり、パティはそのひとりだ。彼女は一六歳ぐらいのときから毎月、月経前は、運動をしていないと、疲労感、いらだち、皮膚の痒み、不安、落ち着きのなさ、攻撃性などに悩まされた。集中しにくくなり、寝つきが悪くなり、無性に甘いものがほしくなる。足首がむくみ、腹部が張り、赤ら顔になり、便秘になり、乳房が痛む。「この時期は、必死で乗り切るしかないの。生理の前の週は、四日間、毎日一時間ずつ有酸素運動をすることにしているわ。そうしないと、とても我慢できないから」

彼女は早くから、有酸素運動がＰＭＳの症状を劇的に和らげてくれることを知っていた。一七八センチの長身で、豊かな赤毛に輝くような笑顔が印象的なパティは、子どものころから二〇代初めまで、モデルとして活躍していた。特定のスポーツはしなかったが、一〇代から、体重を五〇キロ以下に保つために過剰なほど運動に励み、ときには日に三時間もやった。運動しないとイライラし、母親も手を焼くほどだった。やがて、体重にこだわりつづけるのがばかばかしくなってモデルをやめ、ソーシャル・ワークを学び、修士号を取得した。その間に何度か、ときには何年にもわたって運動をしない時期があったが、結局は再開した。「運動すると、第一に気分の揺れが落ち着くんです。ホルモン変化のせいで起きる攻撃的な気持ちが収まるの」

パティは普段は穏やかで寛容だが、月経前には「ぴりぴりして」、短気になると言う。「レーダーが過敏になるんですよ」とは夫エイモンの弁だ。彼は建築家で、黒い髪をきちんと整え、縁なしメガネをかけている。「臭いや音や光に敏感になり、いろんなものがきちんとしていないと気がすまないんです。極度に神経質になります。わたしにそばにいてほしいようなのですが、こちらはとても気をつかいます」

「並んでソファに座っていても」パティがあとをつづけた。「彼の息づかいが気になって、『あなた、鼻炎かなにかなの？』と言い出すのよね」

「そうそう！」とエイモンは笑う。「それから、ぼくの父親も鼻炎なのかと訊いてきて、ぼくの家族の鼻の病歴について延々と話しあうはめになるんですよ」

パティとエイモンは誠実で、夫婦間のコミュニケーションもよくとれており、互いに支えあっている。ホルモン変化に悩む女性にとって、こうした関係はきわめて大切だ。彼女が気乗りしない日にも、エイモンから誘って一緒にジムへ行っているそうだ。「パティは、暗雲がまだ見えないうちに嵐が来ることに気づくタイプなんです」とエイモンは言った。

ＰＭＳという言葉は、一九七〇年に公の場で議論の的となった。「月経前症候群」というような呼び方は、女性に起きる自然現象に病気のレッテルを貼るようなもので、すべての女性が月に一度は精神障害を患っているかのような誤解を招くのではないかと懸念する声が上がったからだ。その呼び方については、『精神疾患の診断・統計マニュアル（ＤＳＭ）』に収める疾患とその名称を定める医療専門家のあいだで検討が繰り返された。「ＰＭＳ」は、『ＤＳＭ』が版を重ねるうちに何度か改称され、一九九四年には、「黄体期後期違和障害（ＬＬＰＤＤ）」というわかりにくい呼称から、「月経前不快気分障害（ＰＭＤＤ）」に変更された。しかし、ＰＭＤＤの診断基準はかなり厳しく、ＰＭＳと思われる症状に苦しむ女性の大半は、除外されてしまう。どう呼ぶにしても、問題は、『ＤＳＭ』に掲載された一五〇の症状のうちのどれかが、あなたの生活の質を下げているかどうかだろう。

ＰＭＳ――自然な変動

ＰＭＳの原因について正確なところはまだ解明されていない。だが、ホルモンレベルの変動が鍵を握っているのは確かだ。性ホルモンは血流中を循環する強力な伝達物質で、性的な発達をつかさどるだけでなく、脳にさまざまな形で影響している。その循環サイクルは視床下部から始まり、視床下部が下垂体にはたらきかけてゴナドトロピンという性腺刺激ホルモンを分泌させ、ゴナドトロピンは卵巣に到達して、女性ホルモンのエストロゲンとプロゲステロンを大量に生産させる。

エストロゲンは排卵期の直前に基準値の五倍にまで増え、その後二週間ほど増減し、月経が始まると安定する。一方、プロゲステロンは排卵後に断続的に増え始め（最低値の約一〇倍まで増える）、月経直前にピークに達する。妊娠中、エストロゲンは通常の五〇倍にまで増え、プロゲステロンは一〇倍に増える。そして閉経期にはどちらも減り始め、やがてほとんど出なくなる。

ＰＭＳや産後のうつ、重い更年期障害などになる人とならない人の違いは、それらのホルモンの量の多寡によるものではないらしい。むしろ、ホルモンの変化が招く神経化学的な変化に対する感受性に起因するようだ。

たとえば、気分との関係について言えば、ホルモンは脳機能全般を整えるだけでなく、神経伝達物質を調整する上でも重要な役割を果たしている。エストロゲンもプロゲステロンも、大脳辺縁系におけるセロトニンやドーパミンの受容体の発現を促し、結果的にそれらの神経伝達物質の効果を強めている。また、ごく最近になって、エストロゲンが脳由来神経栄養因子（ＢＤＮＦ）の生産を促していることも確認された。ＢＤＮＦはセロトニンの生産を促す。ホルモンの変動と脳の機能の複雑な相互作用についてはまだ解明されていないことが多いが、ホルモンと神経伝達システムのこうしたかかわりは、ますます重視されつつある。

二〇〇四年に、PMDD（月経前不快気分障害）の症状がある女性とない女性の神経伝達物質の活動を、PET（陽電子放射断層撮影装置）を用いて比較する研究が行われた。PMDDを患う女性の脳は、トリプトファン（セロトニンの前駆物質）を前頭前野にうまく「取り込む」ことができず、そのせいでセロトニンの生産が抑えられていることがわかった。セロトニンは気分や行動（たとえば、怒りの爆発）を制御するはたらきをもつ神経伝達物質だ。

攻撃性はひとつの症状にすぎず、うつの場合と同様に、PMSを一種類の神経伝達物質だけがかかわるドラマとして片づけることはできない。ホルモンはいくつもの段階を経て脳内の信号につながり、それがいろいろな感情や行動として表れる。そこまでの接続が少しでも損なわれていると、信号は別の方向に向かってしまう。それこそが、PMSや妊娠や閉経の影響が人によって違う理由のひとつだ。そして、たとえばパティの脳の化学反応のどこに接続ミスがあるのかはわからないが、それをつなぎ直すのに運動が役立っていることは間違いない。「生理前になると、霧がかかったみたいに、ぼうっとしてしまいます」と彼女は言う。「ADHD（注意欠陥・多動性障害）の薬を飲んでも、ちっとも効かないの。運動の方がよほど頭をクリアにしてくれるわ」

バランスを回復する

ＰＭＳに悩まされる女性にとって、運動は唯一の解決策ではないとしても、症状を劇的に和らげ、八方ふさがりに思える状況にどう向き合えばいいかを教えてくれる。それに生活スタイルを変えれば、薬がいらなくなるかもしれない。

すでに多くの女性がそのことに気づいている。一八〇〇人以上の女性を対象にしたある調査では、少なくとも半数の女性が運動によってＰＭＳの症状を和らげていることがわかった。その女性たちは、運動すれば、体の症状が軽くなるだけでなく、集中力の低下や気分の落ち込み、衝動的な行動といったＰＭＳの精神面の症状も軽くなると報告している。

運動すれば月経前や月経中の体の症状が和らぐことは、運動が気分の落ち込みや不安を解消するという主張よりはるかに広く受け入れられているが、実を言えば、運動によってＰＭＳの精神面における症状が軽減されることが実験ではっきり証明された例は多くはない。この件に関する最もすぐれた研究は、デューク大学のジェイムズ・ブルメンタールが一九九二年に行ったものだ。ブルメンタールはうつと運動に関する研究のパイオニアだ。

ブルメンタールは、中年女性（閉経前）二三人を二グループに分け、有酸素運動か筋力トレーニングをさせて、ＰＭＳへの影響を比較した。二つのグループはどちらも週に三回、一時間ずつトレーニングをした。有酸素運動をする一二人は、一五分のウォームアップののちに最大有酸素運動能の七〇パーセントから八五パーセントの強度で三〇分間ランニングをし、一五分のクールダウンをした。対照群の一一人は、指導を受けながらウェイトマシンで筋力トレーニングをした。両グループとも体の症状は軽減されたが、精神面で目覚ましい改善を見せたのは、ランニングしたグループだった。彼女らは二三項目のチェックリストの一八項目で症状が軽くなり、とりわけ抑うつ感、イライラ、集中力の低下が目立って軽減された。最も際立った違いは、有酸素運動をしたグループの方が、あまり悲観的な見方をしなくなり、世の中への関心が高まったことだ。

ひとつの理由として、運動をすると血流中のトリプトファンのレベルが上がり、それにともなって脳内のセロトニン濃度が上がることが挙げられる。また運動には、ドーパミン、ノルアドレナリン、それからBDNFのようなシナプス伝達を調整する物質のバランスを整える効果もある。このように多くの変数を安定させることにより、運動はホルモン変化がもたらす心身の反応をトーンダウンさせているのだ。

また、運動は、別の意味でもPMSとつながりがある。エストロゲンもプロゲステロンも数多くのホルモン誘導体に変換されるが、とくにそのいくつかが神経科学者の注目を集めている。それらは二つの重要な神経伝達物質、興奮性のグルタミン酸と抑制性のガンマアミノ酪酸（GABA）の調整にかかわっているからだ。ホルモン変化が起きる月経前の一時期、相互に関連しあうこれらの物質の量が乱れ、情動をつかさどる回路のニューロンに過剰な興奮をもたらすことがある。それはグルタミン酸が多すぎたり、GABAが足りなかったりした結果だが、いずれにしてもこの暴走は、気分の変化や不安、攻撃性を招き、激しい動揺さえ引き起こしかねない。

最近、ある調査によって、PMSに悩まされている女性とそうでない女性は、ホルモンレベルに差はないものの、GABAレベルが異なることが明らかになった。GABAシステムは、向精神薬ザナックスと同じように、ニューロンの過度な活動を抑えているが、運動はそのシステムに幅広い影響を及ぼす。たとえばラットを使った実験では、たった一回運動しただけで、GABAを生産する遺伝子のスイッチが入ることがわかった。運動は、女性を悩ます体の変調期に、脳内で拮抗する二つのシステム（興奮性のグルタミン酸と抑制性のGABA）のバランスを回復させるのだ。また、視床下部－下垂体－副腎（HPA）軸の機能も調整する。先の章で述べたように、HPA軸はストレスに対処する力を高める。そして見落としてならないのは、運動によってエネルギーや活力が高まると、ほかの症状すべてによい影響が及ぶということだ。

妊娠——動くべきか、動かざるべきか

女性の健康にまつわる神話で、「妊娠中は運動を控えるべきだ」という教えほど長く信じられてきたものはない。おそらく近代医学が発達する以前、出産は命がけの仕事で、妊娠中は家にいて、活動を減らし、ベッドに横たわってすごすべきだと考えられていたからだろう。胎児を騒がすことは危険だ。運動などもってのほか、というわけだ。

それについて医師の見方が変わり始めたのはつい最近のことだ。二〇〇二年以来、米国産婦人科学会（ACOG）は、妊婦と産後の女性に対し、中程度の有酸素運動を少なくとも日に三〇分することを勧めている。活動的な女性でも、妊娠すると二三パーセントが運動をやめてしまうことを考えると、この要求はかなりレベルが高い。重要な変化はそれだけではない。ACOGは初めて、デスクワークの多い女性に対して、妊娠したら運動をするよう勧めたのだ。それはおもに、糖尿病、高血圧、子癇《しかん》前症など、妊娠中に症状が進んで母体と胎児の両方に害

となる病気のリスクを減らすためである。

もちろん、状況によってはベッドで安静にしている方が望ましい場合もあるので、運動を始める前に、まずは産科医に相談することが大切だ。当然ながらアイスホッケー、ラケットボール、バスケットボールといった人とぶつかりあうような競技は論外だし、乗馬やマウンテンバイク、平均台での演技など、落下の恐れがあるものも避けた方がいい。スキューバダイビングもまたしかり。それでも、医師は概して保守的だということを頭に入れておいてほしい。ACOGはこの二〇〇二年の提言のなかで、太り気味、糖尿病、ヘビースモーカー、あるいは高血圧の妊婦は運動をしないようにと警告しているが、こうしたケースでも、運動は一切だめというわけではない。むしろそうした女性こそ運動が必要なのだ。医師の指示を仰ぎながら、余裕のあるペースで始めればよい。

妊娠中の女性の多くは、どの程度運動していいのかはっきりわからないので、いっそやらない方が安全だと考えがちだ。彼女らも運動がどれほどプラスになるかを知っていれば――妊娠中のリスクを軽減するだけでなく、母体と胎児の体と心の健康を増進するのだ――もっと前向きにとらえるようになるだろう。正直なところ、運動が妊娠にもたらす効果のすべてがわかっているわけではないが、いくつかよい情報がある。

妊娠期間中、エストロゲンとプロゲステロンは通常よりはるかに高いレベルを維持し、人によってはそのせいで気分が安定し、不安感や憂うつな気分が和らぐ。確かに妊娠は脳のさまざまなシステムをよい方向に変化させるようだ。たとえばADHDの女性のなかには、妊娠中は驚くほど気持ちが落ち着き、座って読書に集中できる人もいる。とは言え、ホルモンに対する体の反応は人それぞれなので、逆に大変な思いをする人もいる。

体への影響はさておき、妊娠中の運動は、ストレスや不安を緩和し、気分と精神状態全般を向上させる。二〇〇七年にイギリスで、六六人の健康な妊婦を対象として、一回の運動が気分に及ぼす影響が調査された。妊婦は四グループに分けられ、グループごとにランニングマシンに乗って歩くか、泳ぐか、美術・工芸を習うか、なにもしないですごした。その結果、運動をした二グループは気分が改善された。もっとも、彼女らは情緒面の問題を抱えていたわけではなかったが。

運動が多くの望ましくない問題を予防するのは明らかだが、依然として多くの女性は用心して妊娠中の運動を避けようとする。調査によると、妊婦の六〇パーセントはなにも運動をしていないようだ。

一般に運動は、悪心《おしん》や疲労感、関節痛、筋肉痛を和らげ、脂肪の蓄積を抑えることがわかっている。また、妊娠性糖尿病（胎児が肥満し、難産になりやすい）の原因となる高血糖になるリスクを半分に減らす。高血糖は母子双方の肥満やⅡ型糖尿病を招く恐れもあり、そのような体の状態は脳にとってもよくない。幸い、妊娠前に活動的だったかどうかは関係なく、運動はすべての人に効果を発揮する。ある調査によると、週に五時間速足で歩くだけで、妊娠性糖尿病になるリスクを七五パーセントも下げることができた。

何年も前のことだが、ドイツの研究者たちが、運動の陣痛への影響を調べることを思いついた。彼らは分娩室にエアロバイクを運び込み、なんとか五〇人の妊婦の協力を取りつけた。妊婦たちは、出産直前まで、休みを入れながら二〇分ずつペダルをこぎ、痛みの度合をランクづけし、血液中のエンドルフィン濃度を測定した。ほとんどの妊婦（八四パーセント）が、休憩中よりエアロバイクをこいでいるときの方が陣痛が和らいだと答え、感じた痛みの程度は、エンドルフィンレベルに反比例していた。研究チームは、「分娩の最中にエルゴメーターつき自転車で運動をすることは胎児にとって安全で、子宮収縮への刺激となり、鎮痛効果もあるようだ」と結論した。

赤ちゃんのこともお忘れなく

母親の心の状態が胎児の成長に影響することも証明されている。ストレス、不安、憂うつは、妊娠に甚大な影響を及ぼし、ひどい場合は流産、低出生体重、出生異常、死産といった結果をもたらす。幸せでない母親から生まれた赤ん坊は神経質で、反応が鈍く、ぐずりやすく、睡眠のパターンが安定しないなどの傾向を示す。その後の追跡調査でも、こうした赤ん坊は活動過多や認知機能障害になりやすいことがわかった。げっ歯類を用いた実験では、妊娠中にストレスにさらされた（足に電気ショックを与えられた）母親から生まれた子は、臆病で、不器用で、冒険心に欠けた。彼らのストレス制御システムは永久に変わってしまっていて、将来、問題が起きたときにもストレスを感じやすい。

コロンビア大学の精神科医キャサリン・モンクはこの変化を人間についても証明した。その研究によると、不安障害と診断された妊婦が、人前でスピーチをするというようなストレスを感じる行為を求められると、胎児の心拍数は過度に上がり、不安障害でない妊婦の胎児に比べ、平静時のレベルに戻るのが遅いことがわかった。これは、胎児のＨＰＡ軸が正しく自己調節できておらず、コルチゾールが大量に分泌されていることを意味する。このような落ち着きのないＨＰＡ軸は、精神疾患を招く危険因子でもある。

ケース・ウェスタン・リザーヴ大学の生殖生物学の教授で、産科医でもあるジェイムズ・クラップは、運動が胎児にどう影響するかについて、二〇年以上にわたって研究を重ねてきた。著書『妊娠中の運動 *Exercising through Your Pregnancy*』の二〇〇二年版では、延べ数百人の妊婦を対象にした長年の研究に基づいて、妊娠中の運動を強く勧める内容になっている。クラップはまず、妊娠中に運動をしていた母親から生まれた赤ん坊と、運動をしなかった母親から生まれた赤ん坊は、体重も頭囲も差がないことを示し、妊娠中の運動は危険だという誤解を払拭している。むしろ運動をすることで、母体と胎児をつなぐ燃料供給ラインが強化され、胎児が必要とする栄養と酸素が確実に届くようになるのだ。クラップやその他の専門家による調査で、運動をしていた母親から生まれた新生児の方が痩せていることがわかった。それを心配する向きもあるだろうが、その差は、一歳になるまでに解消される。

しかも、運動は害がないだけではない。クラップは、運動をしていた母親から生まれた新生児三四人と、運動をしなかった母親から生まれた新生児三一人を、生後五日目に比較した。これほど生後まもない時期に行動を評価するのは難しいが、運動群の新生児は、六つのテスト項目のうち、二項目において非運動群よりもすぐれていた。彼らは刺激に対する反応がよく、また、光や音の刺激を受けたのち、より早く落ち着きを取り戻すことができた。クラップはこの結果を、運動群の赤ん坊の方が神経学的に発達していることを示す証拠として重視した。クラップは、運動は子宮内の胎児をゆさぶり、赤ん坊が撫でられたり抱かれたりするのと同様の刺激を胎児に与え、明らかに脳の発達を促すと理論づけている。五歳になった段階でもう一度比較したところ、行動やほとんどの認知機能において差異は認められなかったが、IQと言語能力においては著しい差があった。運動群の子どもたちはすぐれた能力を示したのだ。さらに、クラップの未発表の観察記録によれば、その数年後も、彼らの学習能力は、対照群の子どもたちより高かった。驚くべきことだ。

なぜそうなるのか、人間に関して簡単に理由を明かす方法はないが、ラットを使った実験から手がかりが得られる。なかでも興味を惹かれるのは二〇〇三年に行われた研究の結果で、運動する母ラットから生まれた子ラットは、生まれた直後、一四日後、二八日後のいずれの時点でもBDNFのレベルが高かった。同時にこれらの子ラットは、海馬と関連のある学習課題ですぐれた成績を上げた。基本的に、運動群の子ラットは対照群の子ラットに比べて学習能力が高く、覚えるのも早かった。ある調査では、なんらかの理由で運動群の子ラットの方が出生時の海馬のニューロン数が少なかったが、やがて対照群に追いつき、追い抜いた。生後六週間経つころには、海馬のニューロン数は四〇パーセントも対照群を上回った。また二〇〇六年の調査では、妊娠中、日に一〇分間泳がされた母ラットから生まれた子ラットの方が、BDNFの濃度が高く、ニューロン新生が活発で、短期記憶もすぐれていた。要するに母ラットが運動した方が、胎児のニューロンのつながりがよくなるのだ。

こうした実験結果は、そのまま人間にあてはめることはできないものの、運動と脳の関係について過去一〇年間に解明されてきた内容と確かに一致する。妊娠中にランニングをしておけば、娘がいい大学に行けるというわけではないが、活発に体を動かしていると、胎児の脳細胞への栄養供給は向上するらしい。そして先の章で述べてきたように、こうした変化は学習能力や記憶力を高め、心の状態全般をよりよくする。妊娠中の運動が、赤ん坊の脳の未来を左右するかもしれない——これは衝撃的だ。

また、もうひとつの興味深い調査は、運動が胎児性アルコール症候群にもたらす影響を調べたものだ。胎児性アルコール症候群は、発育不全や精神遅滞、顔の変形などの原因となる深刻な疾患で、アメリカでは予防可能な出生異常の筆頭に挙げられている。ある調査によると、度を越さない飲酒であっても、将来、子どもに学習や行動の障害や、対社会的問題が起きる可能性があるそうだ。アルコールを与えられた母ラットから生まれた子ラットはBDNF量が少なく、ニューロンの新生率や可塑性のレベルも低かった。そうした子ラットの海馬は萎縮していて、そのために学習や記憶がうまくできない。さらにアルコールは、海馬だけでなくグルタミン酸を伝達するシナプスにも損傷を与え、その影響は脳の広い範囲に及ぶ。

二〇〇六年、ブリティッシュ・コロンビア大学の神経科学者ブライアン・クリスティのチームは、胎児期にエタノールにさらされることの神経学的な影響と、そうした変化に対する運動の効果を調べた。予想された通り、エタノールを摂取した母ラットから生まれた子ラットはニューロンの新生率と可塑性が際立って低かった。ところが子ラットが運動するようになると、脳のダメージは正常な状態に修復された。驚くべき結果だった。

この結果は、胎児性アルコール症候群の子どもの治療法を劇的に変えた。従来、そういう子をもつ親たちは、暗く静かな環境を保って、赤ん坊を過剰に刺激しないように、と指示されてきた。ところが今では、赤ん坊の脳がその神経学的な欠陥を回復できるよう、むしろ物理的刺激や活動の機会を与える方が望ましいとされている。

わたしたちが体を動かしている限り、脳は自らを修復することができるのだ。本来、脳はそのように設計されている。そう考えるたび、わたしは驚きを覚える。

産後のうつ——青天のへきれき

トニーとステイシーの夫妻は切羽つまっていた。金曜の午後、降りしきる雨のなか、二人はエリプティカルマシンが今すぐ必要だと思い立ち、ショッピングモールにある運動器具の専門店に向かった。あいにくそこでは品切れだったが、ボストンのみすぼらしい問屋を探しあて、お目当てのマシンをようやく手に入れた。SUV車の後部座席はフラットにならなかったので、マシンは車からはみ出し、家に着くまで雨に打たれつづけた。ずぶぬれになった荷物は、九〇キロはあっただろう。トニーはやっとの思いでそのマシンを家に運び込んだが、その晩の仕事はまだ始まったばかりだった。

「家に着くと、今度はマシンの組み立て作業が待っていました」と彼は言う。「そういうことは苦手なんですが、そのときは、なんとか妻によくなってほしい一心でした」

夫妻は、ステイシーの産後うつに効く治療法を求めていた。最初の子どもカーターが生まれたのち、いつのまにか彼女はうつになった。それから五か月間、彼女は疲れ切っているのに、熟睡できなかった。赤ん坊をひとりにすると罪悪感にさいなまれた。自分の体が嫌になった。

世の中への関心ももてなくなった。そしてときどきふいに泣き出すようになった。こうした症状は、産後数週間のあいだにほとんどの女性が経験する一過性の抑うつ感とはまた別のものだが、大半の人が考えているよりはるかに一般的な病気だ。ステイシーのように初めて出産した女性の一〇から一五パーセントもが発症するのだ。出産当初はすべて順調なように見えるが、ある日突然、うつに襲われ、一年からそれ以上の期間、悩まされつづける。母親になったばかりの女性のこれほど多くが産後うつになること——わたし自身、本書のための調査をしていて初めて知った——を精神医学関係の同僚に話すと、だれもがわたしと同じようにショックを受ける。

一般的な治療法は抗うつ剤だが、ステイシーはレクサプロを試すとすべてに対して無気力になった。それで服用を二、三日でやめ、ほかの薬も試す気になれなかった。あの雨の日の午後、ステイシーとトニーはわたしのオフィスを訪ねてきた。わたしは二人に、有酸素運動はうつに対して、薬にも勝る効果を発揮することを力説した。すべての患者がこの夫婦のようにすばやく反応してくれるといいのだが……オフィスをあとにした二人はその足でフィットネスマシンを買いに行ったのだ。

その晩遅く、トニーがマシンを組み立て終えると、ステイシーはさっそくそれに飛び乗って二〇分間運動をした。

「こういうことって、最初は大変なものですね」と彼女は振り返る。「でもなにかが起きているとわかりました。燃やしている感じがしたんです」

「最初に妻の心をつかんだのはそれだと思います」とトニーは言った。「燃焼している感じが気持ちよくて、つづけていれば体が引き締まるように思えたのでしょう。彼女は、それで精神状態がよくなるとか、眠れるようになるとは思っていなかったようです」

「その通りよ」とステイシー。

「でもぼくの方は、妻の変化に気づきました。それで言ったんです。ステイシー、始める前とはまるで違ってきたね、と。実際、そうでした。最初に変わったのは睡眠の質で、妻は熟睡できるようになったんです」

「おかげで、日中も気持ちよくすごせるようになったわ」

「それにつづいて、精神状態もよくなってきました」とトニー。

「運動からたくさんエネルギーをもらいました」とステイシーは言う。「マシンから下りるときには、乗ったときより気分がよくなっているんです。今でもカーターと一日中遊ぶとどっと疲れるけど、でもどうにかこなしています。気分がよく、幸せだと思えるし、元気が湧いてくる感じです」


ステイシーの場合、さらに劇的なのは、二九歳で出産する前、彼女はまさに快活そのものだったということだ。うつ病などにはおよそ縁のない、トニーが出会ったなかでも「最高にハッピーな人」だった。彼らは深く愛しあっていて、若いのに堅実で、いつもいろいろなことを一緒に楽しんでいた。ところが妊娠してからというもの、「なにもかもが変わってしまいました」と彼女は言う。

ステイシーは背が高く、髪はブロンドで、引き締まった体つきをしていて、出産の二週間後の体重は、出産前より二キロ増えていただけだった。とても素敵に見えたのだが、彼女自身はそうは思っていなかった。カーターが生まれたのち、珍しく夫婦で外出しようというときには、ステイシーは一〇回以上、あれこれ服を着替えた。「自分がひどく不格好に思えたんです。そんなことはないとだれかに言われても、心から信じることはできませんでした」「冗談じゃなく、シャツもズボンも靴も九回から一〇回は替えていたよね」とトニー。「彼女は鏡のなかに違う自分を見ていたんです」

ステイシーの症状は、否定的なセルフイメージにとどまらなかった。カーターを家に連れ帰った当初の興奮がさめると、倦怠感が始まり、それとともに惨めな気分に襲われた。自分の意見を口にしなくなり、あらゆることに興味を示さなくなった。カーターのベッドを夫婦の寝室に運び込み、数時間おきに起きては、その様子を確かめた。「カーターのそばを片時も離れたくありませんでした」と彼女は振り返る。「離れたときには決まって罪悪感に駆られました」

憂うつな気分に襲われた新米の母親たちは、自分にどこか悪いところがあるのではないかと疑い始める。なにか問題が起きれば、自分は母親失格だと思い込む。本能的に世間を避けようとし、赤ん坊からも遠ざかろうとする。その結果、葛藤や自責の念が湧いてくる。生物としての存在目的である出産をやり遂げたのに、満足を感じられないことが恥ずかしく、こんな気持ちになる母親はきっと自分だけだと思い込む。人生を充実させてくれるはずのすばらしい出来事が、逆に暗雲を招いてしまうのだ。

どこかおかしくなっているんじゃないか、とトニーの方から慎重に切り出したのは、出産から数か月のちのことだった。「そのころは、自分が自分じゃなくなったように感じられ、元通りになれるとはとても思えませんでした」とステイシーは言う。

彼女は以前からときどきウェイトトレーニングをしていたが、わたしが二人に説明したように、有酸素運動はそれとまったく異なり、情緒の安定に欠かせないものだ。現在、彼女はほぼ毎晩、エリプティカルマシンで四五分間運動している。二、三日休むと、なかなか眠れなくなったり、元気がなくなったり、気分が落ち込んだりしていることに気づくという。彼女はまだうつで、運動でごまかしているだけなのだろうか？　正確にはそうではない。彼女は、たとえば生理中などに再びうつの症状を感じたら、すぐマシンに乗って、それ以上悪化しないように食い止めている。なにより、自分で症状をコントロールできるとわかっている。「運動をしているいると調子がいいんです。いつでも正常な自分に戻れると思えるからでしょう」

元の自分に戻る

有酸素運動がうつの一般的な症状をどれほど抑制するかについては、多くのことがわかっている（第五章参照）。だが、新米の母親のうつについては、また別の考察が必要となる。産後のうつを引き起こしているのは、ホルモンの増加ではなく、むしろ産後のホルモンの急激な減少であるようだ。二〇〇〇年、米国国立精神衛生研究所のミキ・ブロックは、三〇代の母親からなる二グループ——産後うつになったことのある人と、そうでない人——を対象として、妊娠中のホルモン状態を再生する実験を行い、その結果を『アメリカ精神医学ジャーナル』誌で発表した（調査当初、両グループ各八人の母親に、うつの症状は認められなかった）。被験者全員に、エストロゲンとプロゲステロンの生産を促す錠剤を与え、八週間後、その薬を密かにプラセボに替えた。効果は劇的だった。エストロゲンが減少していくあいだ、産後うつを患った経験のある八人のうち五人にうつの症状がぶり返したのだ。もう一方のグループにはなにも起きなかった。

ホルモンが神経伝達物質に強く影響することから、ブロックは、一部の女性の脳はホルモンの急激な変化についていけないか、あるいは、ホルモン変化にともなって脳内の信号が気分を混乱させる方向に増幅されるのではないかと推測した。こうして見ると、運動は神経伝達物質のレベルを正常化するので、一般の人よりも、産後うつになっている母親に対していっそう効果が高いと言える。

数年前にオーストラリアで、この問題に関する最もすぐれた調査が行われた。対象としたのは、出産後一年以内で、産後うつを患う二〇人の女性である。その半数は、抗うつ剤を服用していた。研究者は彼女らに、産後間もない母親にはもってこいの運動プログラムを用意した。ベビーカーを押しながらのウォーキングだ。一〇人は週に三回、六〇パーセントから七五パーセントの心拍数で、ベビーカーを押しながら四〇分歩き、週に一回、社会支援の会合にも参加した。一方、対照群の一〇人は、それぞれこれまで通りの生活をつづけた。実験開始時に全員が「エジンバラ産後うつ病調査票（ＥＰＤＳ）」で症状を自己評価した。そして、六週間後と、一二週間後の実験終了時にも評価した。その合計が一二点以上の人は、慢性的なうつ病と見なされる。ベビーカーを押して歩いた一〇人は、健康度が増し、ＥＰＤＳの点数が二回とも目覚ましく下がった。具体的には、運動したグループは、スタート時の平均点は一七・四で、それが六週後には七・二、一二週後には四・六に下がったのである。一方、対照群は、スタート時は一八・四で、六週後には一三・五に下がったものの、一二週後には再び一四・八に上がった。

統計的に見て、運動をしている母親はうつになる確率が低い。イギリス南部で産後六週間の女性一〇〇〇人を対象として行われた調査では、全体の三五パーセントにあたる、週に三回強めの運動をしていると答えた女性たちは、気分の問題を抱える率がきわめて低かった。彼女らは、出産後の減量も順調で、積極的に社会とかかわり、母親として自信をもち、満足度も高かった。運動の習慣は、新米のママたちが生活のペースを取り戻すのを助け、育児の大変さにくじけそうになってもそれを乗り越える力を与えてくれる。また、運動は自分の時間をもつ絶好の機会となる。そのような時間をもつことは、うっぷんを晴らすためにとても大切だ。さらに言えば、出産後六か月を経た女性の七〇パーセントは、ステイシーと同じく自分の体型に満足していない。もちろん、運動をすれば元の体型に戻り、セルフイメージを高めることができる。

残念ながら、運動の効果は体の健康を回復させるだけではないというメッセージが医師や患者に浸透するには時間がかかった。「運動と聞くと、人は心の健康ではなく、体の健康との関連を考えがちです」と述べるのは、マサチューセッツ州ブルックラインの産婦人科医でハーヴァード大学医学校の臨床講師も務めるジェニファー・ショーだ。「医者として、運動は単なる減量の手段ではなく、実際に効果がある治療法なのだと訴えているのですが、なかなか真剣に取りあってもらえません」

実を言えば、産科の分野でも、妊娠に関連する精神的な問題を診断したり治療したりする体制はまだ整っていないのが現実だ。ショーは、心の問題を解決する手段として運動を推奨しながらも、「医者たちは忙しすぎて予防医学について検討する時間がないのです」と嘆く。また

「母となって一気にたくさんの責任を抱え、自分の体にあまり関心を払えなくなっている女性たちに、やみくもに運動を勧めても、当てにはなりません」。ショーによると、生活が込み入ってきたときに、女性が真っ先に切り捨てるのは運動なのだそうだ。「運動に気分を安定させる効果があるのは確かなのに、過小評価されているようです」

気分が落ち込んでいる新米の母親に決して言ってはならないのは、「気楽にやりなさい」のひと言だ。のんびり休むことは確かに重要だが、それにも増して重要なのは体を動かすことだ。産後の母親たちは自分の体と脳を鍛える時間をもつために、夫たちのサポートを待ち望んでいる。それもできるだけ早く。

閉経——大きな変化

厳密に言うと閉経とは、最後の月経から丸一年経った日を指すが、一般に閉経期とは閉経前後の、ホルモン変化が起きる期間を意味する。年をとって卵巣のはたらきが活発でなくなると、エストロゲンとプロゲステロンの生産が衰え、散発的になってくる。これらのホルモンのリズムが乱れてくると、脳内の神経化学物質のデリケートなバランスが崩れ始める。

そうした兆候は、閉経の何年も前、すなわち、四〇代半ばから五〇代半ばにかけて始まり（閉経の平均年齢は五一歳）、閉経後も数年間つづく。症状には、いわゆる血管運動神経症状であるほてり、寝汗、怒りっぽさ、情緒不安定などが含まれる。そして、すでに述べたほかのホルモンの場合と同様に、どんな影響が出るかは人によって異なり、予測がつかない。ほとんどなにも感じないまま閉経期を終える人もいれば、ひどく苦痛を感じる人もいる。大半の女性は少なくとも二、三の症状を経験し、日常的に運動する女性の多くは、運動によって症状が和らぐことを知っている。閉経を迎えた女性に運動はすばらしい効果をもたらす。ホルモンの減少による不調を整え、次章で見ていくように、認知機能の低下を抑制するのだ。進化の観点から見れば、ホルモンが加齢の合図を発していても、運動が脳をだまして、生存のためにその機能を維持するように仕向けていると言える。

運動はまた、自然なホルモンが失われつつある時期に、心臓病や乳がん、脳卒中などの疾患を予防する。遺伝的な傾向や、肥満や糖尿病などの要素がない限り、閉経前の女性が心臓発作を起こすのは稀である。かねてよりこの事実はホルモン補充療法（ＨＲＴ）の正当性の根拠となってきた。つまり、エストロゲンとプロゲステロンは女性の慢性疾患を予防するので、閉経後にはこうしたホルモンを補充する必要があるというのだ。しかしながら近年、この仮説は覆され、医者の多くは、めったなことではＨＲＴを施さなくなった。

ＨＲＴの見直しが始まったのは二〇〇二年で、米国国立衛生研究所（ＮＩＨ）が実施した「ウィメンズ・ヘルス・イニシアティブ」調査において、閉経後の女性グループに関して驚くべき統計結果が出たのが発端だった。ＨＲＴ療法を受けている女性の方が、そうでない人に比べて乳がんの発症率が二六パーセント高く、脳卒中は四一パーセント、心臓発作は二九パーセント高かったのだ。

この気がかりなニュースを知って、何百万人もの女性がホルモン摂取をやめた。そして二年後の二〇〇四年、『ニューイングランド医学ジャーナル』誌は、乳がんの発症率が九パーセント低下したことを報じている。さらにイギリスのある有名な調査では、HRTを受けている女性は、中年以降の人にとって重大な関心事である認知症になるリスクが二倍になると報告された。ただし、短期間であれば閉経期にHRTを受けることを支持する調査結果もある。ともかく、閉経期の女性に言える一般的なアドバイスは、まず医者に訊きなさいということだ。しかし、その答えがどんなものであれ、HRTを巡る矛盾は、多くの女性を困惑させている。

女性がHRTを受けようとする最も一般的な理由は、閉経後の身体症状、とくにほてりを緩和させるためで、この点においてHRTに効果があることはだれもが認めている。運動はもうひとつの選択肢となるが、ほてりや寝汗といった血管運動神経症状への効果については、まだ決定的な証拠はない。いくつかの大規模な観察研究、たとえば、閉経後のイタリア人女性六万六〇〇〇人を対象にした研究などによると、運動量が少ない女性は、血管運動神経症状が強くなることが示された。しかしほかの調査では、そのような関連は証明されていない。

産婦人科医のなかには、運動はほてりの誘因になると言う人もいる。だが運動は少なくとも、長期的な副作用を心配せずに、自分で効果を試すことのできる療法だ。運動によって症状が緩和されてもされなくても、健康が蝕まれる心配はないのだ。また、運動が閉経期のほてりに効くかどうかという問題に隠れて、もっと重要な事実が忘れられがちになっている。それは、運動は心臓病や糖尿病、乳がん、認知機能低下を予防するということだ。

また、閉経にともなって体に不快な症状が出ると、気持ちの方も落ち込んでくるが、この点に関しても、運動に効果があるのは間違いない。PMSの場合と同様に、閉経期に一部の女性が不安や抑うつ感に襲われるのは、ホルモンレベルが下がるためではなく、変動するためであるらしい。マサチューセッツ総合病院の女性の健康問題専門家で、精神科医のリー・コーエンの調査によれば、もともと女性は、男性の二倍、不安やうつになりやすく、閉経期に入るとそのリスクはさらに増大するそうだ。

オーストラリアのクイーンズランド大学の研究者が、八八三人の女性(四五歳から六〇歳)を対象として最近行った調査では、運動と更年期障害とのあいだに強い関連が認められた。女性の実に八四パーセントが、週に二回以上運動をしていると答え、彼女らは、運動しない対照群に比べて、うつの身体的・精神的症状がきわめて少なかった。具体的に言うと、緊張しにくく、疲れにくかった。頭痛や体の緊張、苦痛を訴えることも少なかった。総じて運動は、女性の幸福感や生活満足度に多大な影響を及ぼしうる、と同研究は結論している。

運動補充療法

より長生きすることを計算に入れても、女性の方が男性よりアルツハイマー病になりやすいことは、広く知られている。一方、運動の認知能力低下を予防する効果は、女性に対してより高くなるようだ。二〇〇一年に、ケベック州のラバル大学のダニエル・ローリンが、『神経学アーカイブス』誌に発表した研究は、熟年層の男女四六一五人を対象として、運動と精神活動の関係を五年間にわたって調査したものだ。その結果、かなりの量の運動をしていると答えた六五歳以上の女性は、それほど活発でない対照群(男女含む)に比べて認知症になる確率が五〇パーセント低かった。

前出の「ウィメンズ・ヘルス・イニシアティブ」調査が行われるまで、ホルモン補充療法（ＨＲＴ）は、認知能力の衰えを予防すると信じられていたが、同調査の結果はそれを裏づけるものではなかった。今、研究者が取り組んでいる問題のひとつは、運動とホルモンが、閉経後の認知機能の低下に相互作用を及ぼすかどうかというものだ。カルフォルニア大学アーヴァイン校のカール・コットマン研究室の調査では、メスのラットの前頭前野のＢＤＮＦを運動によって増やすには、エストロゲンが必須であることが示唆された。ただし、この研究の条件は、閉経後の女性の状態に置き換えられるものではない——実験に用いたラットの卵巣は生後三か月で切除されたが、その状態は、人間で言えば年若い健康な女性に相当するのだ。この件について、初めて人間を対象にした調査報告では、認知機能の低下を運動によって予防するのにエストロゲンは必須でないことが示された。また、現在ノースカロライナ大学グリーンズボロ校に所属する生理学者ジェニファー・エトナイアはかつて、閉経後の女性一〇一人の知的処理速度と遂行機能《エグゼクティブ・ファンクション》を検査し、その結果を、自己申告に基づく定期的な有酸素運動量と比較した。ＨＲＴを受けているかどうかにかかわらず、活発に運動していると答えた人は、点数が高かった。

この問題を取り上げた最も印象的な研究は、イリノイ大学アーバナシャンペーン校の心理学者アーサー・クレイマーのチームによるものだ。彼らはＭＲＩを用いて脳構造の変化と認知能力との関連を探る手法の先鞭をつけた。目指したのは、運動とＨＲＴが、遂行機能や前頭前野の皮質体積に影響するかどうかを突き止めることだ。複雑な設定に基づき、彼は五四人の閉経後の女性を被験者として選んだ。全員がＭＲＩ画像を撮り、遂行機能にかかわる心理テストを受け、健康度を測るためにランニングマシンを走って最大酸素摂取量（ＶＯ２マックス）を測定することに同意した。得られたデータはＨＲＴを受けた期間の長さに基づいて、四つに分類された。グループ１はＨＲＴを受けた経験がなく、グループ２、３、４は、それぞれＨＲＴを受けた期間が、短期（一〇年以内）、中期（一一年から一五年）、長期（一六年以上）だった。

二〇〇五年に発表された結果によれば、ＨＲＴを短期間受けた女性は、まったく受けたことのない人や、一〇年以上受けている人よりも心理テストの成績もＶＯ２マックス測定の結果もよく、前頭前野の皮質体積も大きかった。この結果は、ＨＲＴは短期的には確かに効果があることを示していた。さらに有酸素運動をすると、遂行機能と脳の体積には著しい効果が見られた。運動には、ＨＲＴをまったく受けなかった場合や一〇年以上受けた場合に起こりうる脳の機能の低下を補う効果があるようだ。

げっ歯類を用いた研究によって、ＨＲＴを長期間受けつづけると、免疫反応の指令を出す視床下部においてエストロゲン受容体が壊れ始めることがわかっている。そして視床下部が正常にはたらいていないと、女性はがんなどの病気にかかりやすくなる。同様に重要なのは、げっ歯類にエストロゲン療法を長期間施すと、細胞の炎症が引き起こされるという事実だ。細胞の炎症はアルツハイマー病のリスク因子であり、記憶障害とも関連が深い。

また、クレイマーによれば、運動には、短期間のＨＲＴがもたらすプラスの効果をより強めるはたらきがあるようだ。この説は、本書で述べてきた神経保護メカニズムとも一致する。運動は神経伝達物質や神経栄養因子の生産の火つけ役となり、脳の重要な部位でそれらの受容体を増やし、さらに遺伝子のスイッチをオンにして、そのプラスのサイクルを維持しつづける。

運動によってこうしたはずみを得ることは、すべての女性にとって大切だが、とりわけ閉経期以降の女性にとってきわめて重要だ。結局のところ、大半の女性は性ホルモンが出なくなったのちも何十年も生きるのだから。

こんな運動をしよう

少なくとも週に四日、戸外に出て速足で歩いたり、ジョギングやテニスをしたり、あるいは、なんであれ心拍数を最大値の六〇から六五パーセントに上げる運動をすることをお勧めしたい。そして、できればそれを一時間はつづけてほしい。どんな有酸素運動がベストなのかとよく尋ねられるが、日常生活に組み込みやすいものならなんでもいいというのがわたしの答えだ。肝心なのは、それをずっとつづけることと、効果が得られるほど心拍数を上げることだ。また、骨粗しょう症を予防するために、週に二日、筋力トレーニングを併せてすることも大切だ。

ＰＭＳに悩まされている若い女性には、週に五日、有酸素運動を上記のレベルですることを勧めたい。さらにいいのは、そのうちの二日（連続ではなく）にスプリント（全力疾走）のような激しい運動を組み込むことだ。いくつかの調査結果は、負荷の高い運動が、イライラ、不安、うつ、情緒不安定といった症状に劇的な効果をもたらすことを示している。そして、月経前の時期、ＰＭＳの症状がかなり重く、かといって休まなければならないほどの腹痛でないのであれば、毎日なにか運動をした方がいい。

思うに、人々を最も驚かせるのは、妊娠中にも運動をつづけることが大切だというアドバイスだろう。この助言は、ついにアメリカ産婦人科学会（ＡＣＯＧ）のお墨つきをもらうことができた。同学会のガイドラインは、健康な妊婦は中程度の運動を毎日三〇分するのが望ましいとしている。もちろん、産科医から許可をもらう必要はあるが、ほとんどの妊婦にとって運動は安全だ。同時にわたしが強く訴えたいのは、赤ちゃんが生まれたらできるだけ早く、できれば二、三週のうちに運動の習慣を再開すべきだということだ。矛盾しているように思えるかもしれないが、体を動かすと疲れがとれる。そしてステイシーのような女性にとっては、不安や抑うつ感も和らぐはずだ。

若い女性の場合、運動をする大きな動機のひとつは、スリムでいたいということだろう。それはそれで結構だ。効果のあるものをなんでもしてみるといいだろう。だが、覚えておいてほしいのは、年とともに体が変化しても、運動はあなたの心を強くし、鍛えつづけてくれるということだ。そのように精神が健全な状態にあってこそ、あなたは、すべての女性が一生を通じて経験するホルモンの変動に対して準備ができる。言うまでもなく、人生そのものの浮沈に対しても。

第九章

加齢

賢く老いる

わたしの母は歩くのが速いことで知られていた。一六〇センチに満たない小柄な体で、故郷西ペンシルヴェニアの街を闊歩していた。兄や姉やわたしは、よく街の人に、「お母さんはどこへ急いでいるの?」と尋ねられたものだ。毎朝、母は早朝ミサを受けるために教会へと大股に歩いていった。日曜だけは、家族全員よそゆきを着て、父が運転する車に乗っていった。片道が二キロ半あり、母のペースで歩けばかなりの運動になった。もっとも、母は体型を維持するために歩いていたわけではない。ただ歩くのが好きだったのだ(一キロ半ほど離れている二軒の食料品店の値札を見比べるのも好きだった)。

運動が脳を育てる効果について科学者たちが学んできたことから判断すると、母は、あのように活発に体を動かしていたおかげで、ずいぶん高齢になっても頭がはっきりしていたのだろう。母、ヴァーン・レイティは、八〇代になっても活気のある生活を送っていた。いくらかは、その性格によるところもある。母は絶えずなにかしないではいられない人だった。ソファを買ったときのことはよく覚えている。母は何週間もかけて色やサイズをじっくり検討した。ソファが届いた日、わたしが学校から帰ると、母はまだ満足できなかったらしく、ソファに取りつける布張りの肘を縫っているところだった。

そのように、母はなにに対しても真剣に取り組んだ。家の脇の痩せた狭い土地にトマトの苗を植えるときも、雪かきするときも。ボランティア活動にも熱心で——父は母に仕事をさせなかった——うちの地下室には教会バザー用に集められた衣服が山と積まれていた。それは、わたしたち兄弟が最初に選べることを意味していた。チェコスロヴァキアからの労働者階級の移民の二世で、大恐慌を経験した母は、倹約家で厳格で頑固で、しかし情に厚かった。

父スティーヴンは母より四歳年上で、母が五九歳のときに亡くなった。母は何年も落ち込んでいたが、やがて気丈に立ち直った。友人も多く、やがて新しい伴侶と巡りあい、六〇代なかばで再婚した。冬場はフロリダ州のヴェロビーチですごすようになり、そこで母は二度目の夫からゴルフを教わり、水泳も覚えた。夏には、朝起きるとまず水着を着て、その上に服を着た。プールに寄るためだ。犬かきしかできなかったが、足のつかない深場でいつも一時間ほど、ばしゃばしゃと泳ぎまわった。そして相変わらず歩きつづけた。教会へ、食料品店へ、そしてダンスやボウリングをしに行くときも。週に三回は高齢者センターへも歩いていき、ブリッジに興じた。

骨粗しょう症ではあったが、それ以外は健康そのものだった。ユーモアのセンスも鋭かった。わたしが電話をかけると、ブリッジでいくらマスターポイントを獲得したとか、お金のやりくりに気をつけているとか、話の種は尽きなかった。七〇代前半で二度目の夫を亡くしたのちも、相変わらず活発だった。

母は八六歳のとき、転んで腰の骨を折った。同じような事故で救急救命室に運び込まれるお年寄りは毎年一八〇万人にのぼる。六五歳以上のアメリカ人のおもな死亡原因は、心臓病、がん、脳卒中、糖尿病だが、高齢者にとってもろくなった骨を転んで折ってしまうのはとても恐ろしいことだ。なかでも股関節骨折は悲惨な結果につながりやすい。数か月のリハビリが必要な上、体の中心で体重を支えている関節が動かなくなると、活動レベルが著しく低下するからだ。その部位を骨折したお年寄りのおよそ二〇パーセントが一年以内に亡くなっている。

母は半年ほどで歩行器につかまって自力で歩けるようになったので、わたしたち家族は母を施設に預けず、住み込みのヘルパーを頼むことにした。だが、その判断は間違っていたようだ。母の動きはすっかりスローダウンし——すり足でしか歩けなかった——骨粗しょう症が急に進み、すっかり背が曲がってしまった。体が衰えるに従って知力の方も衰えた。ブリッジはやめてしまって、テレビのメロドラマばかり観てすごすようになった。日曜日には友人が教会へと連れ出してくれたが、それ以外ほとんど外出しなくなった。頭は衰える一方だったが、まだ認知症にはなっておらず、わたしのことははっきりわかっていた。だが、徐々に口数が減っていった。

そこへもってきて翌年、ふたたび転倒し、今度は反対側の股関節を骨折した。動けなくなった母を見るのは胸がつぶれそうなほど辛かった。以後、母は自分を保つことをあきらめてしまった。現実とそうでないものの区別がつかなくなり、母の世界にはメロドラマの登場人物が行き来するようになり、彼らがそばにいるかのように話しかけた。八八歳で老衰のため亡くなった。

すべてをひとつに

ここまで体と脳の生物学的なつながりについて多くを話してきた。それが最も重要な意味をもつのは、老化について語るときだ。結局、健康な心は健康な体あってこそのものである。

一九〇〇年には、アメリカ人の平均寿命は四七歳だった。今日それは七六歳を上回り、高齢者は、急な病気ではなく慢性疾患によって亡くなる場合が多いようだ。だが、平均寿命を超えて長生きする人にとっては、もうひとつ気の滅入る統計データがある。疾病管理予防センター（CDC）によると、七五歳の人は平均して三種類の慢性疾患を抱え、五種類の処方薬を服用しているそうだ。六五歳以上のほとんどは高血圧で、三分の二以上が肥満、約二〇パーセントが糖尿病を患っている（糖尿病の人が心臓病になる確率は、そうでない人の三倍だ）。三大死因である心臓病、がん、脳卒中で亡くなる人は、この年代では六一パーセントにのぼる。

喫煙、運動不足、栄養の偏りがこうした病気を招くことをわたしたちはすでに知っている。加えて、ライフスタイルは、加齢にともなって起きる精神面の危機にも大きく影響することが、最近の研究によって明らかになった。体に悪いことは、脳にとっても悪いのだ。だが、国立老化研究所の神経科学者マーク・マットソンは、それをプラスの方向でとらえている。「心血管系の疾患や糖尿病のリスクを減らす要因の多くが、老化にともなう神経変性障害のリスクも減らすというニュースは、喜ぶべきことである。もっとも、わたしたちが真剣にそれを受け止めればの話だが」

たとえば、糖尿病を防ぐよう努力すれば、脳内のインスリンのバランスも整い、ニューロンが強化され、代謝ストレスに対抗できるようになる。また、血圧を下げ心臓を鍛えるためにランニングをすれば、脳の毛細血管が弱くなったり塞がったりするのを防ぐことができ、脳卒中の予防につながる。さらに、骨粗しょう症で骨がすかすかになってしまわないよう、ウェイトトレーニングをしていれば、脳内に成長因子が放出され、ニューロンの樹状突起が伸びる。逆に、認知症予防のためにオメガ3脂肪酸を摂取していると、骨が強くなる。

老齢期に直面する精神の病気と体の病気は、心血管系と代謝系を通じて結びついている。肥満の人が普通の人の二倍、認知症になりやすいのも、心臓病の人がアルツハイマー病（認知症のなかでも最も一般的な疾患）になる確率が非常に高いのも、そのような頭と体のつながりが壊れた結果なのだ。統計によると、認知症になる確率は、糖尿病の人は六五パーセントアップし、コレステロール値が高いだけで四三パーセントも高くなる。運動がこうした病気を予防することは何十年も前から医学的に証明されている。だがCDCによると、現在でも六五歳以上の人の三分の一は、自ら運動することはないと答えているそうだ。運動が体だけでなく脳の老化をどれほど防ぐかがわかっていれば、皆もっと真剣に運動について考えるようになるだろう。

脳の老化を防ぐ運動の効果をはっきり示す研究のひとつに「看護師の健康調査」と呼ばれるものがある。一九七〇年代半ばに、一二万二〇〇〇人の看護師を対象として始まり、当初は二年ごとに健康に関係する習慣を調べていた。一九九五年からは、一部を対象として認知能力テストも始まった。ハーヴァード大学の疫学者ジェニファー・ウーヴは、そのデータをもとに、七〇歳から八一歳の女性一万八七六六人の女性の、運動量と認知能力の関係を分析した。ウーヴは、若いころから日々運動をしていれば、老後も明晰な認知力を保てるかどうかを、この貴重なデータによって明かせるのではないかと考えたのだ。結果は『アメリカ医学会ジャーナル』誌に発表され、ウーヴの直感があたっていたことを証明した。ウーヴは、運動量によって女性たちを五グループに分けた。最も活発に運動していたグループは、記憶力テストと一般的な知能テストで、老後に能力が衰える確率が二〇パーセント低かった。彼女らは平均して週に一二時間のウォーキングか、四時間弱のランニングをしていた。一方、最も運動していないグループは週に一時間足らずしか歩いていなかった。しかし、ウーヴは、スーパーアスリートにならなければ運動の恩恵が得られないわけではないと言う。「なによりすばらしいのは、ほどほどの運動量でも効果が見られたことです。週に一時間半のウォーキングでもいいのです」とウーヴは言う。その程度でも運動をしていれば、「最も体を動かしていない女性たちより、はるかによい結果を出しました」。

いかに年をとるか

年をとることは避けられないが、惨めな衰えは避けることができる。一〇〇歳になっても健康にほとんど問題がない人もいれば、慢性疾患のために頭も体もすっかりがたがきてしまう人もいるのはどうしてだろう。老化の道筋が人によってこんなに違うのはなぜだろう。それを理解するために、細胞レベルで生と死を見てみよう。

年をとると、体中の細胞がストレスへの適応力を失っていく。なぜそうなるのか、科学者にも正確なところはわかっていないが、はっきりしているのは、細胞は古くなるほど、フリーラジカルによる酸化ストレスや、過度のエネルギーの要求、過度の興奮などに立ち向かう力が弱くなるということだ。さらに、有害なゴミを掃除するタンパク質を生成するはずの遺伝子がその仕事をやめてしまうと、神経科学者が「アポトーシス（細胞の自死）」と呼ぶ、細胞の死のスパイラルが始まる。細胞のダメージが重なると免疫系が活性化し、死んだ細胞を掃除するために白血球やその他の因子を送り込み、それらが炎症を生じさせる。炎症が慢性化すれば、さらに多くの有害なタンパク質が生じる。それらはアルツハイマー病に直接関係している。

脳では、ストレスのせいでニューロンが弱くなると、シナプスが蝕まれ、最終的にはつながりが切れてしまう。脳の活動が減るに従って、樹状突起は文字通り縮み、しなびていく。その結果、あちこちでシグナルが伝達されなくなるが、最初のうちはそれほど困らない。本来、脳のネットワークは、つながりが断ち切られた部分を避けて、別のルートで情報を伝達できるようにできている。ある程度、余裕の部分が用意されているのだ。なんと言っても、ニューロンは一〇〇〇億個以上もあり、それぞれが多ければ一〇万ものニューロンに情報を伝えている。そのネットワークはとても緊密で、先に述べた通り、新しい結合を作っては成長し、配線の変更と適合化を繰り返している。もっとも、それは新たな結合を促す十分な刺激があれば、の話だ。年をとるにつれて回路は途切れていくので、なにをするにも、今までより広いネットワークが必要になる。思うに、知恵とは、そのような効率の低下を脳が巧みに埋めることの反映ではないだろうか。

シナプスの衰えるスピードが、新たな結合の生まれるペースを上回るようになると、頭と体の機能にさまざまな問題が生じてくる。それにはアルツハイマー病やパーキンソン病も含まれる。どの病気になるかは、脳のどの部分が衰えるかによって決まる。基本的には、認知力の衰えや、神経変性による病気はすべて、ニューロンが死んでしまったか、機能不全に陥った結果であって、そのせいで情報の伝達が断たれたのだ。老化に関する研究は、マットソンが指摘するように、「ニューロンの情報伝達力を回復させ、生かしつづけること」をおもな目的として進められていて、「成功すれば、ニューロンの衰えを食いとめ、病気を予防できるようになる」。

シナプスの活動が減り、樹状突起が萎縮すると、脳に栄養を運んでいる毛細血管も萎縮するため、血液の流れが制限される。逆のことも起きる。脳に血液を十分に送り込まないと、毛細血管が萎縮し、それにつづいて樹状突起も萎縮する。いずれにせよ、それは細胞の死を招く。血液によって運ばれる酸素や燃料、肥料、そして修復に使う分子がなければ細胞は死んでしまうのだ。ニューロンの成長を促す栄養素――脳由来神経栄養因子（BDNF）や血管内皮成長因子（VEGF）など――の量は、年をとるに従って減っていく。そして、神経伝達物質であるドーパミンが作られるスピードも遅くなり、運動機能の衰えと意欲の低下を招く。一方、海馬でも使えるニューロンがどんどん少なくなっていく。ラットの研究から、ニューロン新生は加齢とともに劇的に減ることがわかっている。それは、誕生する幹細胞の数が減るからではなく、もともとの神経幹細胞のプールが枯渇し、完全に機能するニューロンが作れなくなるからだ（おそらく、VEGFが少なくなるせいだろう）。ほとんどの神経幹細胞はいずれにせよ死ぬ運命にあるが、使いものになる幹細胞の数は、げっ歯動物の中年期（人間で言えば五〇歳くらい）には、およそ二五パーセントから八パーセントへと急落し、老年期（人間で言えば六五歳以上）には、四パーセントにまで減少する。ニューロン新生の恩恵にあずからない広大な部分（現時点でニューロン新生が確認されているのは海馬と脳室下帯のみ）については言うまでもない。四〇歳をすぎると、脳は平均して一〇年に五パーセントずつ減っていく。そして七〇歳から先は、さらにさまざまな要因がこのプロセスに拍車をかける。

わたしの母のように、年を重ねてもずっと社交的で活動的な人は、脳の劣化のスピードを遅らせることができる。退職後の人の脳内血流レベルを調べたところ、運動をつづけている人は退職して四年経ってもほとんど変わらなかったのに対し、運動をあまりしない人は著しく低下していた。脳は活発な成長を止めたとたん、死に向かい始める。運動は老化の進行を阻むことのできる数少ない方法のひとつだ。なぜならストレスに抵抗する力の衰えを遅らせることができるからで、マットソンは「矛盾するようだが、定期的に適度なストレスにさらされることは細胞にとってプラスになる。抵抗力がつき、より強いストレスに対処できるようになるのだ」と言う。

さらに運動は、先の章で述べたように、脳の回路が結合を増やし、成長するきっかけを与える。血液の量を増やし、燃料を調節し、ニューロンの活動と発生を促すのだ。老いた脳はダメージに対して弱いが、だからこそ、脳を強くするためになにかをすれば、若いときより効果が大きい。だからと言って、若いころから脳を鍛えることに意味がないわけではない。もしあなたの脳が、健康で、強く、しっかり回路のつながったものであれば、年をとってニューロンが壊れ始めても、より回復しやすく、より長くもちこたえられるだろう。運動は解毒剤であると同時に予防薬でもある。だれでも老化する。なぜかと問われても、どうしようもないが、どのように、いつ老化するのかについては、間違いなく打つ手がある。

認知力の衰え

最初の兆候はささいなものだ。脳の回路が断たれると、知っているはずの人や場所の名前がなかなか思い出せなくなる。のどもとまで出かかっているのに出てこない、そういう経験はだれでも覚えがある。記憶のサーチエンジンである前頭前野がそれを呼び出せなくなったのだ。

海馬がほかのつながりを頼りに記憶を呼び起こそうとするのだが、すんなりとはいかず、以前なら考えなくても言えたのに、なんでこんなに苦労するのかと、あなたはイライラしてくる。年をとれば皆、経験することだが、これもいわゆる軽度認知障害の症状である。その程度は人によって千差万別だ。

軽度認知障害は進行するとは限らないが、放置すると認知症になりかねない。自分を形づくっている人生の軌跡を辿ることができなくなり、自我が蝕まれていくという耐えがたい恐怖を味わう。自分がそうした段階にあるとわかると、多くの人は自らの樹状突起の状態を模倣するかのように萎縮し、外に向かってはたらきかけたり新しい関係を結んだりするのをやめてしまう。うまく対処できないのではないか、と恐れるのだ。そして殻に引きこもってしまう。恥をかきたくないし、慣れ親しんだ家から外に出ることに不安も感じる。いずれにせよそうなると、脳に刺激を与えてくれる有意義な関係から隔絶されてしまう。孤立と運動不足は、細胞の死のスパイラルをさらに助長し、脳を萎縮させる。

衰えが最も顕著に表れるのは前頭葉と側頭葉だ。前頭葉は、前頭前野の灰白質とその軸索の白質を含む。側頭葉は単語と固有名詞のリストを作り、海馬と連携して長期記憶の形成を助けている。前頭前野が衰えると、高度の認知機能が衰え、日常の基本的な作業も難しくなる。皮肉なことに、靴ひもを結ぶ、ドアの鍵を開ける、食料品店まで車で出かけるといった、ごくあたりまえにやっていることが、実は、作動記憶、作業のスムーズな切り替え、不要な情報の締め出しといった、脳の最も高度な機能に依存しているのだ。よく調教されたサルでも、シャツのボタンをなかなかきちんとはめられないのはそこに理由がある。

側頭葉は脳にとっては辞書のように記憶を蓄えておく場所で、アルツハイマー病によって萎縮する領域のひとつだ。従って、アルツハイマーかどうかは、単語を羅列したリストを見せ、一時間半後にどれだけ思い出せるかを問う簡単なテストによって調べられる。

第一章で述べたように、イリノイ大学で行われた数々の研究は、脳のこれらの領域を対象とするテストの成績と運動量に強いつながりがあることを示している。ある研究では、有酸素運動を長年つづけてきた高齢者ほど、脳がよりよい状態に保たれていることがMRIの画像診断によってわかった。こうした相関自体も興味深いが、研究者たちが本当に知りたかったのは、運動によってこれらの領域の構造に変化が起きるかどうかということだ。

神経科学者アーサー・クレイマーらは、普段あまり運動をしない六〇歳から七九歳までの人、五九名を二グループに分け、六か月にわたって週に三回、一時間ずつジムで運動させた。一方のグループはランニングマシンで歩き、もう一方はストレッチ体操をしただけだった。ランニングマシンでのトレーニングは最大心拍数の四〇パーセントからスタートし、段階的に六〇パーセント、七〇パーセントと強度を上げた。被験者は、運動以外は普段通りの生活をした。半年後、ランニングマシンで運動した人は、肺の酸素処理能力の指標である最大酸素摂取量（VO2マックス）が平均で一六パーセント上昇していた。

しかし、それよりもっと重大な変化が、実験の前とあとに行ったMRI検査によって見つかった。ランニングマシンを使った人は、前頭葉と側頭葉の皮質容積が増えていたのだ。科学者たちは、海馬の容積が増えることがあるのは知っていたが、皮質の容積が増えるというのは、神経科学者カール・コットマンの言葉を借りるなら「常識やぶり」だった。コットマンは、運動とBDNFのつながりを突き止めた人物だ（第二章）。「クレイマーが嘘を言っていないのは確かだ」とコットマンは言う。「彼はとても正直で緻密な科学者だ。だが、その発見は、完全に常識を超えている。動物実験でも、老いた動物をほんの短い期間、運動させて、脳のある領域が大きくなったことを証明した人はいなかったはずだ」

今のところクレイマーの実験の再現性は実証されていないが、わずか六か月運動するだけで、脳の重要な領域が再建されるというのであれば、非常に励みになる。MRI検査では、運動した人たちの脳は、実年齢より二、三歳若返っているように見えた。画像の解析からは、どこが成長したのかははっきりしないが、動物実験でわかっていることから、クレイマーはこう推測する。「新たな血管、新たなニューロン、そして新たな回路ができたのではないだろうか。その可能性がいちばん高いとわたしは考える」

ここで重要なのは、運動が脳の衰えを防ぐだけでなく、老化にともなう細胞の衰えを逆行させるということだ。おそらくクレイマーのMRI画像がとらえたのは、運動によって脳の補償する力が向上した結果なのだろう。クレイマーはこう説明する。「たとえば前頭前野がこれまでのように機能しなくなったとしても、脳は大脳皮質のほかの領域を動員して、違うやり方でその仕事を遂行できるのではないか。容積が増えたのは、脳がそのように回路を活用してこれまでとは違う仕事をするうちに、若返ったからかもしれない」

二、三歳若返ることができれば、わたしたちの脳は驚くほど多くのことができるようになる。

感情が乏しくなる

　年をとるにつれ偏屈になる人がいるのは不思議ではない。老後は往々にして、喪失の連続となるからだ。仕事、人とのつながり、可能性、目標、回復力、勇気、活力といったさまざまなものが失われていく。憂うつの種はいくらでもある。それでも高齢者の憂うつな気分を見すごせないのは、それが認知症になる危険性を高めるからだ。年をとるにつれて、女性はエストロゲン、男性はテストステロンというホルモンが減少し、気分が揺れがちになり、活力や好奇心が失われていく。うつが認知症を招く原因のひとつとして、うつ状態でいることが海馬に有害な影響を及ぼすことが挙げられる。つねにストレスにさらされ、コルチゾールが過剰な状態がつづくと、シナプスが蝕まれるからだ。老化したニューロンはストレスへの抵抗力が落ちているので、ストレスを防ぐことが重要で、さらにいいのは、先手を打っておくことだ。

　年とともに体が弱り、以前のような活力はなくなってくる。ネパールでのトレッキングというような冒険はもちろんのこと、地元のブリッジ大会に出場するのでさえ二の足を踏むようになる。だが、なにかに挑戦することは大切だ。そうすれば脳の回復力がぐんと増す。

　ふたたび母のことが思い出される。骨折するまで、母は生気にあふれ、社交的な人だった。年を重ねるごとにむしろ大胆になり、新しいことに挑戦する機会を避けるどころか、いつだって「もちろんやるわ！」と向かっていったものだ。ささいな例だが、母がわが家に来ていたある晩、開店したばかりのしゃれたタイ料理のレストランに皆で行ってみようという話になった。わたしは反対した。母の口にタイ料理は合わないだろうと思ったからだ。当時、母は八〇歳ぐらいで、大皿に盛られたエスニック料理をつつく姿などわたしには想像できなかった。ところが母は、「行きましょうよ！　食べてみたいわ」と言った。わたしが頼んだカレーを味見したときの母の顔を思い出すと、今でもおかしくなる。あんなに辛いものを食べたのはきっと生まれて初めてだったのだろう。それでも自分が頼んだココナッツ・スープは気に入ったようだった。わたしたちは食事しながら笑い通しだった。

運動が、あなた自身とあなたの脳に刺激を与えるすぐれた方法であることは間違いない。そして、運動によって人との交流が生まれ、元気に外出できるようになれば、なおすばらしい。ラッシュ・アルツハイマー病センターの最近の研究によると、「そばにいてくれる人がなくて寂しい」とか「なんだか虚しい気分だ」と言って孤独を感じていた人は、アルツハイマー病になる確率がそうでない人の二倍近く高かった。さらに、デューク大学の研究から、運動はうつの症状を緩和し、再発予防にはゾロフトより効果があることがわかっている。

運動が高齢者にとくに目覚ましい効果を発揮するのは、それが老化とともに減少するドーパミンの量を回復させるからだ。ドーパミンは報酬と意欲のシステムにおいて信号を伝える神経伝達物質なので、老化の鍵を握っていると言っていい。高齢者の感情が乏しくなるのはよく見受けられることで、老人ホームや介護施設に入った老人については、とくに配慮しなければならない。たとえ設備の整った家庭的な施設であっても、死を待つばかりになったと感じると、人はうつになったり、やる気を失ったりするものだ。

ある老人ホームでは、運動に興味をもたせるようにして、この問題を解消しようとしている。それはミシガン州アナーバーにあるユニヴァーシティ・リヴィングで、高齢者用のトレーニングマシンが完備されたジムがあり、体の自由が利かなくなった人や歩行器を使っている人でも、有酸素運動や筋力トレーニングができるようになっている。そこのフィットネスのディレクターであるジューン・スメドレーは老化が専門の運動生理学者で、いくつものクラスを運営し、七〇人いる入居者のなかでも体の自由の利く人には、専属トレーナーとしてついてくれる。しかし、彼女のおもな仕事は、入居者の部屋を回って、トレーニングしてくれるよう懇願することだ。「かんかんになって、怒鳴り出す人もいるんです」とスメドレーはぼやく。「あげくに部屋から叩き出されてしまうんですよ」彼女の将来有望な教え子たちは、ほとんどが八〇代で、運動が健康によいという教育を受けなかった世代なので、トレーニングしようという意欲がきわめて低いのだそうだ。「多くの人がふさぎがちで、その暗い気分に思考が完全に支配されています。彼らはただ戸外でのんびり座っているのが好きなんです」

模範的な生徒もいて、そのひとりは八〇歳の元技師だ。ここではハロルドと呼ぼう。妻がアルツハイマー病になり、終日の介護が必要になったため、二人でこのホームに入居した。彼は週に五日トレーニングし、もりだくさんのメニューをこなしている。一〇分間ウォームアップをしてから、ウェイトマシンをひと通りこなし、バランスボールに乗り、三〇分間ハンドルレバー付きのステッパー「ニューステップ」で有酸素運動をする、といった具合だ。

「これが仕事というわけじゃないが、好きな趣味をつづけるために、こうやって体を鍛えているんだ」とハロルドは言う。その趣味というのは冬のスキーと夏のゴルフだ。夏は週に二回、一八ホールを回っている。また、八〇歳の誕生日の半年後には、友人たちとユタへ一週間のスキー旅行に出かけた。一五年間、恒例になっている旅行だ。スメドレーの指導を受けて行っている体幹筋肉《コアマッスル》を鍛えるエクササイズが、スタミナとフォームの維持に役立っているそうだ。彼は標高三一六五メートルのアルタ山山頂からふもとまで、一気に滑り降りることができる。そのような高地で六〇〇メートルも滑走するのは、普段、低地に暮らしている人にとっては苦しいはずだ。スキーができるのは日々のトレーニングのおかげだが、それだけでなく、トレーニングすることで彼は妻の介護にともなうストレスを解消している。「ここはとても面倒見のいい施設だが、それでも夫としてするべき仕事はたくさんあるんだ」とハロルドは言う。「運動はストレスを和らげてくれる。運動して、しっかり汗をかく。それが毎日の楽しみになっているんだ。自分のための時間をもつことができるし、達成感も得られるからね。運動がわたしの頭と心と体の健康に役立っているのは間違いないよ」

認知症

認知症とは脳の正常な機能が失われた状態であり、症状が進めば日常の生活さえできなくなる。脳のある領域が傷ついたり、はたらかなくなったりした結果だ。部屋のブレーカーが落ちたときの状態に似ていなくもない。台所の電化製品は使えるが、寝室は真っ暗、という具合である。

回路が壊れた場所と原因によって、認知症にはさまざまなタイプがある。一般的で、圧倒的に多いのは、アルツハイマー病だ。原因は、炎症とアミロイド斑の蓄積で、海馬から前頭葉と側頭葉へ広がっていく。同様に、神経原線維変化と呼ばれるニューロン内の老廃物も海馬を中心に増えていく。二〇〇〇年の国勢調査では、アルツハイマーにかかっているアメリカ人は四五〇万人だった。ベビーブーマーが高齢化するこれからの五〇年間で、その患者数は三倍近い一三二〇万人に達すると予想される。

脳卒中は、脳のどこかの毛細血管がつぶれるか、破裂するか、詰まるかして起きる。もし脳の辞書である側頭葉への血液の流れが遮断されると、話せても言葉が理解できなくなる。前頭葉でそれが起きると、話せなくなるが、人の話は理解できる。

認知症の原因としてつぎに多いのがパーキンソン病だ。中脳の黒質のドーパミン・ニューロンが激減し、脳の自動変速機《オートマチック・トランスミッション》である大脳基底核にドーパミンが送られなくなる。大脳基底核は、頭や体の動きのスムーズな切り替えや、運動系のオン・オフをつかさどっている。そこにドーパミンが送られなくなると、自動変速機のオイルが切れたような状態になり、パーキンソン病特有の体の震えが起きる。この病気は高齢になってから発病することが多く、六〇歳以上の約一パーセントが患っている(俳優のマイケル・J・フォックスのように若くして発病するケースは珍しい)。最初に体の動きが不自由になり、それにつづいて精神的な障害、たとえばうつや注意欠陥症状などに陥り、最終的に認知症になる。

認知症を招く最大の危険要因は、生まれつき備わっているいくつかの遺伝子だ。アポリポタンパク質(アポ)E4変異体を始め、アルツハイマーの発病に関係している遺伝子は多い。だが、覚えておいてほしいのは、ある遺伝子を保有しているからといって、悲劇が待っているとは限らないということだ。たとえばアポE4変異体は、アルツハイマー病患者のおよそ四〇パーセントがその保有者だが、全人口(アルツハイマー病を発症していない人)の三〇パーセントもそれを保有している。そしてアポE4変異体をもたなくてもアルツハイマー病を発症する人は大勢いる。遺伝子は発症率に影響するが、ライフスタイルや環境も、発症を招いたり抑制したりする原因となる。たとえばある研究によると、アルツハイマー病になる確率は、高校卒業後の教育期間が一年増えるごとに一七パーセント減少するそうだ。

統計のほか、動物実験からも、運動に脳の生理学を書き換える力があることが明かされている。カール・コットマンは、遺伝子操作によってアミロイド斑を蓄積しやすくしたマウスを使って、運動の効果を調べた。すると、運動したマウスは、不活発だったマウスに比べてアミロイド蓄積のペースが落ちることがわかった。運動はニューロンの炎症も抑制する。炎症——コットマンはそれがアミロイド蓄積の引き金となっていると推測する——は、認知力の衰えからアルツハイマー病に移行する時期に増加する。

神経科学者のマーク・マットソンは、パーキンソン病の状態を再現するためにドーパミン・ニューロンを取り去ったラットで実験して、同様の結果を得た。回し車を走ったラットの脳では、大脳基底核の神経回路の可塑性が高まり、数が増えた。おそらく、脳が新たな回路を作ってドーパミン不足を補ったのだろう。

だが、運動がパーキンソン病に及ぼす効果については、ラットの実験からわかったよりも、はるかに多くのことが明らかになっている。この五年から一〇年のあいだに、運動はこの病気の治療法として定着してきたが、とくに初期段階への効果が注目されている。それは、パーキンソン病によって衰える運動野が、運動によって活性化されるからだ。運動により大脳基底核が刺激されると、ニューロンの結びつきが増え、ＢＤＮＦやそのほかのニューロンを保護する因子が増える。ある研究は、運動とパーキンソン病の一般的な薬であるLドーパを組みあわせた場合の効果に注目する。Lドーパはドーパミンの先駆物質として、その生成を増やすが、問題は、長く服用すると効かなくなることだ(副作用も多い)。Lドーパを服用する前に四〇分間軽くエアロバイクをこぐと、運動機能に対する薬の効果が高まる。

運動によってアルツハイマーの症状がどのように緩和されるのか、はっきりとはわからないが――アルツハイマーは原因も未解明だ――コットマンは、運動をすると炎症が抑えられ、神経栄養因子が増加するからだと推測する。

いくつもの集団調査が、運動が認知症を予防することを証明している。そのひとつは一九七〇年代初頭にフィンランド出身の一五〇〇人に対して実施された調査をベースとして、二一年後に再調査したものだ。六五歳から七九歳になっていた対象者のうち、少なくとも週二回運動していた人は、認知症になる確率がそうでない人より五〇パーセント低かった。とくに興味深かったのは、定期的な運動と認知症との関係は、アポE4遺伝子の保有者においてより顕著だったことだ。研究者はひとつの可能性として、保有者はその変異のせいで脳の神経保護システムがもともと弱いので、ライフスタイルがより重要になるのではないかと推測する。結論としては、マットソンが言うように、「今の時点でわれわれにできることは、どんな遺伝子を保有していようと、そこから最善の結果を引き出せるよう、環境要因を変えていくことだ」。

人生のリスト

老化に関して世間でよく語られるのは、この先ベビーブーマーが年をとると、高齢者が爆発的に増え、認知症やほかのお金のかかる病気のために社会の医療保障制度が破綻するのではないかという懸念だ。しかし同じベビーブーマーであるわたしは、この悲観的な見通しがそのまま現実になるとは思っていない。わたしたちの世代はファストフードとケーブルテレビに慣れ親しんで育ってきたが、ケネス・クーパーが提唱したエアロビクスという革命的概念の洗礼を受けた世代でもある。ひとつ上の世代と違って、健康な心臓と肺が、病気の予防にどれほど役立つかを知っているし、ジムがどんなところかもよく知っている。母がウォーキングというすぐれた習慣を身につけていたのは、たまたま歩くのが好きだったからだし、ミシガン州の八〇歳スキーヤー、ハロルドでさえ、健康や運動に関してそれほど知識があるわけではない。あるときハロルドは、トレーナーのスメドレーに、「どうして筋肉が痙攣するのか」と尋ね、脱水症状かもしれないと言われると、ばかにしたようにこう言ったそうだ。「水分はたっぷりとっているよ。コーヒーに牛乳、それにワインも飲んでるぞ！」〔コーヒーやアルコールには利尿作用があり脱水を招く〕

思うに、ライフスタイル次第で、健康ですごせる期間——単に長生きするのではなく、よりよく生きる人生——が増えることを知れば、だれでも、少なくとも気持ちの上では、もっと活動的になろうとするだろう。そして、運動が心臓だけでなく脳にとっても大切であることを知れば、さらに熱心に運動しようとするだろう。運動がどれほどあなたの健康を支えてくれるか、以下に挙げる。

1　心血管系を強くする

運動によって心臓と肺が強くなると、安静時の血圧が下がり、体と脳の血管の負担が減る。この筋書きにはさまざまなメカニズムがはたらいている。第一に、運動して筋肉を収縮させると、ＶＥＧＦ（血管内皮成長因子）やＦＧＦ－２（線維芽細胞成長因子）などの成長因子が放出される。これらはニューロンの新生や結合を促すほか、分子の連鎖反応を誘発して内皮細胞を作らせる。内皮細胞は血管の内壁を形成する細胞で、新たな血管を作るのに欠かせない。そうして生まれた新たな血管は、脳の各領域でライフラインとなっている血管ネットワークを拡張し、さらに予備のルートも作って血管が詰まるのを防ぐ。第二に、運動すると体内により多くの一酸化窒素が取り込まれる。一酸化窒素は血管を拡張するので、より多くの血液が流れるようになる。第三に、中程度以上の運動は血流を増やし、脳の動脈が硬くなるのを予防する。第四に、運動は血管のダメージをいくらか修復することができる。実際、脳卒中を起こした人やアルツハイマーの患者でさえ、有酸素運動をすると認知テストの成績が上がる。運動は若いうちに始めるのがベストだが、いくつで始めても遅すぎることはない。

2　燃料を調整する

スウェーデンのカロリンスカ研究所のチームが、七五歳以上の老人一一七三人について九年間追跡調査した。糖尿病の患者はいなかったが、血糖値の高い人はアルツハイマーを発症する率が七七パーセント高かった。

年をとるとインスリン（細胞内へのグルコースの取り込みを促進している）が少なくなるの

で、燃料となるグルコースが細胞に入りにくくなる。血液中にグルコースが急増すると、その影響で細胞内にはフリーラジカルのような老廃物が生まれ、また、血管が傷つき、脳卒中やアルツハイマー病になる危険性を高める。すべてのバランスが整っているとき、インスリンはアミロイド斑の蓄積を防いでいるのだが、インスリンが減ると斑の蓄積が進み、炎症も促され、周囲のニューロンが傷つけられる。

運動は、インスリン様成長因子（ＩＧＦ－１）の量を増やす。それにより全身のインスリンが調整され、脳ではシナプスの可塑性が高まる。また運動することで余剰の燃料が消費されると、高血糖のせいで減少していたＢＤＮＦが、またさかんに供給されるようになる。

3　肥満を防ぐ

体脂肪は心血管系と代謝系に重大な害となるばかりか、脳にも悪影響を及ぼす。ＣＤＣの推定によると六五歳以上のアメリカ人の七三パーセントが太りすぎなのだそうだ。肥満が心血管系の病気から糖尿病まで、さまざまな病気を引き起こすことを思えば、ＣＤＣが肥満を国民的流行病と呼ぶのももっともだ。太り気味だというだけで、認知症になる危険性は二倍になり、そこに高血圧と高コレステロールが加わると――肥満の人にはありがちだが――、その危険性は六倍にもなる。だれでも定年を迎えると、これまでずっとはたらきづめだったのだから、ひと息入れるのも悪くないと考え、ついつい食べすぎるようになる。だが、食べている本人はわかっていないようだが、毎食後のデザートは、決してごほうびにはならない。運動は二つの点で自然に肥満を防ぐ。カロリーを燃焼し、食欲を抑えるのだ。

4　ストレスの閾値を上げる

運動は過剰なコルチゾールによる腐食を抑えることができる。コルチゾールは慢性的なストレスから生じ、心と体を蝕み、うつや認知症を導く。また運動はニューロンを強化し、過剰なグルコースやフリーラジカル、興奮性の神経伝達物質であるグルタミン酸に対抗できるようにする。いずれも必要なものだが、野放しにしておくと細胞にダメージを与えるからだ。老廃物が沈着し、細胞のメカニズムが破壊され始めると、傷ついたタンパク質やＤＮＡの破片といった危険な生成物が生じ、宿命づけられた細胞の死への引き金が引かれ、老化が速まる。運動をすると有用なタンパク質が生まれて、こうした細胞の傷を修復し、劣化を遅らせる。

5　気分を明るくする

より多くの神経伝達物質、神経栄養因子、より強いニューロンの結びつきは、うつや不安によって起きる海馬の萎縮を予防する。また、多くの研究により、いつも朗らかな気持ちでいると認知症になりにくいことが実証されている。これは、病的な抑うつだけでなく、一般的な気分についても言えることだ。活動的な生活をしていれば、人との交流が保たれ、新たな友人を作ることもできる。社会的な結びつきは、前向きで明るい気分を保つために重要だ。

6　免疫系を強化する

ストレスと老化は免疫力を弱める。そして運動は、二つの重要な方法によって免疫力を直接強くする。第一に、ほどほどの運動でも、免疫系の抗体とリンパ球（Ｔ細胞という名で知られる）が活性化される。抗体は細菌やウィルスの感染と戦い、また、T細胞の数が多いほど、体はがんのような病気の進行にすばやく反応することができる。集団研究によってわかったことだが、がんの最も明らかな危険要因は、運動不足だった。たとえば、よく運動する人が結腸がんにかかる確率は、そうでない人の五〇パーセント以下だ。

第二に、傷ついた組織を修復する細胞を活性化させるのも、免疫系の仕事だ。そのはたらきが低下すると、傷が悪化し、炎症が慢性化する。五〇歳をすぎると健康診断で血中のC反応性タンパク（CRP）が検査されるようになるのはそのためだ。CRPがあるということは、心血管系の病気やアルツハイマー病のおもな要因となる慢性的な炎症が起きている証拠だ。運動すると、免疫系のバランスが回復されて、炎症を抑え、病気を食い止めることができる。

7　骨を強くする

骨粗しょう症は、脳に直接大きな影響を与えるわけではないが、年をとっても運動をつづけるには頑丈な体が必要なので、ここで触れておく必要がある。なにより、骨粗しょう症は予防できる病気なのだ。

米国では、二〇〇〇万人の女性と二〇〇万人の男性が骨粗しょう症になっている。一年間に骨粗しょう症でもろくなった股関節などを骨折して亡くなる女性は、乳がんで亡くなる女性よりも多い。女性の骨量がピークに達するのは三〇歳前後で、その後は更年期まで毎年一パーセントずつ減少し、更年期になると減少ペースは倍増する。その結果、六〇歳になるころには、女性の骨は約三〇パーセントが消えてしまっている。もっとも、カルシウムとビタミンD（毎朝、太陽光を一〇分間浴びれば、ただで摂取できる）を摂り、エクササイズや筋力トレーニングで骨を強化していれば、話は違ってくる。ウォーキングだけでは足りない――それは、もっと年をとったときのために取っておこう。若いうちに、ウェイトトレーニングや、走ったり跳んだりという動きが含まれるスポーツをしていれば、骨の自然な減少は予防できる。その効果には驚かされる。ある研究では、わずか数か月のウェイトトレーニングで女性の下肢の骨の強さが二倍になった。九〇代の女性でも、骨を強化してこの悲劇的な病気を予防することはできる。

8　意欲を高める

幸せな老後は希望をもつことから始まる。社会とかかわり、活動的で生き生きと暮らしたいという欲求がなければ、人はたちまち動くことをやめて孤独に陥り、死に向かって転落し始める。老いにともなう問題のひとつは、立ち向かうべき課題がなくなることだが、運動していると、いつまでも向上心をもってがんばりつづけることができる。

運動は、ドーパミン――意欲と運動システムの要となる神経伝達物質――の自然減少を予防する。体を動かすと、ドーパミン・ニューロンどうしのつながりが強められ、自然とやる気が増す。パーキンソン病の予防にもなる。このことは「忙しく生きていないと、体は急速に死に向かう」という考えを裏づけている。計画や目標を立て、約束を入れることは大切だ。ゴルフやテニスのようなスポーツが非常にすぐれているのは、自分を客観的に評価することと、上達しようとする意欲が求められるからだ。

9　ニューロンの可塑性を高める

神経変性疾患を予防する最良の方法は、強い脳を作ることだ。有酸素運動は脳を強くする。ニューロンのつながりを強め、より多くのシナプスを作って回路網を拡張し、海馬のなかでニューロンの親となる幹細胞を続々と誕生させるからだ。また、運動すると、ニューロンの可塑性や新生、つまり脳の成長に欠かせない栄養因子がさかんに供給されるようになる。その栄養因子は、運動しないでいると加齢とともに失われてしまう。さらに、筋肉を収縮すると、ＶＥＧＦ、ＦＧＦ－２、ＩＧＦ－１のような成長因子が放出され、それらは体から脳へ送られ、脳の成長を後押しする。こうしたすべての構造上の変化は脳の能力を高め、学習、記憶、高度な思考、感情のコントロールがよりうまくできるようになる。神経回路のつながりが太くなるほど、脳は将来のダメージに対して、しっかり準備することができる。

母の教え

わが家に初めてテレビがやって来たのは、わたしが八歳のときだった。だが、わたしたちがその前に座り込んでいたことは一度もなかった。そんなことは許されなかったのだ。母は口癖のように「テレビの前に座ってないで、外で遊びなさい」と言っていた。また、週に一度は食卓に魚料理がのぼった。わが家がカソリックだったからだけでなく、当時から魚は「頭にいい食品」として知られていたからだ。さらに学校ではシスターたちから「怠け者の頭のなかは悪魔の仕事場」といつも聞かされ、頭をはたらかせていることの大切さを教わった。こうして、科学がそれを証明するずっと以前から、わたしを教育した厳格な女性たちは、健康な生活を営むための三つの柱を、この頭に叩き込んでくれたのだ。それは食事・運動・知的活動である。こうして見ると、長く豊かな人生を送るための教えは、昔からそれほど変わっていないように思える。だが今日では、なぜそうなのかがよくわかっているので、その忠告はいっそう無視しがたい。

食事——軽く、体にいいものを食べよう

摂取カロリーを抑えれば寿命が延びる。少なくとも、ラットではそれが証明されている。実験では、食事のカロリーを三〇パーセント減らしたグループの方が、好きなだけ食べることを許されたグループよりも一・四倍長く生きた。「実際のところ対照群は食べすぎで、運動不足だった」と神経学者のマーク・マットソンは述べ、それは「大半のアメリカ国民そのものだ」と指摘する。国立老化研究所の老年学実験室で一八年前から行われているサルを用いた研究により、霊長類もラットと同様だとわかっている。そして、人間を対象とした研究では、二か月にわたって食事制限をした喘息患者(三食しっかり食べる日と、一日に五〇〇キロカロリーしか摂取しない日を交互に繰り返す)の血液を調べると、酸化ストレスと炎症を示す値が低くなっていた(喘息の症状も改善された)。この発見から、細胞は適度なストレス——この場合は燃料を奪った——を課されると、将来の危機に備えて抵抗力を増し、フリーラジカルを減らすことがわかった。「毎日一時間運動するのと同じことです」とマットソンは言う。「それは軽いス

トレスになりますが、回復する時間さえあれば、むしろ体にいいのです」
マットソンは、食事を抜くことをあえて人には勧めないが、自分は実践している。朝食を抜き、昼食はサラダですませ、夕食は普通に食べて、トータルで一日約二〇〇〇キロカロリー以下に抑えているのだ。標準体重の人にはそれほどダイエット効果はないかもしれないし、五〇歳をすぎた人は筋肉と骨が減少傾向にあるので、栄養不良にならないように気をつける必要がある。それでも、太りすぎの人が自ら脳にダメージを与えているのは確かだ。

三章でも触れたが、ある種の食べ物は、細胞の修復メカニズムを活性化する。たとえば、クミン、ニンニク、タマネギ、ブロッコリーには、害虫を寄せつけないための毒素がある。しかし、ごく微量なので、人間にはほどよいストレス反応を引き起こす。ブルーベリーやザクロ、ホウレンソウ、ビーツなどのフリーラジカルと戦う食品にも同じはたらきがある。こうした食品は毒でもあり酸化防止剤でもあり、最終的に細胞を修復させる。緑茶や赤ワインも同じ理由で体にいい。

それ以外については、全粒粉の穀物、タンパク質、脂肪をバランスよく摂ろう。低炭水化物《ローカーボ》ダイエットは、減量はできても、脳にはよくない。全粒の穀物は複合糖質を含み、単純糖質のように急激に増減しない安定したエネルギー供給をもたらす。またそれらはトリプトファンのようなアミノ酸を脳に送るためにも欠かせない。第四章で説明したように、トリプトファンはセロトニン生成に必要な先駆物質であり、それを始めとする重要なアミノ酸はタンパク質を分解して得られる。

脳の五〇パーセント以上は脂肪でできているので脂肪も重要だが、良質のものに限る。トランス脂肪、動物性脂肪は有害だ。一方、魚に含まれるオメガ3脂肪酸はとても体にいい。集団調査によると、たくさん魚を食べる国では躁うつ病の発病率が低かった。オメガ3脂肪酸そのものを、気分障害やＡＤＨＤの治療に用いる人もいる。週に一度魚を食べる人は、一年間の認知力の衰えが一〇パーセント少ないことがわかっている。フラミンガム心臓研究（マサチューセッツ州フラミンガムで五〇年にわたって行われた健康調査）の一環で、九〇〇人を九年間追跡調査したところ、一週間に三回、魚油を含む食品を食べていた人は、認知症になる確率がそうでない人の半分ほどだった。オメガ3脂肪酸は血圧とコレステロール値を下げ、神経の炎症を予防し、免疫力とＢＤＮＦレベルを上げる。オメガ3脂肪酸は、サケ、タラ、マグロのような遠洋魚に含まれている。また二つの重要なオメガ3脂肪酸であるエイコサペンタエン酸（ＥＰＡ）とドコサヘキサエン酸（ＤＨＡ）はサプリメントの形で毎日摂取することもできる（たとえば一日の摂取量としてＥＰＡ一二〇〇ミリグラムとＤＨＡ二〇〇ミリグラムが配合されたものがある）。

ビタミンＤは、骨を強くするためにも大切だが、がんやパーキンソン病の予防にも効果がある。わたしは、ビタミンＤ一〇〇〇ＩＵ（国際単位）と、女性にはさらに、カルシウム一五〇〇ミリグラムを摂るよう勧めている。また、記憶力と処理速度を高めるためにビタミンＢ類と八〇〇ミリグラム以上の葉酸（ビタミンB_9）の摂取も勧めている。

運動――規則正しくつづけよう

六〇歳以上の人には例外なく、ほぼ毎日運動することを勧めたい。退職して暇があるのだから、できないわけがない。一週間に六日が理想だが、義務としてではなく、楽しんで運動しよう。心拍計を使うといいだろう。自分の進歩を記録することには計り知れない価値がある。やる気も出るし、安心できる。心拍計があれば十分な強度で運動できただろうかと気を揉まなくてすむ。心拍計には説明書がついているが、基本は、二二〇から年齢を引いた数字が理論上の最大心拍数だ。その数字からどの程度の激しさで運動したらよいかがわかる（詳細は次章で述べる）。

運動のプランを立てる際には、四つの領域をカバーできるようにしよう。有酸素運動、筋力強化、バランス、柔軟性である。あなたの病歴を知る医者やトレーナーに相談するのが望ましいが、基本的な指針をいくつか挙げておこう。

有酸素運動

週に四日、三〇分から一時間、最大心拍数の六〇から六五パーセントで運動する。そうすれば、体内の脂肪を燃焼し、これまでに述べてきた脳構造の変化に必要な成分をすべて作り出すことができる。ウォーキングが最適だが、友人と一緒に戸外でできればなおよい。どんな運動を選ぶにしても、長く楽しめるものにしよう。それに加えて、週に二日は、少しペースを上げて（最大心拍数の七〇から七五パーセント）、二〇分から三〇分運動しよう。これまで運動していなかった人でも、このペースなら挑戦してみたくなるだろう。それはけっこうなことだが、激しく運動することより、継続することの方が大切だ。「ぎりぎりまでがんばる必要はありません」とクレイマーは言う。「強めの運動ができて、走ることができればすばらしいのですが、それが無理でも、ウォーキングで十分なのです。つづければ、驚くほどの効果が得られます」

筋　力

週に二回、ダンベルかトレーニングマシンを使った筋力トレーニングを、無理のない重さで一〇回から一五回を一セットとして三セットする。これは骨粗しょう症の予防に非常に有効だ。ありとあらゆる有酸素運動をやっていても、筋肉と骨は年とともに衰えていく。タフツ大学で、五〇代から七〇代の女性を対象に実験したところ、一年間筋力トレーニングに参加した女性の骨盤と背骨の骨密度は一パーセント増加していた。一方、座っていることの多かった女性たちの同じ部位の骨密度は、二・五パーセント減少していた。ウェイトトレーニングの経験がない場合は、最初の一か月はトレーナーにつくなどして、やり方を教わった方がいい。故障を避けるためにも正しいフォームを身につけることが大切だ。テニス、ダンス、エアロビクス、縄跳び、バスケットボール、そしてもちろんランニングのような、跳んだりはねたりといった動きがある運動も骨の強化に役立つ。

バランスと柔軟性

週に二回、三〇分程度、バランスと柔軟性を重視した運動をしてみよう。ヨガ、ピラティス、太極拳、空手や柔道、ダンスなどには、バランスと柔軟性が求められる。ずっと身軽でいるためにバランスと柔軟性は大切だ。その二つが失われると、有酸素運動や筋力トレーニングもつづけられなくなる。特定の運動の代わりに、バランスボールや、ボスというバランスボードを使ったトレーニングをしてもいい。ボスは半球状のトレーニング器具で、その上に立って体幹筋肉を鍛えることができる。八〇代のスキーヤー、ハロルドを覚えているだろうか？　彼は最近行ったスキー旅行の前にボスでトレーニングしたそうだ。

頭の体操――学びつづける

ここでのアドバイスは、「鍛えつづけよう」のひと言に尽きる。もうすっかりご存じのはずだが、運動によってニューロンがつながる環境は整えられ、知的刺激によって脳がその環境を活用する。さまざまな研究により、長く教育を受けた人ほど、年をとっても認知能力を保ち、認知症にならずにいられることが明らかになっているが、それは偶然ではない。とは言っても、大学を出ている必要はない。学校に通った期間が長い人ほど、人生を通じて学ぶことへの興味をもちつづける傾向があるというだけのことだ。こうした統計のなかには、大学に行ってなくても、自分をとりまく世界に強い関心を抱いている人も数多く含まれている。

なかでも最も励まされる証拠を、ジョンズ・ホプキンス大学の疫学者たちが行った「エクスペリエンス・コーズ〔シニアによる子どもの学習支援活動〕」に関する健康調査に見ることができる。その調査はおもにアフリカ系アメリカ人の六〇歳から八六歳の女性一二八名の協力のもとに行われた。彼女らは教育レベルも社会的経済的地位も高くなかったが、訓練を受けて小学生に読み書きを教えたり、本の読み聞かせをしたりした。その結果、子どもたちの標準テストの成績が伸びただけでなく、協力した女性たちの健康状態も目に見えてよくなった。杖に頼っていた人の半数は杖を必要としなくなり、四四パーセントが、以前よりも気持ちがしっかりしたと答えた。テレビを観てすごす時間は四パーセント減少した。そして、助けをあてにできる人の数がぐんと増えたということだった。

ボランティア活動は有益だ。社会とつながりが生まれ、そのこと自体が脳を刺激する。なんであれ、他人とのつながりをもたらすものは、より長く、よりよく生きる助けとなる。統計は、人の社交性と死亡率には明白な反比例の関係が見られることを示している。新たな経験は、脳により多くを要求し、脳の補償力を育む。脳のなかにより多くのミラクルグロ、新たなつながり、ニューロン、そしてより多くの可能性が生まれるのだ。

一九九〇年代中ごろ、心筋梗塞により八五歳で亡くなったバーナデットという修道女がいた。彼女は六七〇余名の修道女たちと同じく、亡くなったらその脳を、デイヴィッド・スノウドンという疫学者の研究に提供することに同意していた。スノウドンは刺激的な著書『一〇〇歳の美しい脳——アルツハイマー病解明に手をさしのべた修道女たち』によって、ミネソタ州マンケートのノートルダム修道女会の名を世に知らしめた。修道女たちは教えの言葉をつねに学び、精神のあり方を探究するのはもちろんのこと、社会問題についても話しあい、つねに頭を鍛えている。そして多くが一〇〇歳を超えるまで長生きする。なかでも、シスター・バーナデットにはとくに興味を惹かれる。彼女は最晩年まで認知力テストで上位一〇パーセントに入る高成績を誇っていたが、亡くなったのちにその脳を調べてみると、アルツハイマー病のせいで大半がぼろぼろになっていた。海馬から大脳皮質に至るまで、組織はアミロイド斑だらけで、はなはだしい神経原線維変化が認められた。さらに、彼女はアポE4変異体の保有者でもあった。つまり、人格を喪失するほどの認知症になっていても不思議ではなかったのだ。だが、脳にひどいダメージを負っていたにもかかわらず、彼女は最後まで鋭敏な知力を失わなかった。

スノウドンは、認知力には予備の部分があるのではないかと推測する。脳は、損傷の埋めあわせをするために、傷ついた部分の仕事をほかの部分に肩代わりさせられるというのだ。シスター・バーナデットは、晩年になっても人々を導き、頭をはたらかせつづけた。彼女は脳を訓練して、遺伝による影響を迂回させていたのだろう。その生き方には、わたしの母の生き方と同様に、学ぶところが多い。

第十章

鍛錬

脳を作る

ここまで有酸素運動が脳に及ぼす驚くべき影響についてさんざん訴えてきたが、それは、走るときに脳でなにが起きるかがわかっていれば、きっとあなたも本気になって、毎日スニーカーのひもを結ぶだろうと期待するからだ。水泳でも、自転車でも、楽しく汗を流せることならなんでもよい。とにかくなにか体を動かすことに夢中になってほしい。

わたしが強調したかったこと――運動は脳の機能を最善にする唯一にして最強の手段だということ――は、何百という研究論文に基づいており、その論文の大半はこの一〇年以内に発表されたものだ。脳のはたらきについての理解は、その比較的短い期間にすっかりくつがえされた。この一〇年は、人間の特性に興味をもつ人すべてにとって、心沸きたつような時代だった。わたし自身、本書のための調査を通じて、運動の効果にますます驚かされ、直観的な洞察は科学に裏打ちされた真実へと変わっていった。

この分野の歴史がいかに浅いかを示す実例として、ニューロン新生に話を戻そう。かつては、生涯を通じて脳には新しいニューロンが生まれるというような見方は異端とされていた。「一〇年前は、そんなことはだれも信じようとしませんでした」と神経学者スコット・スモールは言う。二〇〇七年、スモールが所属するコロンビア大学研究所で、人間の脳におけるニューロン新生の証拠が初めて見つかった。「五年前なら、わかったわかった、そういうこともあるかもしれないが、とりたてて言うほどでもないだろう、と言われたものです。しかし今は毎週のように、ニューロン新生が脳に影響を及ぼすことを示唆する研究が発表されています」

スモールは、被験者たちに三か月間運動させたのち、脳の写真を撮った。標準的なＭＲＩを用い、ズームしてシャッターを切るというごくあたりまえの方法で、彼は新たに形成された毛細血管の画像をとらえた。それは発生したニューロンが生き残るのに必要とするものだ。彼が目にしたのは、海馬の記憶領域における毛細血管の量が三〇パーセント増えるという、まさに驚くべき変化だった。もっとも、この研究が果たした最大の貢献は、脳を切り刻むことなくニューロン新生を見つけ出せるようになったことだろう。それによって、実験用のラットではなく人間に焦点をあわせられるようになったのだ。この新しい技術により、科学者はさまざまな要素がニューロン新生にどう影響するかを調べられるようになった。運動量もそのひとつだ。
「ニューロン新生を促すには、週に一時間の運動で足りるのでしょうか？　それとも毎朝するべきなのでしょうか？　へとへとになるほどマラソンしなければ、それは最大にならないでしょうか？」スモールは問いかける。「わたしたちにはわかりません。それはだれにもわからないことです。けれども、ニューロン新生を間接的に測定できるこの装置を使えば、運動療法を最大限に活用できるようになるはずです」

それにはまだ何年かかかりそうだ。現時点で彼や同僚は、運動とはおもに、ニューロン新生を促すきっかけになるものだと考えている。彼らにとって運動は、ニューロン新生のプロセスを観察するための道具にすぎず、運動それ自体の研究には、まだ手をつける余裕がない。

同様に、これまで論じてきた運動のプラス効果、つまり、神経伝達物質や神経栄養因子を増やすことや、脳内に新たな毛細血管を作りシナプスの可塑性を促進する因子を筋肉から放出することに関しても、運動の研究はあとまわしにされている。神経科学者ウィリアム・グリーノーは、一九七〇年代初頭に、運動するとニューロンから新しい枝が伸びることを電子顕微鏡で確かめた人物だが、彼なら有酸素運動が脳にとてもいいのは確かだ、と言うだろう。また彼は、ただ体を動かすだけでなく、複雑な動き（たとえばエアロビックダンスや武術など）を含めることが大切だと確信している。しかし彼もそうした運動をどの程度すればいいかという詳細については、まだ結論を出せていない。

それはそれでいいとしよう。運動を始めるにあたって、神経科学者だけに頼る必要はない。第一、彼らのこれまでの研究から十分な結論は出ているのだ。加えて、ほかの分野からも、有益な証拠が挙がっている。運動療法から疫学に至るさまざまな分野において、健康状態がよくなるほど、脳のはたらきもよくなることが繰り返し示されてきたのだ。チャールズ・ヒルマンは遂行機能《エグゼクティブ・ファンクション》を測る認知力テストにおいて、健康状態がいい子どもはそうでない子どもより成績がいいことを証明したし、アーサー・クレイマーは適度な運動によって高齢者の脳の量が増えることを明らかにした。これまでに総計で一万人に及ぶ幅広い年代の人を対象としたいくつもの調査が行われてきたが、それらの結果も、運動レベルが高い人ほど、気分は明るく、不安やストレスが少ないことを示している。

脳のためにどのくらい運動すればいいのかと尋ねられたら、わたしは、まずは健康になることを目指し、自分への挑戦をつづけることが大切だと話している。なにをどのくらいすればいいかは人それぞれだが、研究が一貫して示しているのは、体が健康になればなるほど、脳はたくましくなり、認知力の面でも、情緒の面でも、よくはたらくようになるということだ。体を快調にすれば、心もそれに従うのだろう。

だとすれば、運動が脳に及ぼす利益を享受するには、体を鍛え上げて下着のモデルのような体型にならないといけないのだろうか？　そんなことは決してない。実際、研究では、ウォーキングしただけでも、説得力のある結果が出ている。それでもわたしが健康な体に着目するのは、標準的な体重を維持し、心血管系を強くすれば、脳は最大の力を発揮できることを知っているからだ。どの程度の運動でもプラスにはなるが、実際的な観点から言えば、脳のためになにかをするということは、体を心臓病や糖尿病、がん、その他の病気から守ることにもなる。体と脳はつながっている。両方一緒に大切にすればいいのだ。

走るべく生まれついている

生物学者ベルント・ハインリヒは、その著書『アンテロープを追う：走ることと生活について動物がわたしたちに教えてくれること *Racing the Antelope: What Animals Can Teach Us about Running and Life*』のなかで、人類を「持久力のある捕食者」と評している。今日のわたしたちの体を支配している遺伝子は一〇万年以上前に進化したものであり、そのころ人類は絶えず動きつづけていた。食べ物を探し回ったり、何時間も何日もかけて平原でアンテロープを追ったりしていたのだ。ハインリヒによれば、アンテロープは哺乳類のなかでも最も足の速い種のひとつだが、わたしたちの祖先はそれを狩ることができたそうだ。どうやって？　逃げる力がなくなるまであとを追いつづけたのだ。アンテロープは短距離走者で、その代謝系では、いつまでも歩きつづけることはできない。だが、人類にはそれができる。また、わたしたちの筋肉線維は収縮の速いものと遅いものがバランスよく組みあわされているので、延々と野山を越えたあとでも、一気に走って獲物を仕留めることができるのだ。

もちろん今日では、生きるために採集や狩りをする必要はない。しかし、わたしたちの遺伝子には狩猟採集の行動様式がしっかり組み込まれていて、脳がそれをつかさどるようになっている。従って、その活動をやめてしまうと、一〇万年以上にわたって調整されてきたデリケートな生物学的バランスを壊すことになる。簡単に言ってしまえば、体と脳をベストの状態に保ちたいなら、この歴史の長い代謝システムをせっせと使うべきなのだ。DNAに刻み込まれた古代の活動は、おおまかにウォーキング、ジョギング、ランニング、全力疾走に置き換えることができる。そして、この祖先の日常の活動を真似しなさい、というのがわたしに言える最善のアドバイスだ。つまり、毎日、歩くかゆっくり走るかし、週に二、三回は走り、ときどきは全力疾走で獲物を追うのだ。

選択肢が有酸素運動に限られているわけではないが、低強度（ウォーキング）、中強度（ジョギング）、高強度（ランニング）という区切りは役に立つだろう。時間と努力を最大限に活かすには、これからやろうとする運動がこの区切りのどこに入るかを判断する基準が必要となるだろう。わたしがウォーキング、すなわち低強度の運動と呼ぶのは、具体的には最大心拍数の五五から六五パーセントでの運動を指す。中強度の運動は六五から七五パーセント、高強度は七五から九〇パーセントとなる。高強度の上限での運動は、時として苦しいものだが、効果は絶大で、近年、科学者の関心を集めている。

もしあなたが心拍センサーを内蔵したエクササイズマシンに満足できないのであれば、運動の強度を正確に測る唯一の方法は、心拍計を使うことだ。この手軽な装置はネーパーヴィルの革新的体育教育プログラムの要《かなめ》になっており、小学生でも使えるほど操作は簡単だ。胸部に装着して心拍を拾うセンサーと、その信号を受信して一分あたりの心拍数を画面にデジタル表示する腕時計のような計器からなる。高強度でランニングするにはどうすればいいか、説明しよう。仮にあなたが四五歳だとすると、理論上の最大心拍数はおよそ一七五となる。それは二二〇から年齢を引くというおおざっぱな式で出した数値だ。その最大心拍数の七五パーセントから九〇パーセントを計算すると、高強度のトレーニングの下限と上限は一三一と一五八になる。これがトレーニング中に目指すべき心拍数の範囲だ。あなたの仕事は、この上限と下限を心拍計に入力し――時間を合わせるような簡単な操作だ――あとは心拍計の指示に従って走るペースを調整するだけだ。心拍数が望ましい範囲から外れると、心拍計はピーッと鳴る。あなたの体の声に耳を傾けるための、簡単で正確な方法だ。

心拍計は安くて使いやすい。効率よく運動したいと真剣に考えている人には不可欠で、そこまでではなくても、ちょうどいいペースで運動できているか、激しすぎないかを知るだけでも価値はある。強度のチェックはそれにまかせるとして、ではどのくらい運動すればいいのだろう。疾病管理予防センターから米国スポーツ医学大学まで、公の機関による提言は、少なくとも週に五日、中強度の有酸素運動を三〇分するのが望ましいとしている。だがそれでは控えめすぎるだろう。アメリカ人はあまりにも体を動かさなくなっているので、あまりレベルの高いことを求めると、国中の人があきらめてしまうのではないかと、専門家たちは恐れているようだ。「だれもが最大の効果を得られる最小の量を知りたがっている」とは、デューク大学の運動生理学者ブライアン・ドゥシャの弁だ。彼は、週にわずか三時間ウォーキングをしただけで心血管系にプラスになることを示す研究を発表したとたん、マスコミからひっぱりだこになった。

「わたしは過剰な要求はしないようにしています。そんなことをすれば人々はやる気をなくすからです」しかし彼は、聞く耳をもつ人には、もっと強めの運動をもっと長時間すればより効果がある、と教えている。

ドゥシャは心血管の健康に関する専門家だが、本書で紹介した神経科学者のほぼ全員と同じことを言う。「少しでもいいのですが、やればやるほどいいはずです」けれども、わたしが見たり読んだりしてきたことから判断すると、週に六日、なんらかの有酸素運動を四五分から一時間するというのが理想だろう。そのうちの四日は中強度で長めにやり、あとの二日は高強度で短めにする。体を強制的に無酸素代謝の状態にする高強度の運動が、思考や気分に影響するかどうかははっきりしないが、高強度の運動をすると、脳を作る重要な成長因子のいくつかが体から分泌されるのは確かだ。短時間で高強度の運動をするには筋力トレーニングを含んだほうがいいだろう。しかし、二日つづけて高強度の運動をやってはいけない。体と脳が成長するには、回復のための時間が必要となるからだ。わたしが提案するのは、週のうち六時間を脳のために費やすことだ。起きている時間のせいぜい五パーセントだ。

ドゥシャのような専門家も言っているが、肝心なのは、なにかをするということ。始めるということだ。あたりまえに思えるかもしれないが、座ってすごすことの多い人――とくにうつのせいで不活発になっている人――には、最初の一歩が最大の難関となるだろう。なかには、自分の状況が「キャッチ＝22」〔戦争の閉塞と矛盾を描いたブラックコメディ〕ばりのジレンマに陥っていると思える人もいるかもしれない。運動を始められないのは、エネルギーが湧かないからで、エネルギーが湧かないのは、運動しないから……というわけだ。わたしが診てきた患者のなかにも、そうなってしまっている人がいた。事態は深刻で、単に意志の問題として片づけることはできない。「始める」ことをそれ自体ひとつの挑戦として、乗り切ることが肝心だ。

だれかと一緒にする方がつづけやすいということは十分、立証されている。友人と一緒に走ったり、グループでサイクリングしたり、あるいは隣人とウォーキングしたり、どんな形でもかまわない。加えて、本書で述べてきた脳への神経学的メリットは、人と一緒に運動するとより大きくなることが、いくつもの研究により明かされている。わたしは本当に行きづまっている患者には、しばらく個人的なトレーナーを雇うことを勧めている。そうすればキャンセルしづらくなるからだ（約束を守らなくても支払いは生じる。お金は外からの大きな動機となる）。歯医者の予約をとるように、運動の予定を手帳に書き込もう。そうするうちに、脳はそれを習慣として組み込むだろう。歯を磨くのと同じように。

これまであまり運動をしてこなかったのであれば、ウォーキングから始めることをお勧めする。エレベーターに乗る代わりに階段を使い、駐車場では遠い場所に車を停め、ランチタイムには近所を散歩しよう。数十年前からある歩数計と呼ばれる健康器具は、毎日どれだけの距離を歩いたかを計算する助けとなる。それをつけていると、意識しなくても自然に運動が生活の一部になる。歩幅の平均を八〇センチとすると、一万歩で八キロ近く歩いたことになる。あえて時間を割かなくても、体にいいことができる賢明な方法で、実際の効果もある。歩数を数えることは、体重を量ったり心拍モニターを装着したりするのと同じで、歩くことに集中し、やる気を保ちつづける助けとなる。さまざまな強度の運動が体と脳をどう変化させているかを理解している人にとっては、なおさら励みとなるだろう。

ウォーキング

健康になっていく過程は、有酸素運動の土台を築いていく過程である。心臓と肺を鍛えれば、より効率的に体と脳に酸素を送れるようになる。血流が増すと、当然ながら、連鎖的に化学反応が起こり、セロトニン、脳由来神経栄養因子（ＢＤＮＦ）、その他の栄養因子が生成される。

一日一時間、最大心拍数の五五から六五パーセントでウォーキングを始めれば、その時間で歩ける距離は自然と延び、次第に健康になっていくだろう。このレベル（低強度）では、脂肪が燃料として燃やされ、代謝が盛んになる。体の脂肪が多すぎると、筋肉はインスリン抵抗性をもつようになり、そのせいで脂肪がますます蓄積し、インスリン様成長因子（ＩＧＦ－１）の生産は減る。二〇〇七年にミシガン大学で行われた研究によると、一セットの有酸素運動で、翌日にはインスリン抵抗性が改善されていた。筋肉の組織を運動の前後で比較したところ、運動後の筋線維には脂肪の合成に欠かせないタンパク質が生じていた。その効果がどれほど長くつづくのかはわからないが、その発見はほんの少しの運動でもプラスのドミノ効果が起きることを証明した。

あなたが体にもっと燃料を作るよう求め、筋肉がそれを察知すると、さまざまなよいことが起きる。低強度の運動は脂肪を燃焼させるほか、血流中に遊離トリプトファンを送り込む。覚えているだろうか、気分を安定させるセロトニンの原料となるものだ。また、このレベルの運動でもノルアドレナリンとドーパミンの配分は変化する。このことはハインリヒのいう「持久力のある捕食者」という進化的文脈とみごとに合致する。獲物を追跡しているあいだ、わたしたちの祖先は忍耐強さ、楽観性、集中力、そして、やる気を保ちつづける必要があった。それらはすべてセロトニン、ドーパミン、ノルアドレナリンの影響を受けるのだ。

ウォーキングを始めると、周囲の世界とより深くつながっていると感じられるようになり、じきに、さらに広い世界に踏み出したいと思うようになる。医師が患者の健康状態を測るときに用いる簡単な方法として、六分間でどれだけの距離を歩けるかを見るというものがある。しかし、アラバマ大学医学部の研究者らは、人はすぐに速く歩けるようになるので、正確に調べるには、まず練習で二回歩かせる必要があることを発見した。と言うことは、あなたも、いざ歩き始めたら、みるみるうちにより遠くまで歩けるようになり、うれしい驚きを感じるかもしれない。

会話をつづけられるぎりぎりのペースで一時間歩けるようになったら、中強度の運動をプログラムに加える準備ができたことになる。そのレベルに挑戦していくうちに、運動しているときだけでなく、生活のあらゆる局面でもっと多くのことができるようになるだろう。活力やエネルギーは増し、悲観的な見方をしなくなり、自分をよりコントロールできているように思えてくる。なんと言っても、そうやって活発に動くようになると、もう家でひとり寂しく、ぼんやりと座っているようなことはなくなるだろう。

ジョギング

最大心拍数の六五パーセントから七五パーセントという中強度の運動をやり始めると、体は脂肪だけでなくグルコースも燃やすようになり、筋肉組織はストレスによって微小断裂を起こす。本来、体と脳のあらゆる細胞は、絶えず損傷と修復を繰り返しているが、このレベルでの代謝が始まると、そのプロセスは加速する。また、よりパワフルな酸素供給システムが求められていることを体が察知すると、筋肉は血管内皮成長因子（ＶＥＧＦ）と線維芽細胞成長因子（ＦＧＦ－２）を放出し、それらの因子は細胞分裂を促進してより多くの血管を作る。スコット・スモールがＭＲＩの画像でとらえたのはこの新しい毛細血管である。培養組織にＶＥＧＦとＦＧＦ－２を加えたところ、わずか二時間のうちに細胞は血管を作り始めた。脳内では、この二つの成長因子は、新しい血管を作るほかに、ニューロンのつながりを強め、その新生も促している。

脳細胞の内側では、中強度の運動が引き金となって代謝系の掃除屋とも言うべきタンパク質や酵素が放出され、フリーラジカルやＤＮＡの破片、そのまま放置すると細胞の破壊をもたらす炎症因子を始末する。研究が進むに従って、抗酸化剤を薬の形で服用しても効果はないこと――むしろ有害であるかもしれない――が示唆されているが、有酸素運動によって細胞内に自家製の抗酸化剤を作り出せることはあまり知られていない。しかも、抗酸化剤は話の一部にすぎない。十分な修復期間があれば、運動が導く修復反応によって、ニューロンはより強くなるのだ。

中強度の運動はまた、血中にアドレナリンを放出させる。これまであまり運動をしてこなかった人の体内では、視床下部－下垂体－副腎（ＨＰＡ）軸が活性化する。これは第三章で述べた「闘争・逃走」というストレス反応の一部であり、体が厳戒態勢を敷き、コルチゾールが脳内を巡り始める。コルチゾールは、ふだんは細胞レベルでの学習機構に合図を出し、体が生存にとって重要だと判断する場面を記憶させている。しかし、その量が増えすぎると、ニューロンには毒となる。それに対し脳由来神経栄養因子（ＢＤＮＦ）はニューロンにとって最高の防御手段となる。適切な運動によってＢＤＮＦのように回復力をもつ化学物質が増えると、脳内の回路が強化されると同時に、ＨＰＡ軸が調整されてストレスにむやみに反応しなくなる。同じように、免疫系も強化され、風邪からがんに至るまで、体を実際に攻撃してくるものすべてを撃退する準備が整う。

ここで体から放出されるもうひとつの因子の出番となる。それは心房性ナトリウム利尿ペプチド（ＡＮＰ）で、鼓動を打つ心筋で合成され、血流に乗って脳内へ運ばれ、そこでストレス反応を緩和し、雑音を減らす。ストレスと不安を和らげる化学的連鎖反応において、重要なはたらきをしているのだ。中強度の有酸素運動をしたあとで爽快な気分になるのは、痛みを鈍らせるエンドルフィンやエンドカンナビノイドのほかに、ＡＮＰが増えるからでもある。ストレスが発散されるのは、これらの物質のはたらきによる。

このレベルの運動をするとき、あなたの体と脳では、破壊しては作り直してより強くするという作業が進んでいる。体と脳が回復できるよう、修復期間をもつことが大切だ。

ランニング

心拍数が最大時の七五から九〇パーセントとなる高強度の運動では、体は完全に緊急態勢に入り、かなり強く反応する。また通常、この強度の上限（九〇パーセント）あたりで、代謝は有酸素から無酸素へと切り替わり、筋肉は血流から十分な酸素を引き出せないため、低酸素状態に陥る。酸素はグリコーゲンを効率よく燃焼させるのに必要だが、その酸素が足りなくなると、筋肉は組織内に蓄えていたクレアチン（アミノ酸の一種）とグリコーゲンを乱暴なやり方で燃やし始め、筋肉には乳酸が蓄積する（そのせいで激しい運動のあと、大腿部や胸部に焼けるような痛みを感じる）。無酸素性作業閾値（有酸素運動から無酸素運動に変わる境目）は人によって異なるが、高強度の運動というのは、ちょうど大腿部が焼けるような痛みをともなう直前の心拍数の段階をつづけるということだ。生理学者はあなたの体が代謝を有酸素から無酸素へ巧みに切り替える心拍数を教えてはくれないが、アイオワ州立大学の運動生理学者パンテレイモン・エケカキスによる最新の研究は、この代謝の移行を知らせる最も確かな目安は、被験者がその運動の程度が「かなり苦しくなってきた」と報告するときだとしている。あいまいなように思えるが、エケカキスは驚くほど一貫した相関を発見している。この変化を判断するもうひとつの目安として、無酸素代謝に移る直前での運動は「やや苦しい」ものの、ペースを変えずに三〇分から一時間つづけることができるが、無酸素に切り替わるとそれができなくなるということを覚えておこう。

本気でインターバルトレーニング〔強度の異なる運動を交互に繰り返すトレーニング〕をするつもりなら、中強度の運動の合間に短時間、この閾値を上回る全力疾走を入れるとよいだろう。

中強度と高強度の重要な違いのひとつは、最大心拍数に近づき、とくに無酸素運動の域に達すると、下垂体からヒト成長ホルモン（ＨＧＨ）が放出されることだ。それは不老を研究する人々が若返りの泉と呼ぶものだ。血中に自然に分泌されるHGHの量は加齢とともに減少し、男女とも中年になると、子どものころの一〇分の一に減る。そして、座ってばかりの生活をしていると、この減退に拍車がかかる。高濃度のコルチゾール、インスリン抵抗性、血中の脂肪酸過多はすべて、HGHの分泌をさらに抑制する。

HGHは腕のいいエンジニアで、腹部の脂肪を燃焼させ、筋肉線維の層を作り、脳の容量を増やしている。研究者は、HGHには加齢による脳の減少を逆行させる力があると考えている。オリンピックの短距離走者やフットボール選手のようなスポーツマンは、インターバルトレーニングをしているときにHGH濃度を上昇させている。つまり自然な方法でドーピングをしているのだ。その結果、速筋線維は強化され、それが力強い動きを可能にする。また、筋肉線維が新たに増えると代謝が全体的に高くなるので、インターバルトレーニングをつづけると、脂肪や炭水化物を燃焼する能力は高くなる。

通常、HGHは血中にわずか数分間しかとどまらないが、全力疾走を含むトレーニングをすれば、上昇した状態を最長で四時間、維持できる。脳内では、HGHは神経伝達物資の濃度を調整し、これまでに述べてきたあらゆる成長因子の生産量を増やす。しかし、最も劇的な影響を受けるのは、IGF-1らしい。IGF-1は進化がもたらした、運動と燃料と学習を結びつける要《かなめ》である。細胞核そのものへ入り込み、遺伝子のスイッチを入れて、ニューロン成長のメカニズムを始動させる。

第三章に登場した精神科医でマラソン選手でもあるわたしの同僚、ロバート・パイルズの言葉を借りれば、これは心理学的には「自分に立ち向かう」という境地だ。自分にできると思える限界を超え、ほんの一、二分でも苦しさに耐えてがんばりぬくと、時として心が浄化されたような境地に達し、どんな困難も克服できるように思えてくる。あなたがランナーズハイという現象を経験したことがあるなら、それはおそらく最大限の努力をしたときに起きたはずだ。強い幸福感は、体のシステムから放出されるきわめて高濃度のエンドルフィン、ANP、エンドカンナビノイド、神経伝達物質が混ざりあってもたらしたものだ。脳はそうやって不要な感覚を一切遮断し、あなたが痛みを押して走り、獲物をとらえられるようにしているのだ。

高強度の運動は、肉体的にも精神的にも人を強くする。だからこそ、わたしたちは山に登り、ブート・キャンプに息を切らし、アウトワード・バウンド〔アウトドア活動による自己啓発を指導する教育機関〕のプログラムに参加するのだ。しかし、そこまで極端なことをしなくても、わたしが今述べている報酬を得ることはできる。英国のバース大学で行われた研究によると、エアロバイク・トレーニングに三〇秒間の全力疾走を一回足しただけでHGHが六倍に増加した。ピークになったのは、全力疾走の二時間後だった。

また、ドイツのミュンスター大学の神経学者による最近の研究は、インターバルトレーニングによって学習能力が向上することを報告している。被験者は四〇分間ランニングマシンで走り、その途中で三分間の全力疾走を二回した（あいだに二分間の低強度のランニングをはさんだ）。ずっと低強度で走りつづけた被験者に比べて、全力疾走をした人は、ノルアドレナリンとBDNFが目覚ましく増加した。さらに、走った直後に受けた認知力テストでは、全力疾走をしたグループの方が二〇パーセント速く語彙を覚えた。つまり、ほんの少しのあいだでも全力を出し切ることが、脳に多大な影響を及ぼすのだ。

いいことずくめのように思えるかもしれないが、インターバルトレーニングは思いついてすぐできることではない。まず有酸素運動で体をしっかり鍛え、さらに、自分がやろうとしていることを医師に相談する必要がある。激しい運動に慣れていない心臓に、過度の負担をかけるのは賢明とは言いがたい。健康状態にもよるが、インターバルトレーニングを組み込むのは、週に六日の有酸素運動を少なくとも六か月間つづけたあとにすべきだろう。重ねて言うが、医師の許可をもらうことをお忘れなく。

非有酸素運動

本書では非有酸素運動についてはあまり触れてこなかったが、正直言ってそれは、学習、気分、不安、注意力、その他わたしが扱ってきた事柄に非有酸素運動がどのような影響を及ぼすかについて、研究がほとんどなされていないからだ。ラットに重量挙げやヨガをさせるわけにはいかないので、非有酸素運動や高度で複雑な運動の効果については人間で調べるほかなく、それはすなわち、実験後、脳の生体組織検査ができないということを意味する。影響を判断する材料となるのは血液サンプルや行動テストなどに限られ、その解釈には幅が残る。つまり、こうした運動に関する結果は、有酸素運動のそれのように確かなものではないのだ。

とは言うものの、筋力トレーニングが筋肉を作り関節を保護するために重要なのは確かで、ヨガや太極拳の練習はバランスと柔軟性を向上させる――どれも身体能力を高め、生涯、運動をつづけることを可能にさせる。高齢者を対象としたごく最近の研究では、週に二回ダンベルでのトレーニングを六か月間つづけると、老人たちは壮健になり、遺伝子レベルで老化を逆行させられることがわかった。脳の成長にとって重要ないくつかの因子（VEGF、FGF－2、IGF－1）の生産に関係する遺伝子が、まるで三〇歳であるかのようなはたらきを示したのだ。

筋力トレーニングに関する脳の研究の大半は、学習や記憶ではなく、気分や不安に焦点を当てている。一〇年前にボストン大学で行われたある研究は、高齢者のグループに週三回の筋力トレーニングプログラムを一二週間つづけさせ、心理と認知能力をさまざまな角度から調べた。筋力がおよそ四〇パーセント向上したのに加え、不安感は弱まり、気分はよくなり、自信もついていたが、思考能力については目立った効果は得られなかった。同じころ、スイスのベルン大学の心理学研究所で行われた研究では、八週間の筋力トレーニングの効果を調べた。週に一度、一〇分間の準備運動のあとでマシンを使って八種類の筋力トレーニングをすると、精神面での健康が増進し、記憶力もわずかに向上した。また、追跡調査によると、その効果は、運動を継続してもしなくても、一年間つづいた。しかし、あまりにも多くの可変要素があったので、筋力トレーニングが記憶力に確かな効果をもたらしたと結論するには至らなかった。

筋力トレーニングの強度による違いもあるらしく、少なくとも高齢の女性の少人数のグループでは、適度な重さのウェイトを用いた方が、重いウェイトでトレーニングするより効果があった。別の研究では、高強度の筋力トレーニングをすると男女ともに不安の度合が強まった。この場合、高強度とはもち上げられる最大重量の八五パーセントのウェイトを用いることとしたが、多くの研究は、重要であるはずのこうした強度の定義をしていない。数年前、『アメリカスポーツ医学ジャーナル』誌上に発表された研究によると、クロストレーニング――三〇分間ウェイトを上げ下げし、三〇分間エアロバイクをこぐ――によって不安が軽減されたが、そのような設定では、なにが変化をもたらしたのかはっきりしなかった。また、このテーマに関するほぼすべての研究は高齢者を対象としていて、加齢のせいで筋肉量が減少している状態から実験をスタートするため、著しく進歩したと判断されやすい。

筋力トレーニングの影響を明らかに受ける因子のひとつは、ＨＧＨ（ヒト成長ホルモン）だ。最近の研究で、トレーニングを積んだ男性を対象として、ウェイトトレーニング中と有酸素運動中のホルモンの濃度を比較した。スクワットをしているときのＨＧＨ濃度は、三〇分間、高強度でランニングしているときの二倍だった。この結果はどんな運動をすべきかについて重要なヒントを与えてくれるだろう。

リズムやバランス、高度な技術を必要とする運動が脳にどんな影響を及ぼすかについての研究はさらに少ない。いくつかの小規模な研究から、ヨガの呼吸法はストレスと不安を軽減するということと、太極拳が（心拍数と血圧から判断して）交感神経系の活動を鎮めることがわかっている。最近ＭＲＩを用いて行われた、ヨガをしている八人を対象とする研究では、六〇分間ヨガをすると神経伝達物質であるガンマアミノ酪酸（ＧＡＢＡ）の濃度が二七パーセント増えた。ＧＡＢＡはザナックス（抗不安薬）のような薬がターゲットとするもので、不安と大いに関係がある。人によってヨガをするとリラックスできるのは、そこに理由があるのかもしれない。この領域で見つかる証拠の多くはまだ体験談の域を出ないが、神経科学者がもっと深く脳を探究していけば、点と点を結ぶ線が見えてくるに違いない。

やり通すこと

統計によると、運動を習慣にしようとした人の約半分は、半年から一年以内にあきらめてしまうようだ。意外でもないが、最大の理由は、いきなり高強度の運動を始めてしまうところにある。体にも心にも無理がいき、結局、投げ出してしまうのだ。運動生理学者のエケカキスは、運動の強度と不快感との関連に研究の焦点を当てている。有酸素から無酸素に移行するときにどう感じるかは人それぞれだが、その境界を超えると、ほとんど全員が心理テストではマイナスの感情を報告し、主観的運動強度指標（おもに疲労感による）では高い点数をつけた。そうなるのは、脳が緊急事態として警戒を促すからだ。運動をつづけるために気をつけるべきポイントは、低強度の運動でも不快な気分になるようなら、インターバルトレーニングなどの激しい運動は取り入れないことだ（やめてしまうよりは、低強度でもつづけていた方がはるかにいい）。

もし運動が嫌いでも落ち込むことはない——遺伝的にそうなっている可能性もある。二〇〇六年にヨーロッパの研究者が、一万三六七〇組の一卵性双生児と二万三三七五組の二卵性双生児を対象として、身体活動のレベルを比較した。二卵性双生児は半分しか同じ遺伝子を共有しない。その結果、彼らが運動好きかどうかは、六二パーセントが遺伝に由来することがわかった。また、ほかの研究により、運動するときの感覚を楽しめるか、一度始めたらやり通せるか、運動をして気分が劇的によくなると感じるかどうかということにさえ、遺伝が影響することがわかっている。かかわりのある遺伝子は多いが、なかでも研究者が注目するのは、報酬とやる気にかかわる神経伝達物質であるドーパミンに関連する遺伝子と、ＢＤＮＦの生成をコントロールする遺伝子だ。ドーパミン遺伝子の変異をもつ人は報酬不全症候群の可能性があり、ジムでほかの人が経験しているはずの強烈な快感を味わうことができない。また、もしＢＤＮＦの信号が切れていたら、気分をよくする運動のメカニズムはうまくはたらかない。しかし、わたしがこんなことを書くのは、運動しない言い訳を提供したいからではない。むしろ、つぎのことを思い出してほしいからだ――だれでも、行動を起こすことによって脳の配線をつなぎ直すことはできる。子どものころのように簡単にはいかないが、確かに可能なのだ。

運動するとすぐドーパミンの量が増え、しばらく定期的につづけると、脳の報酬中枢にあるニューロンが新たなドーパミン受容体を生み出し、さらに運動していこうという動機が芽生えてくる。新しい神経回路が作られたり、しばらく使わなかったために錆びついていた経路が磨き直されたりし、ほんの数週間でひとつの習慣が根づく。運動は自分を鍛え直す手段となり、それによって遺伝子の束縛を断ち切ることができる。実際のところ遺伝子は複雑な方程式の変数のひとつにすぎず、そのほかの多くの変数をあなたはコントロールできるのだ。

同じことがＢＤＮＦについても言える。運動を習慣化し、運動をしながらいい気分を味わえるようになるには、しばらくかかるかもしれないが、ひとたびその域に達したら、脳はより効率的にミラクルグロを作れるようになる。カリフォルニア大学アーヴァイン校で脳老化・認知症研究所を運営する神経科学者カール・コットマンは、海馬がＢＤＮＦを作るために「分子記憶」と彼が呼ぶものをもつことを発見した。彼は三か月にわたって、さまざまな運動を習慣づけたラットのＢＤＮＦ濃度を測定したが、そのなかで回し車を毎日走るものと、隔日で走るものを比較し、やめたことによる影響を数週間調査した。そのような運動パターンを設定したのは、研究室での実験の大半は毎日運動するという条件を設定しているが、「人間の運動パターンはたいていもっとルーズで、毎日することはめったにない」というやや意地悪な観察による。

彼はいくつか手ごたえのある結論を得た。まず、毎日の運動は隔日の運動より急速にBDNFを増やした——二週間後、毎日運動したラットは一五〇パーセント、隔日では一二四パーセント増加していた。ところが、不思議なことに、一か月経つころには隔日のグループのBDNF量は毎日運動したグループのそれに追いついていた。そしてラットが運動をやめると、どちらのグループもわずか二週間でBDNF濃度は元に戻った。しかし、最も興味深い発見は、ラットたちをふたたび回し車に乗れるようにすると、たった二日でBDNF濃度が高レベルに戻ったことである(毎日運動したグループは標準より一三七パーセント増、隔日のグループは一二九パーセント増のレベルに戻った)。これをコットマンは「分子記憶」によって説明しようとした。つまり、以前、定期的に運動していた人の海馬は、運動を再開すると急速にその活発な状態へ戻ることができるのだ。

コットマンは、毎日運動できればベストだが、休み休みでも運動すれば驚異的な効果がある、と結論した。運動が「毎日やるか、まったくやらないか」というものではないということを肝に銘じておいてほしい。もし数日間、あるいは一、二週間、運動しそびれたとしても、再開した翌日には、海馬はBDNFをどんどん生産している。その様子を想像しようではないか。

大勢でやればなおよい

脳のためを考えると、グループで取り組むのがいちばんだ。社会的な相互作用がもたらす刺激――複雑で、挑戦的で、やりがいがあり、楽しい刺激――によって、ニューロンは特別な発火をし始める。そのような精神の活動が運動による効果と結びつくと、脳が成長する可能性は最大となる。運動が学習という構造を作るブロックを用意し、社会的な相互作用がそれを適所にしっかりとはめ込んでいくのだ。

プリンストン大学の神経科学者エリザベス・グールドはニューロン新生研究のパイオニアで、経験と環境がいかに脳を変化させるかをおもに研究している。彼女は、動物が単独で生活している場合と、グループで生活している場合では、運動の影響がどう違ってくるかを実験し、社会的な相互作用がニューロン新生に大きく影響することを発見した。ある実験では、ラットをグループで暮らすものと、一匹だけで暮らすものに分け、それぞれ一二日間走らせたところ、仲間がいたラットの方に著しいニューロン新生が認められた。実際のところ孤独なランナーは、グループで暮らしながら走ってはいない対照群と同じくらい、ニューロン新生が少なかった。その理由は、ストレスホルモンのコルチゾールと関係がある。グールドは二〇〇六年に『ネイチャー・ニューロサイエンス』誌で発表した論文において、すべてのラットは運動しているあいだコルチゾールの量が増えるが、孤独なランナーたちは終日、その高いレベルがつづいたことを報告している。言い換えれば、孤立した状態ではコルチゾールがニューロン新生を抑えてしまうが、社会とのかかわりがあるとストレスホルモンをつかさどるＨＰＡ軸の「反応は鈍くなり」、コルチゾールがニューロン新生を妨害できなくなるのだ。と言うことは、ひとりで走りに行くのは悪いことなのだろうか？　そんなことは決してない。

運動そのものがストレス要因であり、HPA軸を活性化させ、コルチゾールを増やす可能性があることを思い出してほしい。孤独な状況も同じだ。ラットはランニングでストレスがたまり、加えて孤独のせいもあって、ニューロン新生を妨げるほどコルチゾールが増えたのだろう。そうなったのは、おそらくラットが十分な回復期間を与えられなかったからだ。なお悪いことに、当初、ラットはまったく運動していなかったので、いきなり一日に数キロ走るというのは、体のシステムが初めて経験する大きなストレスだった。

だから、グールドが当初一二日間だった実験を延長すると、話はまったく違ってきた。同じ条件で実験をつづけると、長く経つうち、具体的には二四日目から四八日目のどこかで、孤独なランナーのニューロン新生の速度はグループのランナーたちのそれに追いついたのだ。セロトニンが絡んでいるのではないか、とグールドは推測した。セロトニンは社会との相互作用によって増え、ニューロン新生を促進する。ところが、孤立したり、コルチゾールが多い状態が長くつづいたりすると、海馬のセロトニン受容体は減少する。つまり、孤独なランナーたちは、当初は孤独と急激な運動によって増えたコルチゾールのせいでセロトニン受容体が損なわれていたため、ランニングによってセロトニン濃度が上昇しても、その信号をニューロンに送れなかったと考えられる。

グールドはストレスと環境と運動との非常に込み入った関係を解明しようとしており、その研究には学ぶべきところが多い。まず第一に、今まで運動していなくて、ほかに多くのストレスを抱えているのなら、運動は無理のないペースで始めよう。第二に、社会の支援は脳に強い影響を与え、ストレスによるマイナスの影響を防ぎ、運動がニューロン新生を促進するのを後押しするので、人とのつながりを保つようにしよう。第三に、運動を習慣としてつづけると、体のシステムはおのずと調整が進み、運動の影響をうまく利用できるようになることを覚えておこう。

グールドは動物の研究から出せる答えには当然ながら限界があることを強調する。「げっ歯類は人類とは違います」と彼女は言う。「ラットやマウスに回し車を与えたら、どの個体も必ずそれに乗って走ります。でも、人間はそうではありません。多くの人はランニングマシンを買っても、早晩コート掛けにしてしまうのですから」

とは言え、人間もまた走るべく生まれついていて、併せて、ものが豊富な時期には、いずれ始まる採集や狩りの日々に備えて、エネルギーを保存するようプログラムされている。それに、ソファにどっかり腰をおろすという習慣が、この一〇〇年のあいだに本能としてDNAに組み込まれたわけでもない。座ってすごすことの多い現代の生活は、わたしたちの遺伝子と矛盾しているのだ。現代では、食料は苦もなく手に入る――サバンナを一〇キロも歩かなくても、冷蔵庫まではほんの一〇歩だ。だからこそ、かつて食料を得るためにやっていた活動の代わりに有酸素運動をするべきなのだ。

しかし、実験室のラットになってはいけない。ランニングマシンは雨の日や、ほかの人と一緒に運動できない日のためにとっておこう。チームに参加したり、一〇キロのチャリティマラソンを目標に友人たちと練習したりすれば、義務感と強力な動機が生まれる。ネーパーヴィルでジェンタルスキは生徒たちに競争ではなく、協力することを教えているが、おとなの場合、人によっては、チームの一員になることによって、スポーツへの熱意が加速する。スリー・オン・スリーの市民バスケットボール、成人サッカーリーグ、マスターズスイミングなど、なんでもいい。

あなたにとっては愛する人と一緒にウォーキングするのがいちばんなのかもしれないし、もしかすると、もともとテコンドーに興味があるかもしれない。あるいはネーパーヴィル中央高校の卒業生ジェシー・ウォルフラムのように、ロッククライミングへの挑戦に惹かれる自分を発見するかもしれない（それにはパートナーが必要だ）。ジェシーは幸運にも、高校では一八種類のスポーツからやりたいものを選ぶことができた。読者の皆さんはさらに幸運なことに、思いつくものならなんでも挑戦していいのだ。運動のすばらしさは、やればやるほど、自分はもっとやれるはずだと思えるところにある。

柔軟性を保つ

もちろん、体の柔軟性は大切だが、心を柔軟に保つことも同じく大切だ。どんな習慣にもつきまとう問題とは、それが自然の流れに逆らっていることにある。わたしたちをとりまく世界は常に変化しているので、同じことを延々とやりつづけること自体が難しいのだ。もっとも、そんなことをする必要はない。最善の戦略は、ほぼ毎日、なにか運動をしながら、その枠組みには柔軟性を保たせ、少々曲がっても大目に見て、おおもとから破綻しないようにすることだ。

プログラムを交ぜたり、新しい運動に挑戦したりすることによって、順応し、挑戦しつづけることができる。ここでわたし自身の経験をご紹介しよう。それは、どうすれば失敗し、どうすれば成功するかを示す、格好の事例だからだ。

わたしはペンシルヴェニア州西部で育った。当時、その地域からはジョー・ネイマス、マイク・ディトカ、トニー・ドーセットのようなフットボールのスター選手が輩出していた。わたしはおもだったスポーツ——フットボール、バスケットボール、野球——をやってみたが、たいていはゲームメーカーというより、勤勉な補欠選手だった。やがて自分にはテニスの才能があることに気づき、高校のあいだは、親友とダブルスを組んで、しょっちゅう試合に出ていた。スポーツで有名なコルゲート大学で選手になる予定だったが、大学へ入る直前に車の事故で腕と脚を骨折した。腕は二回の手術を要し、何年も使いものにならなかった。わたしはテニスの選手になることをあきらめ、一〇年近く、ほとんどなにもスポーツをしなかった。

研修医の時期に再び体を動かすようになったが、当時は、ボストン・マラソンの人気とビル・ロジャースの活躍（四回優勝）を受けて、ランニングがブームになっていた。わたしもランニングを始めたが、そのうちに、また無性にテニスがしたくなり、二、三人の同僚とスカッシュをやるようになった。その仲間には親友で長年の協力者であるネッド・ハロウェルもいた。わたしたちは互いに競い、おだて、励ましあいながら、ほぼ二五年のあいだ週三回プレーした。二人とも非常に忙しかったが、スカッシュの約束は決して破ってはならないものだった。そこまで長つづきするのは奇跡に近い。

しかし七年ほど前、わたしは右肩の回旋筋腱板に回復不能なほどの損傷を負い、ラケットを振れなくなった。そしてリハビリのためにウェイトトレーニングをするようになり、初めてジムに通いだした。最初は週に三回か四回、四〇分かそこらのあいだ、ステッパーやエリプティカルマシンに乗り、週に二日、ウェイトトレーニングをつづけていた。次第にレベルを上げ、一日に一時間運動するようになったが、友情を育んだスカッシュができないのは寂しかった。ネッドは強引に自分のトレーナーであるサイモン・ザルツマンとの契約をわたしに結ばせた。ザルツマンは昔かたぎの男だ。ロシア訛りが強く残る元ボクシングのコーチで、わたしを鍛えるためのアイデアは際限なく出てくるようだった。

わたしはウェイトトレーニングに加えて、腹筋運動とバランス運動を週二回、集中してできるときには週三回するようになった。ほかの日には、エリプティカルマシンを四〇分やるか、インターバルトレーニングをしたいときにはランニングマシンに乗ることにしている。

本書のための調査をしているときに、わたしはHGHのマジックを知り、全力疾走がいかに短い全力疾走を取り入れるのは、正直言ってかなりきつかった。ただこうして書くのも少々わたしを目指す目的に近づけるかを悟った。週に二日、ランニングマシンで走っているあいだ恥ずかしいが、その追加の努力にするだけの価値があった。一か月、それをつづけたところ、わたしは何年間も変わらなかった体重を四・五キロ落とすことができた――全力疾走がおなかの肉をはがしてくれたのだ。わたしは太りすぎではなかったが、それまでにやっていたことでは、このスペアタイヤを外すことはできなかった。今は週に二日は（二日以上はやらない）、二〇分のジョギングの合間に二〇秒から三〇秒の全力疾走を五回、できる限りの速さで走るようにしている。時間が足りないなか、なにをしたらいいかわからないと言う人がいれば、わたしはこの話をする。

今、六〇歳を目前にしているが、もっと若いと感じているし、もしこの脳をアーサー・クレイマーにスキャンしてもらえるなら、年齢より若く見えることを確信している。わたしは前頭前野とそこにつながっているあらゆる部位の機能を保つために、できることはすべてやっている。確かに、運動をやり損なう日はあるが、二日つづけて休んだことはない。ジムへ行けない日には、妻と一緒に犬を連れて、普段の一〇分の散歩の代わりに、速足で三〇分歩くことにしている。元気で疲れ知らずのジャックラッセルテリア犬、ジャックとサムにとって、わたしがジムをさぼる日はラッキーな日だ。彼らは知らないだろうけれど。

あとがき　炎を大きくする

本書を書いているあいだも、わたしはこの国と子どもたちの未来への希望をもちつづけてきた。ネーパーヴィルを初めとする各地で、子どもたちの灯した小さな炎がいったん勢いを得るとどうなるか、それを目の当たりにしてきたからだ。ネーパーヴィルでは九〇〇〇人いる子どものうち、太りすぎはわずか三パーセントだった。また彼らは、健康体ゆえに優秀でもあった。アメリカ人が食べすぎで身を滅ぼし、脳さえ破壊しつつあるのは確かだが、事態は変わろうとしている。体育と運動が、わたしたちの生活に戻ってきているのだ。二〇〇七年、フロリダ州知事に選ばれたチャーリー・クリストは、就任後の初仕事として、小学生に少なくとも一日三〇分の運動を課すという法案を成立させた。彼はNBAのスター選手シャキール・オニールと手を組んで、その必要性を世間に訴えた。また、ミズーリ州カンザスシティの教育長は、市街地にある小学校で体育教育が暴力を減らし、テストの成績をまたたくまに向上させたのを見て、市内全域の学校で体育を日課にすることを決意した。ほかの地域でも、立法者はぞっとするような統計値を覆すべく、公聴会を開き、不活発な生活の蔓延を食い止めようとしている。

医学の分野でも、公の場で運動の効果が真剣に語られるようになった。二〇〇七年、米国医師会（AMA）会長ロナルド・M・デイヴィスは就任演説で、AMAの全会員に、「運動は薬である」と題された小冊子を読んで、すべての患者が運動の計画を立てられるよう支援してほしい、と強く訴えた。精神医学の分野でも、同様のことが起きつつある。学会は『臨床精神医学ジャーナル』二〇〇七年五月号において、運動に関連した初めてのCME（専門家のための教育コース）として「気分障害と不安障害のための運動」を提供することを発表した。CMEは医師にとって最新医学を学ぶための重要な場なので、この新しいコースでは多くの事柄が議論されるべきだ。また現在では、精神衛生の問題を解決する手段として運動の力を検証する研究が続々となされている。介護施設や老人ホームでは、運動生理学者がスタッフに加えられ、ヘルスクラブでは個人トレーナーが引く手あまたの状況だ。

わたしたちは、神経科学の成果と、運動が脳へ及ぼす効果を調べてきた先達が得た洞察を指標として前進しようとしている。わたしが望むのは、本書で述べてきたことすべてがあなたを勇気づけ、あなたがテレビのリモコンのかわりにジム用のバッグを握り、スポーツを観戦する側ではなくフィールドに立つ側になってくれることだ。あなたは遺伝子も感情も、体も脳もすべて、活動的な生活を渇望している。わたしたちは動くように生まれついているのだ。動いているとき、あなたの人生は燃え始める。

謝辞

本書の執筆にあたり、ご協力くださった多くの方々に深い感謝を捧げたい。

フィル・ローラーとポール・ジェンタルスキは、ネーパーヴィル二〇三区のほかのスタッフとともに、インスピレーションの源になってくれた。彼らが作り上げた健康重視の体育教育モデルは、いかに運動がよりよい脳を作るかについて、確かな証拠を続々ともたらしている。その革命的な体育の授業によって生徒の学科の成績は向上し、生活態度も改善している。同じく重要なこととして、その学区では、生徒によい影響を与えられそうな新しいアイデアを、体育教師が自由に試せる雰囲気ができている。ローラーとジェンタルスキはその精神においても、実際の活動においても、まぎれもない研究者であり、勇気と好奇心をもって休みなく研究にあたっている。

ゼロ時間体育のニール・ダンカンとその生徒たち、リテラシーの担当教師マキシン・コジルとデビー・セント・ヴィンチェントがネーパーヴィル精神を世に広めるきっかけをつくってくれたことにも感謝している。

アン・フラナリーと「生活のための体育」のスタッフは、ネーパーヴィル方式が定着しているほかの地域を選びだす上で、大いに役立ってくれた。ペンシルヴェニア州タイタスヴィルはまさにその一例で、そこでのプログラムの効果を調査する際に、ティム・マッコードは多くの時間を割いて協力してくれた。

また、インタビューに答えてくれた神経科学者と専門家の方々には、時間と助力を惜しみなく割いてくれたことに心より感謝する。ジェームズ・ブルメンタール、アリソン・ボンド、クレイグ・ブルーダー、ダーラ・カステリ、イーロ・カストレン、モウリーン・デゼル、ロドニー・ディッシュマン、ウェイン・ドレヴェッツ、アンドレア・ダン、ブライアン・ドゥシャ、パンテレイモン・エケカキス、フレッド・ゲージ、サム・ゴールドステイン、エリザベス・グールド、ウィリアム・グリーノー、トム・ハートマン、チャールズ・ヒルマン、マリアン・ジョエルズ、ディーン・カーナジズ、アーサー・クレイマー、ヘレン・メイバーグ、ブルース・マキューアン、アイナ・マリス、ピーター・プロヴェット、ロバート・パイルズ、アメリア・ラッソ＝ノイシュタット、テリー・ロビンソン、ジェニファー・ショー、トレーシー・ショーズ、スコット・スモール、ジューン・スメドレー、ディーン・ソルデン、ジョン・タヴォラッチ、ジーン＝ジャック・ワン、ジェニファー・ウーヴ、マーティン・ヴォイトヴィッチ、以上の皆さんである。とりわけ、カール・コットマンとマーク・マットソンには感謝している。彼らの調査と洞察に促されて、わたしは運動が細胞レベルで恩恵をもたらすことに気づき、注目するようになった。彼らの発見への情熱を見習いたいものである。

自分の話を本書に掲載することに同意してくれた患者や友人、また、その経験をかいつまんで紹介することを認めてくれた多くの人に感謝したい。おかげで本書の内容はさらにリアリティのあるものとなった。

編集者のトレーシー・ビハーとリトル・ブラウン社のスタッフは、本書に興味をそそられるあまり、六か月に及ぶ研究の被験者になってくれた。それは、運動のレベルを上げるとどんな影響が出るかを調べるもので、彼らの抑えられないほどの好奇心はその情熱にさらに油を注ぎ、この作品を仕上げる助けとなった。ビハーとの調整役を務めてくれたブルック・ステットソンはいつも心から激励してくれた。

わたしのエージェントにして忍耐強い支持者であるジル・ニーリムは、わたしの構想を形にし、最初から本書の構成を手助けしてくれた。エリザベス・ウィードは共著者エリック・ヘイガーマンを紹介してくれた。

原稿の一部を読み、有益なフィードバックをくれた妹のヴェロニカ・クレインを始め、デイヴ・グッドリッチ、アレン・アイヴィ、エリックの母ジュディ・シンダーソン、エリックの友人スティーヴン・ミリオティ、ほかの多くの人々に感謝する。ジェイコブ・サトルメアは貴重な博士課程の勉強時間を割いて、しばしば科学的議論の相手を務めてくれた。また、最初はわたしの学生でのちに師となったネッド・ハロウェルには恩義がある。はるか昔、彼はわたしに、毎週一緒にスカッシュをし、親睦を深めるための時間をとるよう要求したのだ。また、サイモン・ザルツマンを紹介してくれたのもネッドだった。ザルツマンは毎日欠かさずわたしに責苦を課した熟練トレーナーだ。ベン・ロペスには友情と本書に対する考察、そして本書を書き始める場所を探していたときに海沿いの家を提供してくれた気前のよさに感謝する。

わたしの助手メアリー・ハルーンは、細々した仕事をすべて仕切り、計り知れない貢献をしてくれた。彼女は多くの問題を処理し、本書に専心できるよう時間を作ってくれた。最も重要な点は、友人として、堅固な支えとして、強さの源として、あらゆる局面でわたしを励まし前進させてくれたことだ。同様に、メアリーの夫マジディ・ハルーンの友情、支援、緊急時の技術協力がなければ、わたしはこの仕事をやり遂げられなかっただろう。

エリック・ヘイガーマンは単に協力者、共著者という以上の存在となった。彼はつぎつぎと飛躍するわたしの脳に一点に集中することを要求し、わたしが伝えようとしていることを彼にわかるように説明するよう求めた。彼はわたしの考えを引き出し、二ギガバイトに相当する科学論文の要点をまとめるのを助けてくれた。その才能は、本書を御していく上で欠かせないものだった。わたしたちは何日もかけて文章を練り、ページを重ねていった。彼の文章はすばらしく、その情熱は必要不可欠であった。愛するパートナー、クリステルとすごす時間を犠牲にしてくれたことに感謝する。

本書を執筆する上で最も苦労したのは二年にわたって気力を維持することであり、それはわたしの家族、友人、同僚の協力と励ましと愛情なくしてはなし得なかった。必要としたとき、そばにいてくれた皆に感謝する。すばらしい娘たち、ジェシカとキャスリン、義理の息子になったばかりのアーロン・コーエンには、原稿への提案と揺るぎない支援に感謝する。

そして最後に、妻のナンシーは、彼女自身の本の仕上げがあるにもかかわらず、強い精神力と理解をもって、わたしが本書の仕上げにかかりきりになるのを許してくれた。妻はつねにわたしのために戦ってくれた。

T氏. 否定的なことを言ってた
多動症に対する見解に誤りがある

訳者あとがき

本書は二〇〇八年一月にアメリカで刊行された*SPARK: The Revolutionary New Science of Exercise and the Brain* の邦訳版です。原書の刊行以来、もう一年以上たちますが、本国ではいまだに好調な売れ行きを維持しているようで、アメリカのアマゾン・コムを見てみると、たくさんの読者からの高評価のレビューがついています。ページをめくってみると、専門用語も目につき、なかなか硬派な内容のようですが、なぜそれほど多くの人に読まれ、評価されているのでしょう。お読みになった方はもうお分かりだと思います。「この本で救われる人がどれほどいることでしょう」とは、編集担当者の言葉ですが、私も、本書を早く世に出して、多くの方にこの内容を知っていただきたいと思いながら翻訳作業を進めました。

それはもちろん著者ジョン・レイティの思いであり、精神科の医師として多くの患者の治療にあたってきたレイティは、体を動かさなくなっている現状と、そうした生活ぶりが脳にもたらす深刻な悪影響に危機感を抱き、「運動が脳のはたらきをどれほど向上させるかを多くの人が知り、それをモチベーションとして積極的に運動を生活に取り入れるようになること」を切望して本書を執筆しました。世間一般には、運動するのは体の健康のためと考えられていますが、レイティは「運動の第一の目的は、脳を育ててよい状態に保つことにある」と断言します。

どうして脳にとって運動がそれほどまでに大切なのでしょう。レイティは人類の進化の過程にさかのぼって理由を述べます——人間の脳が発達したのは、厳しい環境で獲物を追い、巧みに捕らえ、生き延びていくためだった。わたしたちの遺伝子には狩猟採集の行動様式がしっかり組み込まれている。従って、その活動をやめてしまうと、一〇万年以上にわたって調整されてきたデリケートな生物学的バランスを壊すことになるのだ、と。

なんとも長大な時間軸に沿った見方ですが、彼の主張には確かな裏づけがあります。まずは、運動によって人生が大きく変わった人々の事例。いずれも著者が臨床医として長年患者を診てきたからこそ書ける真実であり、患者たちの苦悩と回復後の喜びがひしひしと伝わってきます——ストレスからアルコール依存症になりかけた主婦、不安障害に苦しめられていた女性管理職、うつと薬物依存のせいで自殺未遂にいたった若者、肉親をなくしたショックから免疫力が低下し重篤な病に冒された医者、それぞれ八方ふさがりな状況に陥っていましたが、運動によって心身の健康と自信を取り戻します。運動を利用した巧妙な方法で広場恐怖症を克服した患者や、マラソンに挑戦して薬物依存から脱した人々もいます。

こうしたエピソードだけ読んでも、運動が精神、つまり脳の健康に及ぼす効果には驚かされますが、さらにレイティは、脳の仕組みを詳解しながら、運動の脳への効果を示す画期的な実験や大規模な調査の結果を次々に挙げていきます。「ここで語るのは概念ではない。実験室のラットで計測し、人間で確認した具体的な変化なのだ」と。科学的な根拠を重んじる背景には、自身の苦い経験があります。彼は長年にわたって運動の重要性を訴えてきましたが、特に精神科の治療の現場において、「薬に頼る風潮はなかなかやみそうにない。精神科医たちは運動のように心身一体的な戦略を治療と認めようとしない」というのです。「もし運動がカプセルに入っていたら、その脳への効果はトップ記事になるだろうに」と彼は歯噛みします。

もちろん運動がよい影響を及ぼすのは精神障害を患う人に限った話ではありません。冒頭で紹介されるイリノイ州ネーパーヴィルの学区では、体育のあり方を根本的に変えたところ、学業成績が目覚しく向上し、子どもたちが生き生きと毎日を過ごすようになりました。その効果は他の地域でも確認されています。日本に目を移せば、先ごろ実施された文部科学省の「全国体力・運動能力・運動習慣調査」の結果は、子どもの体力低下を改めて証明するものでした。それと「全国学力調査」の結果を照らし合わせ、学力と体力には相関があるという見方もされていて、ある教師は「教師も子どもも学力向上で追いまくられているところへ、さらに『体力向上』という目標も課されるのだろうか。無理強いして運動嫌いな子を増やすことにならないか」と懸念を語ります。でも、ネーパーヴィルの子どもたちの姿は、そうした問題を一気に解決するシンプルな方法を教えてくれます。彼らに倣えば社会全体が変わるのではないか、とさえ思えてきます。

本書ではほかにも、ストレスを解消するため、集中力を高めるため、更年期障害を乗り切るため、賢い赤ちゃんを生むため、そして、老後も明晰な頭脳を保って明るい気分ですごすために、運動がどれほど役立つかが、数々の証拠とともに語られます。

もちろん、だれもが激しいエアロビクスやランニングができるわけではありませんが、たとえば五章で紹介されるうつ気味の女性医師は、背中をいためて寝たきりとなり、唯一可能だったダンベルの上げ下げで心身の健康を取り戻します。自宅で縄跳びやダンスゲームをして脳を回復させた人もいます。運動をあきらめてしまった人にこそ、本書を手にとって欲しいというレイティの思いが伝わってきます。

レイティは、「祖先の日常の活動を真似しなさい、というのがわたしに言える最善のアドバイスだ」と、各章ごとの最後で、脳をベストの状態に保つための運動の量と強さも教えてくれます。なかには「そこまでするの?」と思えるものもありますが、祖先たちの暮らしぶりを思えば、そのくらいは当然といったところでしょうか。

原題*SPARK*には、「脳を発火《スパーク》させて生気《スパーク》を取り戻そう」という意味が込められているようです。レイティの心からの訴えが多くの人に届くことを願って、日本語のタイトルは「脳を鍛えるには運動しかない!」となりました。

翻訳に際しては大下英津子さん、竹田円さん、竹中晃実さん、石田浩子さん、工藤奈月さん、西村美佐子さんにご協力をいただきました。日本放送出版協会の松島倫明氏にはこの意義ある一冊をご紹介いただき、刊行にいたるまで的確なご助言とご配慮をいただき、たいへんお世話になりました。白鳳社の酒井清一氏は専門的な部分にいたるまで細やかな校正をしてくださいました。この場をお借りして篤く御礼申しあげます。

二〇〇九年二月

野中　香方子

用語解説

［あ］

アドレナリン　エピネフリンとも呼ばれ、脳内の神経伝達物質であるとともに副腎から放出されるホルモンでもある。ストレスを受けるとすぐ分泌されて神経システムの準備を整え、生存を脅かす障害に立ち向かえるようにする。

アナンダミド　体と脳に存在する神経伝達物質で、カンナビノイド受容体と結びつく。大麻の主成分テトラヒドロカンナビノール（THC）もこの受容体を活性化する。活性化したカンナビノイド受容体は、体と脳が痛みや気分、幸福感をコントロールするのを助ける。

インスリン様成長因子（IGF-1）　おもに肝臓で作られるホルモンで、ヒト成長ホルモン（HGH）やインスリンと密接にかかわりながら、細胞の成長を刺激し、細胞の自然劣化を妨げる。

エンドカンナビノイド　脳内マリファナとして知られる一群のホルモン。痛みを鈍らせるという点では、エンドルフィン（脳内モルヒネ）に似ている。テトラヒドロカンナビノール（THC／大麻の主成分）よりはるかに速く代謝され、効果は持続しにくい。

エンドルフィン　体と脳で分泌され、内因性モルヒネとしてはたらくホルモン。体と脳にストレスがかかると分泌され、痛みの信号をブロックし、わたしたちが身体的な苦痛を乗り越えられるようにする。多くの生理学上の機能、たとえば快楽、満足、至福感などに影響する。

［か］

海馬　学習や記憶の多くを中継する部位。脳全体から入ってくる刺激を集め、その新しい情報とこれまでに蓄積された情報を照らし、記憶としてひとまとめにし、処理のために前頭前野に送り込む。近年、ストレスと気分に深いかかわりをもつことがわかってきた。海馬にはひじょうに多くのコルチゾール受容体があり、闘争・逃走反応のフィードバックを制御する最初の段階が展開されるからだ。コルチゾールとの密接なつながりゆえに、ストレスや老化による破壊が進みやすい。その一方で、脳に２つしかないニューロン新生のできる組織のひとつでもある。ニューロン新生を参照のこと。

下垂体　視床下部のすぐ下にあるエンドウ豆サイズの内分泌腺。全身のほかのホルモンを制御するホルモンや因子を分泌する。視床下部を参照のこと。

幹細胞　完全に機能する新しい細胞に発達しうる未分化の細胞。成人の脳では、歯状回と呼ばれる海馬の一部と、脳室下帯と呼ばれる領域だけにある。線維

芽細胞成長因子（FGF-2）および血管内皮成長因子（VEGF）によって、新しいニューロンへの分化・成長が促進される。線維芽細胞成長因子、海馬、血管内皮成長因子を参照のこと。

ガンマアミノ酪酸（GABA）　脳ではたらく主要な抑制性神経伝達物質。あらゆるニューロン、なかでも大脳辺縁系のニューロンのはたらきを抑制する。大脳辺縁系には感情を統括する扁桃体がある。抗不安薬の多くはGABA受容体をターゲットにしている。GABAは不安、攻撃、気分、発作の抑制にかかわっている。

グルタミン酸　脳ではたらく主要な興奮性神経伝達物質。グルタミン酸はニューロンの結合に欠かせず、従ってニューロン可塑性にとって重要である。

血液・脳関門　網状になった毛細血管のあいだに細胞がぎっしり詰まった組織で、血流中の栄養分や物質が脳内へやすやすと流れ込まないようにしている。毒素や病原体をろ過するフィルターの役目を果たす。

血管内皮成長因子（VEGF）　重要な信号伝達タンパク質で、組織に負荷がかかり、必要な燃料をまかなうほどの血流がない場合に体から分泌される。線維芽細胞成長因子（FGF-2）と同様に、マイトジェン（有糸分裂促進因子）のようなはたらきをし、ほかの細胞に信号を送って分化を促し、より多くの血管を作らせる。最近の研究により、VEGFは脳内でも作られ、記憶の定着にかかわっていることがわかっている。線維芽細胞成長因子を参照のこと。

交感神経系　脳と体をつなぐ広大なニューロンのネットワークで、ノルアドレナリンによって活性化される。自律神経系を構成する要素として常に活動しているが、ストレスを受けると劇的に活発化する。

コルチゾール　長期間作用するストレスホルモンで、燃料の流通を促し、注意と記憶を喚起し、体と脳が障害を乗り越えて平衡を保つのを助ける。来るべきストレスに備えて、体に脂肪の形で燃料を備蓄させる。そのはたらきは、私たちの生存にとってきわめて重要だが、過剰に分泌されると、ニューロンにとって毒となり、その結びつきを蝕み、緊急の燃料源にするために筋肉やニューロンを破壊し始める。

［さ］

最大酸素摂取量（VO2マックス）
酸素消費の最大値。肺の酸素処理能力を示す。有酸素運動能としても知られ、心肺機能を測るおもな指標となっている。

最大心拍数　人の心臓が1分間に鼓動しうる回数の生理的限界。それによって運動の強度を正確に知ることができる。生理学の研究室では、ぎりぎり限界まで運動

してその数値を出している。もっと一般的な、娯楽のために運動している人の場合は、220から年齢を引いた数を理論上の最大心拍数と見なす。

視床下部　下垂体の上にある小さな器官で、ホルモンを分泌して下垂体に信号を送り、ホルモンやそのほかの因子を放出させている。一種の交換局として、脳が出す神経化学物質の指令をホルモンの信号に翻訳している。そのホルモンの信号は血流を通って、性欲、飢え、睡眠、攻撃などの生理的欲求を指揮している。下垂体を参照のこと。

シナプス　隣りあう二つのニューロンの軸索と樹状突起の接合部。軸索では、電気信号が化学信号に変換され、シナプスのギャップを越えて指令を運ぶ。樹状突起で、神経伝達物質による化学信号は再び電気信号へ戻され、受け取った側のニューロンにはたらきかけて指令を実行させる。

小脳　細胞が密集した小さな部位で、脳のニューロンの半分はそこにある。知覚と自動運動機能の統合にかかわっている。絶えず忙しくはたらき、出入りする情報の更新や算定をしている。過去20年の研究により、小脳はただわたしたちをまっすぐ歩けるようにしているだけでなく、感情、記憶、言語、社会との相互作用といった脳の多くの機能において、リズムと連続性を保つ役目を果たしていることがわかってきた。わたしは小脳をリズム&ブルース中枢と呼んでいる。

心房性ナトリウム利尿ペプチド(ANP)
心臓と脳で産生されるホルモン。心拍数が上がると心臓での生成量が増え、血流中に放出される。血液·脳関門を通過して脳に入り、ストレス反応で発生する成分のはたらきを抑える。ストレスや不安を鈍らせ、気分を整える。血液·脳関門の項目も参照のこと。

セロトニン　気分、不安、衝動、学習、自尊心にとって重要な神経伝達物質。しばしば脳の警察官と呼ばれ、脳のシステムの多くで、活動や反応の暴走を抑制する。

線維芽細胞成長因子(FGF-2)
組織がストレスを受けたときに体と脳で分泌されるタンパク質。血管内皮成長因子(VEGF)と同じく、血管やほかの組織の形成を助ける。ニューロン新生に必要な幹細胞の分化を促すとともに、長期増強(LTP)と記憶の形成を促進する。長期増強、ニューロン新生、血管内皮成長因子を参照のこと。

前頭前野　脳の最前部に位置する大脳皮質の部位。灰白質のなかで最も新しく進化した。人間を人間たらしめる特質を監督する。脳のCEOとして、計画、配列、習熟、選択、理解その他の機能を取り締まる。また、RAM(ランダムアクセ

スメモリ）である作動記憶（ワーキングメモリ）の所在地でもあり、意思決定において重要な役目を担っている。大脳皮質を参照のこと。

［た］

大脳皮質　灰白質からなる薄い外層で、わずか6層のニューロン層からなる。人間の脳のなかでは最も新しく進化した部分であり、情報を素早く処理し、脳のほかの部分を統括している。脳の各部位のニューロンは軸索を伸ばして大脳皮質とつながり、幅広い精神的活動を伝えている。

長期増強（LTP）　学習と記憶を支える細胞のメカニズム。シナプスのギャップを越えて信号を送るために、脳細胞の能力あるいは潜在能力を増強する。細胞の結合と情報伝達にとってきわめて重要。シナプスを参照のこと。

ドーパミン　運動、注意、認知、やる気、快楽にとって重要で、依存症の原因ともなる重要な神経伝達物質。

［な］

ニューロン新生　脳内の幹細胞が機能的な新しいニューロンへと分化し、発達する過程。1998年、成人の脳でも確認されたが、それが起きるのは海馬と、脳室下帯と呼ばれる部分だけだと考えられている。脳室下帯は嗅覚に関連する。幹細胞を参照のこと。

脳由来神経栄養因子（BDNF）
活性化したニューロン内部で作られるタンパク質。脳にとっての「ミラクルグロ（肥料）」で、細胞の養分となってそのはたらきと成長を支えるとともに、ニューロン新生も促している。

ノルアドレナリン（ノルエピネフリン）
覚醒、警戒、注意、気分に影響する神経伝達物質。その信号は交感神経系を活性化させ、感覚を鋭敏にする。交感神経系を参照のこと。

［は］

ヒト成長ホルモン（HGH）　すべてのホルモンの親玉として知られる。おとなになるために脳と体の全細胞が成長する上できわめて重要で、体を作ることに深くかかわっている。燃料の配分を調整し、加齢にともなう細胞の自然な機能低下を防ぐ。

副腎　腎臓のすぐ上にある小さな器官。一部からアドレナリンを分泌してストレス反応を起こす。別の部分からは、HPA（視床下部–下垂体–副腎）軸の指示に従ってコルチゾールとコルチゾール様ホルモンが分泌され、ストレス反応を強める。HPA軸も参照のこと。

［ま］

ミトコンドリア　すべての細胞に存在し、細胞の炉のはたらきをする組織。有酸素代謝のあいだは、酸素を用いてグルコースを利用可能な燃料へ転換する。酸素が足りなくなると、燃料転換はミトコンドリアの外へ移行し、無酸素代謝が始まるが、有酸素代謝に比べるとはるかに効率が悪い。有酸素代謝、無酸素代謝を参照のこと。

無酸素代謝　十分な酸素がない状態で、脂肪とグルコースを体が利用できる燃料（ATP＝アデノシン三燐酸）に転換する代謝。体があまりに速く激しく活動し、筋肉が必要とする新鮮な酸素を血液が供給しきれなくなると、筋肉はこの非能率的な方法でグルコースを燃やし始める。

［や］

有酸素代謝　十分な酸素がある状態で燃料——はじめのうちは脂肪、つづいて脂肪と蓄積されたグルコース——を燃やし、活動中の筋肉細胞にエネルギーを供給する、長期型の代謝。低～中程度の身体活動で起こり、長時間、維持できる。

［A～］

ANP　心房性ナトリウム利尿ペプチドを参照のこと。

BDNF　脳由来神経栄養因子を参照のこと。

FGF-2　線維芽細胞成長因子を参照のこと。

GABA　ガンマアミノ酪酸を参照のこと。

HGH　ヒト成長ホルモンを参照のこと。

HPA 軸　視床下部から下垂体、副腎へと信号を送る回路。ストレス反応をコントロールしており、燃料調整や免疫系など、生命維持に欠かせない機能にとって重要である。副腎、視床下部、下垂体を参照のこと。

IGF-1　インスリン様成長因子を参照のこと。

LTP　長期増強を参照のこと。

VEGF　血管内皮成長因子を参照のこと。

VO2 マックス　最大酸素摂取量を参照のこと。

著者紹介

ジョン J. レイティ　*John J. Ratey*

医学博士。ハーバード大学医学部臨床精神医学准教授。マサチューセッツ州ケンブリッジで開業医としても活躍。研修医訓練の監督補佐を務めるマサチューセッツ精神衛生センターでは10年以上にわたって研修医やハーバード大学医学部学生たちを教える。また、ハーバード大学医師生涯教育プログラムの常勤講師として精神科医たちを教えている。

臨床研究者として精神医学と精神薬理学分野のピアレビュー専門誌に60以上の論文を発表。1986年にはボストン自閉症研究センターを設立、また、攻撃的行動への新しい投薬治療についての彼の研究から、88年にはアメリカ精神医学会に新しく攻撃性に関する研究会が生まれた。

80年代にエドワード・ハロウェル医師とともにADHDの研究を始め、94年に初めてこの障害を分かりやすく説明する著書『へんてこな贈り物』（インターメディカル）を執筆。97年には臨床的障害のより軽微な症例について研究した『シャドー・シンドローム〜心と脳と薬物治療』（河出書房新社）をキャサリン・ジョンソン博士との共著で発表。また2001年にはベストセラーとなった『脳のはたらきのすべてがわかる本』（角川書店）を刊行し、神経科学が感情や行動、そして心理学全般に与える影響について論じた。

1998年から毎年、同業者の選出による全米ベスト・ドクターのひとりに選ばれ続けている。また最近では、本書のテーマである定期的な有酸素運動の普及に貢献したとして、非営利団体PE4Lifeより最優秀支援賞を受けている。

著者サイト www.johnratey.com

エリック・ヘイガーマン　*Eric Hagerman*

サイエンス・エディター。*Popular Science*誌、*Outside*誌で編集主任を務める。本書ではジョン J. レイティの執筆・構成をサポートした。

訳者紹介

野中香方子　のなか・きょうこ

翻訳家。お茶の水女子大学教育学部卒業。主な訳書にグレゴリー・バーンズ『脳が「生きがい」を感じるとき』、マシュー・ブレジンスキー『レッドムーン・ショック』（ともにNHK出版）、クレイグ・ベンター『ヒトゲノムを解読した男』、ジョン・ホイットフィールド『生き物たちは3/4が好き』（ともに化学同人）、ユージン・リンデン『動物たちの愉快な事件簿』（紀伊國屋書店）、ナイルズ・エルドリッジ『ヒトはなぜするのか』（講談社インターナショナル）、共訳書にレイ・カーツワイル『ポスト・ヒューマン誕生』（NHK出版）、リチャード・フォーティ『地球46億年全史』（草思社）などがある。

校正　酒井清一（株式会社白鳳社）

脳を鍛えるには運動しかない！
最新科学でわかった脳細胞の増やし方

2009（平成21）年 3月20日 第1刷発行
2018（平成30）年10月10日 第32刷発行

著者
ジョン J. レイティ／エリック・ヘイガーマン

訳者
野中香方子

発行者
森永公紀

発行所
NHK出版
〒150-8081 東京都渋谷区宇田川町41-1
電話 0570-002-245（編集） 0570-000-321（注文）
ホームページ http://www.nhk-book.co.jp
振替 00110-1-49701

印刷
三秀舎／大熊整美堂

製本
藤田製本

乱丁・落丁本はお取り替えいたします。定価はカバーに表示してあります。

Printed in Japan
ISBN978-4-14-081353-9 C0098